#시험대비
#핵심정복

7일 끝
중간고사
기말고사

**Chunjae
Makes
Chunjae**

▼

개발총괄	김은숙
편집개발	김은송, 김용하, 박준우, 박유미
제작	황성진, 조규영

발행일	2021년 3월 15일 초판 2021년 3월 15일 1쇄
발행인	(주)천재교육
주소	서울시 금천구 가산로9길 54
신고번호	제2001-000018호
고객센터	1577-0902
교재 내용문의	(02)3282-8739

7일 끝으로 끝내자!

7

고등 지구과학 I

BOOK 1

1학기 중간·기말 대비

이 책의 **구성**과 **활용**

일차별 시험 공부

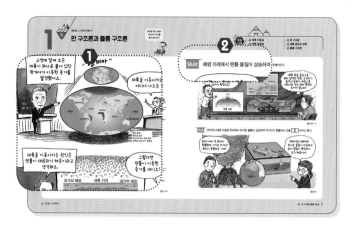

생각 열기

공부할 내용을 그림과 퀴즈로 가볍게 살펴보며 학습을 준비해 보세요.

❶ **그림으로 개념 잡기** | 학습할 개념을 그림과 만화로 재미있게 알아보세요.

❷ **Quiz** | 공부할 내용을 그림과 관련된 퀴즈 문제로 확인해 보세요.

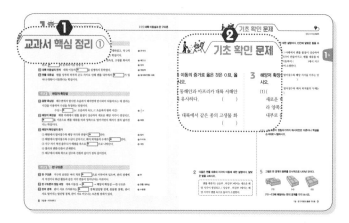

교과서 핵심 정리 + 기초 확인 문제

꼭 알아야 할 교과서 핵심 내용을 익히고 기초 확인 문제를 풀며 제대로 이해했는지 확인해 보세요.

❶ **교과서 핵심 정리** | 빈칸을 채워 보며 교과서 핵심 개념을 다시한번 체크해 보세요.

❷ **기초 확인 문제** | 교과서 핵심 정리와 관련된 문제를 풀며 공부한 내용을 확인해 보세요.

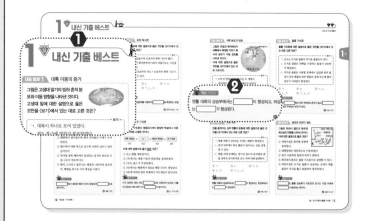

내신 기출 베스트

다양한 유형의 문제를 풀어 보며 공부한 내용을 점검해 보세요.

❶ **대표 예제** | 시험에 자주 나오는 빈출 유형 필수 문제를 풀어 보세요.

❷ **개념 가이드** | 대표 예제와 관련된 핵심 개념을 익혀 보세요.

시험 공부 마무리 테스트

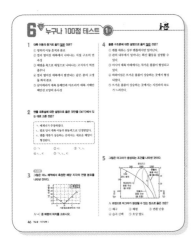

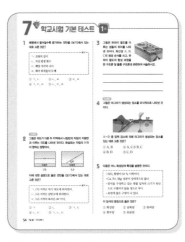

누구나 100점 테스트

5일 동안 공부한 내용을 바탕으로 기초 이해력을 점검해 보세요.

서술형·사고력 테스트
창의·융합·코딩 테스트

서술형·사고력 문제와 창의·융합·코딩 문제를 풀어 보면서 창의력과 문제 해결력을 높여 보세요.

학교시험 기본 테스트

중간·기말고사 예상 문제를 최종으로 풀며 실전에 대비해 보세요.

시험 직전까지 챙겨야 할 부록

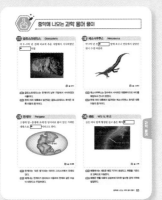

💎 중학에 나오는 과학 용어 풀이

중학교에서 배운 과학 용어로 선수 학습을 확인할 수 있어요.

💎 핵심 정리 총집합 카드

시험 직전이나 틈틈이 암기 카드를 휴대하여 활용해 보세요.

이 책의 차례

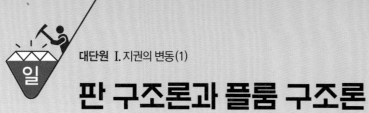

판 구조론과 플룸 구조론

공부할 핵심 개념이 무엇인지 퀴즈를 통해 알아보자.

Quiz 고생대 말에는 거대한 초대륙인 ㅍ ㄱ ㅇ 가 존재하였고, 약 2억 년 전부터 분리되고 이동하였다.

🔒 판게아

Quiz 해령 아래에서 맨틀 물질이 상승하여 새로운 ⬚⬚⬚⬚ 이 만들어진다.

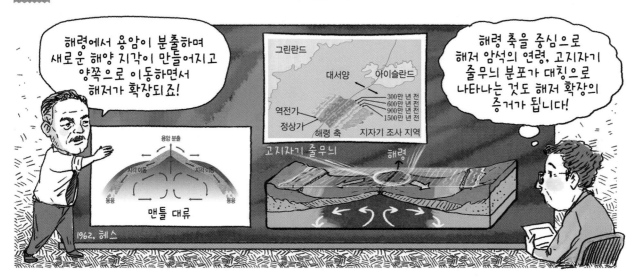

답 해양 지각

Quiz 연약권 아래에 고정된 위치에서 뜨거운 플룸이 상승하여 마그마가 분출하는 곳을 ⬚⬚ 이라고 한다.

답 열점

교과서 핵심 정리 ①

개념 1 대륙 이동설과 맨틀 대류설

1 대륙 이동설 고생대 말~중생대 초에는 초대륙인 **①**　　　가 존재하였고, 약 2억 년 전부터 분리되고 이동하여 현재와 같은 대륙 분포를 이루었다는 학설이다.

2 대륙 이동설의 증거 **②**　　　모양의 유사성, 지질 구조의 연속성, 고생물 화석의 분포, **③**　　　의 흔적과 이동 방향 등

3 대륙 이동설의 한계 대륙 이동의 **④**　　　을 설명하지 못하였다.

4 맨틀 대류설 맨틀 상부와 하부의 온도 차이로 인해 맨틀 내부에서 **⑤**　　　가 일어나 대륙이 이동한다는 학설이다.

❶ 판게아

❷ 해안선

❸ 빙하

❹ 원동력

❺ 열대류(맨틀 대류)

개념 2 해양저 확장설

1 음향 측심법 해수면에서 발사한 초음파가 해저면에 반사되어 되돌아오는 데 걸리는 시간을 이용하여 수심을 측정하는 방법이다.

$$수심 = \boxed{❻}　　(v: 초음파의 속도, t: 초음파의 왕복 시간)$$

2 해양저 확장설 해령 아래에서 맨틀 물질이 상승하여 새로운 해양 지각이 생성되고, **❼**　　　을 기준으로 맨틀 대류를 따라 양쪽으로 멀어지면서 해저가 점차 넓어진다는 학설이다.

3 해양저 확장설의 증거

① 해령에서 멀어질수록 해양 지각의 연령이 **❽**　　　진다.

② 해령에서 멀어질수록 수심이 깊어지고, 해저 퇴적물의 두께가 **❾**　　　진다.

③ <u>고지자기 역전 줄무늬</u>가 해령을 축으로 **❿**　　　으로 나타난다.

④ 열곡과 변환 단층이 존재한다. ── 정자극기와 역자극기가 반복해서 나타나며, 현재 해령에서 지자기 방향은 정자극기이다.

⑤ 해구에서 대륙 쪽으로 갈수록 진원의 깊이가 점차 깊어진다.

❻ $\frac{1}{2}vt$

❼ 해령

❽ 많아

❾ 두꺼워

❿ 대칭

개념 3 판 구조론

1 판 구조론 지구의 표면은 여러 개의 **⓫**　　　으로 이루어져 있으며, 판의 경계에서 지진이나 화산 활동과 같은 지각 변동이 일어난다는 이론이다. ── 지각과 상부 맨틀의 일부로 이루어진 암석권

2 판 구조론의 정립 과정 대륙 이동설 → **⓬**　　　 → 해양저 확장설 → 판 구조론

3 판의 경계 판이 서로 가까워지는 **⓭**　　　 경계(섭입형 경계, 충돌형 경계), 판이 서로 멀어지는 발산형 경계, 판이 서로 어긋나는 보존형 경계가 있다.

⓫ 판

⓬ 맨틀 대류설

⓭ 수렴형

1 베게너가 제시한 대륙 이동의 증거로 옳은 것은 ○표, 옳지 <u>않은</u> 것은 ×표 하시오.

(1) 남아메리카 대륙 동해안과 아프리카 대륙 서해안의 해안선 모양이 유사하다. ( )

(2) 멀리 떨어져 있는 대륙에서 같은 종의 고생물 화석이 발견된다. ( )

(3) 해령을 축으로 양쪽으로 멀어질수록 해저 퇴적물의 두께가 두꺼워진다. ( )

(4) 해구 부근에서 지진은 섭입대를 따라 발생하므로 해구에서 대륙 쪽으로 갈수록 진원의 깊이가 깊어진다. ( )

(5) 여러 대륙에 남아 있는 빙하의 흔적과 이동 방향이 남극점을 중심으로 멀어져 간 모습이다.
( )

2 다음은 맨틀 대류와 지각의 이동에 대한 설명이다. 알맞은 말을 고르시오.

> 맨틀 대류의 (상승부 , 하강부)에서는 새로운 해양 지각이 생성되고, (상승부 , 하강부)에서는 해양 지각이 맨틀 속으로 들어가 소멸한다.

3 해양저 확장설에 대한 설명이다. 빈칸에 알맞은 말을 쓰시오.

(1) ( ) 아래에서 맨틀 물질이 상승하여 새로운 해양 지각이 만들어지고, 맨틀 대류를 따라 양쪽으로 이동하여 ( )에서 지구 내부로 침강하여 소멸한다.

(2) 해령으로부터 멀어질수록 해양 지각을 이루는 암석의 나이는 ( ).

(3) 해령으로부터 멀어질수록 해저 퇴적물의 두께는 ( ).

4 판 구조론이 정립되기까지 제시되었던 이론이나 학설을 순서대로 나열하시오.

5 그림은 판 경계의 종류를 모식적으로 나타낸 것이다.

(가) (나) (다)

(가)~(다)에 해당하는 판의 경계를 각각 쓰시오.

1일 교과서 핵심 정리 ②

개념 4 대륙 분포의 변화

1 복각 자침이 [❶   ]과 이루는 각으로, 자북극에서 +90°, 자기 적도에서 0°, 자 남극에서 −90°이다.

❶ 수평면

2 고지자기 지질 시대에 생성된 암석에 남아 있는 잔류 자기를 [❷   ]라고 하며, 고지자기 복각을 측정하면 과거 대륙의 위도를 유추할 수 있다.

❷ 고지자기

　⑩ 자북극은 언제나 하나이므로, 두 대륙에서 측정한 자북극의 이동 경로가 다르게 나타난다는 것은 대륙이 이동하였다는 것을 의미한다.

개념 5 플룸 구조론

1 상부 맨틀 대류와 판의 운동 상부 맨틀에서는 방사성 원소의 붕괴열과 맨틀 상하부의 [❸   ] 차이 때문에 맨틀 대류가 발생하여 연약권 위에 놓인 판이 이동한다.

❸ 온도

① 맨틀 대류의 상승부: 새로운 해양 지각이 생성되며, [❹   ]이 형성된다.

❹ 해령

▲ 맨틀 대류

② 맨틀 대류의 하강부: 오래된 해양 지각이 맨틀 속으로 들어가 소멸되며, [❺   ] 나 습곡 산맥이 형성된다.

❺ 해구

2 판을 이동시키는 힘 맨틀 대류 외에도 해령에서 판을 밀어내는 힘, 해구에서 섭입하는 판이 잡아당기는 힘, 중력에 의해 판이 미끄러지는 힘, 암석권과 연약권 사이에 작용하는 힘 등이 있다.

3 플룸 구조론 상승이나 하강하는 맨틀 물질 덩어리를 [❻   ]이라 하고, 플룸의 운동에 의해 지구 내부의 변동이 일어난다는 이론을 플룸 구조론이라고 한다.

❻ 플룸

차가운 플룸 (플룸 하강류)	섭입형 경계에서 섭입한 판의 물질이 [❼]과 [❽]의 경계에 쌓여 있다가 가라앉아 생성된다
뜨거운 플룸 (플룸 상승류)	[❾]과 [❿]의 경계부에서 생성된 뜨거운 맨틀 물질이 상승하면서 생성된다

❼ 상부 맨틀

❽ 하부 맨틀

❾ 맨틀

❿ 외핵

　⑩ 플룸 상승류가 있는 곳은 지진파의 속도가 느리고, 플룸 하강류가 있는 곳은 지진파의 속도가 빠르다. 매질의 온도가 높은 곳을 통과할 때는 느리고, 매질의 온도가 낮은 곳을 통과할 때는 빠르다.

4 열점과 판의 이동 플룸 상승류가 지표면과 만나는 지점 아래에 마그마가 생성되는 곳을 [⓫   ]이라고 하며, 열점에서 생성된 화산섬이나 해산은 판의 이동 방향으로 배열된다. ⑩ 하와이 열도

⓫ 열점

6 고지자기 복각에 대한 설명이다. 빈칸에 알맞은 말을 쓰시오.

(1) 나침반의 자침이 수평면에 대해 기울어진 각을 ( )이라고 한다.

(2) 자북극에서는 복각이 ( )°이고, 자기 적도에서는 복각이 ( )°이다.

(3) 동시대에 지자기 북극은 ( ) 개이다.

(4) 암석에 남아 있는 고지자기 복각을 측정하면 암석이 생성될 당시 대륙의 ( )를 알 수 있다.

8 판을 이동시키는 힘에 대한 설명이다. 알맞은 말을 고르시오.

(1) 연약권 내에서 방사성 원소의 붕괴열과 맨틀 상하부의 온도 차이 등에 의해 발생한 (플룸 , 맨틀 대류)에 의해 판이 이동한다.

(2) 해령에서 판을 (밀어내는 , 미끄러지는 , 잡아당기는) 힘에 의해 판이 이동한다.

(3) 섭입하는 판이 (밀어내는 , 미끄러지는 , 잡아당기는) 힘에 의해 판이 이동한다.

(4) 해저면 경사에 의해 판이 (밀어내는 , 미끄러지는 , 잡아당기는) 힘에 의해 판이 이동한다.

7 그림은 상부 맨틀의 운동을 나타낸 것이다.

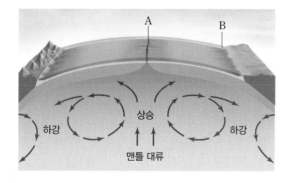

A, B에서 형성되는 지형을 각각 쓰시오.

9 그림은 플룸의 구조를 모식적으로 나타낸 것이다.

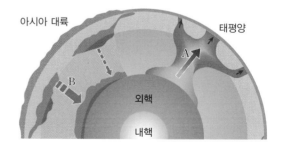

빈칸에 알맞은 말을 쓰시오.

A는 ㉠( ) 플룸이 상승하는 곳이고, B는 ㉡( ) 플룸이 하강하는 곳이다.

대표 예제 1 대륙 이동의 증거

그림은 고생대 말기의 빙하 흔적 분포와 이동 방향을 나타낸 것이다. 고생대 말에 대한 설명으로 옳은 것만을 〈보기〉에서 있는 대로 고른 것은?

● 보기 ●
ㄱ. 대륙이 하나로 모여 있었다.
ㄴ. 적도 부근에 빙하가 분포하였다.
ㄷ. 인도 대륙은 현재보다 남쪽에 위치하였다.

① ㄱ   ② ㄴ   ③ ㄱ, ㄷ
④ ㄴ, ㄷ   ⑤ ㄱ, ㄴ, ㄷ

개념 가이드

베게너는 고생대 말~중생대 초에 초대륙 ☐☐☐ 가 형성되어 있다가 분리되고 이동하였다는 ☐☐☐ 을 주장하였다.

🔑 답 판게아, 대륙 이동설

대표 예제 2 음향 측심법

음향 측심법에 대한 설명으로 옳은 것만을 〈보기〉에서 있는 대로 고른 것은?

● 보기 ●
ㄱ. 수심이 깊을수록 초음파의 왕복 시간이 짧다.
ㄴ. 초음파가 해저면에 반사되어 되돌아오는 시간을 이용한다.
ㄷ. 수심은 '초음파의 속도×초음파의 왕복 시간'으로 구할 수 있다.

① ㄱ   ② ㄴ   ③ ㄱ, ㄷ
④ ㄴ, ㄷ   ⑤ ㄱ, ㄴ, ㄷ

개념 가이드

☐☐☐ 은 초음파를 이용하여 ☐☐☐ 을 측정하는 방법이다.

🔑 답 음향 측심법, 수심

대표 예제 3 해양저 확장설

해양저 확장설을 뒷받침하는 증거로 옳지 <u>않은</u> 것은?

① 해령에서 멀어질수록 해양 지각의 나이가 많아진다.
② 해령에서 멀어질수록 해저 퇴적물의 두께가 두꺼워진다.
③ 해구에서 대륙 쪽으로 갈수록 진원의 깊이가 점차 깊어진다.
④ 대서양 양쪽 해안에서 발견되는 암석의 분포와 지질 구조가 연속적이다.
⑤ 해저 고지자기 줄무늬는 해령과 나란하게 분포하며, 해령을 축으로 거의 대칭을 이룬다.

개념 가이드

☐☐☐ 에서 새로운 해양 지각이 생성되어 ☐☐☐ 으로 멀어진다.

🔑 답 해령, 양쪽

대표 예제 4 판 구조론

다음은 판 구조론이 정립되기까지 등장한 학설이나 이론을 순서대로 나열한 것이다.

대륙 이동설	→	A	→	해양저 확장설	→	판 구조론
(가)		(나)		(다)		(라)

이에 대한 설명으로 옳지 <u>않은</u> 것은?

① A는 맨틀 대류설이다.
② (가)에서는 대륙 이동의 원동력을 설명하였다.
③ (나)는 홈스가 주장하였다.
④ (다)에서는 해령에서 새로운 해양 지각이 생성된다.
⑤ (라)에 의하면 판의 경계에서 지각 변동이 일어난다.

개념 가이드

지구 표면은 여러 개의 ☐☐☐ 으로 이루어져 있으며, 이들의 운동에 의해 여러 가지 ☐☐☐ 이 일어난다.

🔑 답 판, 지각 변동

대표 예제 5 대륙 분포의 변화

그림은 유럽과 북아메리카 대륙에서 측정한 지자기 북극의 겉보기 이동 경로를 나타낸 것이다.

이에 대한 설명으로 옳은 것만을 〈보기〉에서 있는 대로 고르시오.

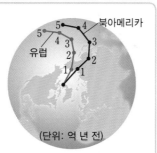

(단위: 억 년 전)

━━━━━━━━━━━ 보기 ━━━

ㄱ. 5억 년 전에 지자기 북극은 두 개였다.

ㄴ. 대서양은 3억 년 전이 현재보다 넓었다.

ㄷ. 두 대륙에서 지자기 북극의 겉보기 이동 경로가 다른 것은 대륙이 이동했기 때문이다.

개념 가이드

고지자기 [   ]의 크기는 [   ]와 비례한다.

답 복각, 위도

대표 예제 6 플룸 구조론

플룸 구조론에 대한 설명으로 옳은 것만을 〈보기〉에서 있는 대로 고른 것은?

━━━━━━━━━━━ 보기 ━━━

ㄱ. 온도는 뜨거운 플룸이 차가운 플룸보다 낮다.

ㄴ. 뜨거운 플룸은 외핵을 구성하는 물질이 상승하여 형성된다.

ㄷ. 차가운 플룸은 수렴형 경계에서 섭입된 판의 물질이 상부 맨틀과 하부 맨틀의 경계 부근에 쌓여 있다가 가라앉아 형성된다.

① ㄱ   ② ㄷ   ③ ㄱ, ㄴ
④ ㄴ, ㄷ   ⑤ ㄱ, ㄴ, ㄷ

개념 가이드

플룸이 [   ]하는 곳은 주변보다 온도가 높고, [   ] 하는 곳은 주변보다 온도가 낮다.

답 상승, 하강

대표 예제 7 맨틀 대류

판을 움직이는 상부 맨틀의 운동에 대한 설명으로 옳은 것만을 〈보기〉에서 있는 대로 고른 것은?

━━━━━━━━━━━ 보기 ━━━

ㄱ. 맨틀 대류가 상승하는 곳에는 해령이 형성된다.

ㄴ. 판의 내부에서 화산 활동이 일어나는 것을 설명할 수 있다.

ㄷ. 맨틀 내에 존재하는 방사성 원소의 붕괴열과 맨틀 상하부 깊이에 따른 온도 차에 의해 발생한다.

① ㄱ   ② ㄴ   ③ ㄱ, ㄷ
④ ㄴ, ㄷ   ⑤ ㄱ, ㄴ, ㄷ

개념 가이드

맨틀 대류의 상승부에서는 [   ]이 형성되고, 하강부에서는 [   ]가 형성된다.

답 해령, 해구

대표 예제 8 열점과 하와이 열도

그림은 하와이 열도의 분포와 화산섬의 연령을 나타낸 것이다. 이에 대한 설명으로 옳은 것은?

(단위: 백만 년)
59.6 태평양판
55.4 하와이섬
43.4 19.9 5.1 1.8
20.6 12.0 0.1
4

① 하와이섬은 발산형 경계에 위치한다.

② 태평양판은 북동쪽으로 이동하였다.

③ 판이 이동하면 열점의 위치가 변한다.

④ 화산섬의 분포는 플룸 구조론으로 설명할 수 있다.

⑤ 하와이섬은 뜨거운 플룸이 상승하는 곳에서 맨틀 물질이 지각을 뚫고 분출하여 생성되었다.

개념 가이드

[   ]은 플룸 상승류가 지표면과 만나는 지점 아래에 [   ]가 생성되는 곳이다.

답 열점, 마그마

2일 화성암과 퇴적 구조

Quiz 마그마는 해령 하부, ○ ㅈ , 섭입대 부근에서 생성된다.

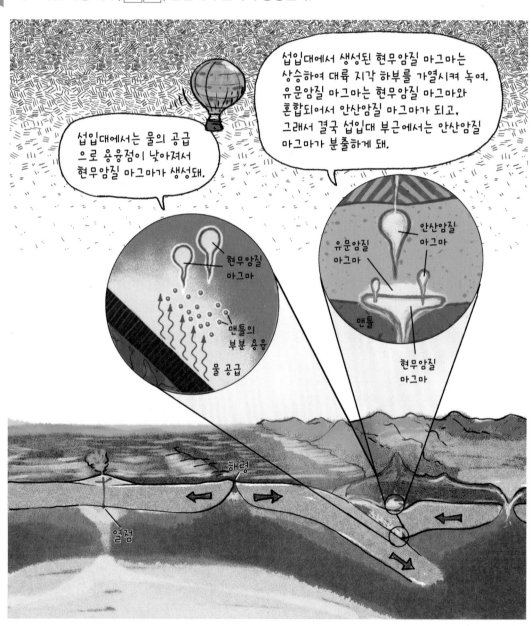

섭입대에서 생성된 현무암질 마그마는 상승하여 대륙 지각 하부를 가열시켜 녹여. 유문암질 마그마는 현무암질 마그마와 혼합되어서 안산암질 마그마가 되고, 그래서 결국 섭입대 부근에서는 안산암질 마그마가 분출하게 돼.

섭입대에서는 물의 공급으로 용융점이 낮아져서 현무암질 마그마가 생성돼.

현무암질 마그마

맨틀의 부분 용융

물 공급

유문암질 마그마

안산암질 마그마

맨틀

현무암질 마그마

해령

열점

답 열점

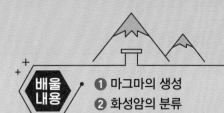
Quiz 표면이 갈라져서 쐐기 모양의 틈이 생긴 퇴적 구조를 ㄱ ㅇ 이라고 한다.

거북이 화석인가?

얕은 수심에서 쌓인 점토질 퇴적물이 건조한 수면 위로 노출될 때 표면이 갈라져서 만들어진 건열이야.

치지 마!

🅐 건열

Quiz 상하 지층 사이에 큰 시간 간격이 있는 불연속적인 두 지층의 관계를 ㅂ ㅈ ㅎ 이라고 한다.

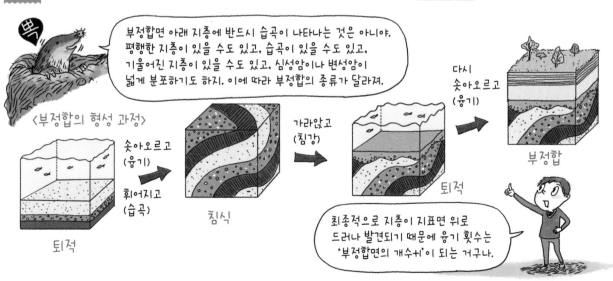

부정합면 아래 지층에 반드시 습곡이 나타나는 것은 아니야. 평행한 지층이 있을 수도 있고, 습곡이 있을 수도 있고, 기울어진 지층이 있을 수도 있고, 심성암이나 변성암이 넓게 분포하기도 하지. 이에 따라 부정합의 종류가 달라져.

〈부정합의 형성 과정〉

솟아오르고 (융기)

휘어지고 (습곡)

퇴적

침식

가라앉고 (침강)

퇴적

다시 솟아오르고 (융기)

부정합

최종적으로 지층이 지표면 위로 드러나 발견되기 때문에 융기 횟수는 '부정합면의 개수+1'이 되는 거구나.

🅐 부정합

2일 교과서 핵심 정리 ①

개념 1 ▸ 마그마의 생성

1 마그마의 생성 조건 온도 상승(❶), [ ](❷), 물의 공급(❸) 등에 의해 암석의
온도가 용융점에 도달하면 마그마가 생성될 수 있다.

❶ 압력 감소

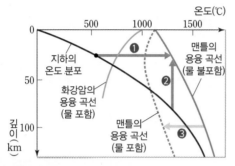

2 마그마의 생성 장소와 생성 과정

① 해령 하부, 열점: [❷] 감소에 의해 현무암질 마그마가 생성된다.

❷ 압력

② 섭입대: 해저 퇴적물과 해양 지각의 함수 광물에서 빠져나온 물의 공급으로 맨틀
의 용융점이 높아져 현무암질 마그마가 생성된다. 또한 섭입대에서 생성된 현무암
질 마그마가 상승해 대륙 지각 하부를 가열하여 부분 용융되면 유문암질 마그마가
생성되고, 유문암질 마그마와 현무암질 마그마가 혼합되어 [❸] 마그마가
생성된다.

❸ 안산암질

개념 2 ▸ 화성암의 분류와 우리나라의 화성암 지형

1 화성암의 분류 화학 조성(SiO_2 함량)과 조직(생성 장소, 마그마의 냉각 속도)에 따라
분류한다.

산출 상태 \ 조직 \ 화학 조성	SiO_2 함량 감소 ← 52 % 염기성암	중성암	63 % → 증가 산성암
화산암	세립질	❹	안산암	유문암
심성암	조립질	반려암	섬록암	❺
		어두운색		밝은색

❹ 현무암

❺ 화강암

2 우리나라의 화성암 지형

① 화산암 지형: 제주도, 울릉도, 독도, 철원 등에는 신생대의 현무암이 많이 분포한다.

② 심성암 지형: 북한산, 불암산, 설악산 울산바위 등에는 중생대의 화강암이 많이 분
포한다.

❻ 주상

예 화산암 지형에서는 [❻] 절리가, 심성암 지형에서는 [❼] 절리가 발달하기도 한다.

❼ 판상

1 마그마의 생성 조건에 대한 설명이다. 빈칸에 알맞은 말을 쓰시오.

(1) 마그마가 생성되려면 지구 내부의 온도와 압력이 암석의 (   )보다 높아야 한다.

(2) 마그마는 압력이 (   )하는 경우, 온도가 (   )하는 경우, (   )이 공급되는 경우 생성될 수 있다.

3 화성암에 대한 설명이다. 알맞은 말을 고르시오.

(1) 마그마가 지표 부근에서 빠르게 냉각되어 생성된 암석을 (화산암 , 심성암)이라고 한다.

(2) 화성암은 (조직 , 화학 조성)에 따라 염기성암, 중성암, 산성암으로 분류한다.

(3) 현무암은 (산성암 , 염기성암)이며, (화산암 , 심성암)이다.

(4) 화강암은 구성 광물의 크기가 (작은 , 큰) (세립질 , 조립질) 조직이다.

2 그림은 마그마가 생성되는 장소를 나타낸 것이다.

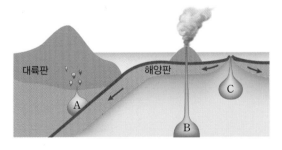

A∼C에서 생성되는 마그마의 종류를 〈보기〉에서 골라 각각 기호를 쓰시오.

보기
ㄱ. 현무암질 마그마
ㄴ. 안산암질 마그마
ㄷ. 유문암질 마그마

4 다음은 우리나라의 대표적인 화성암 지형이다. 화산암 지형은 '화산암', 심성암 지형은 '심성암'으로 쓰시오.

(1) 제주도   (   )

(2) 한탄강 일대   (   )

(3) 설악산 울산바위   (   )

(4) 울릉도와 독도   (   )

2일 교과서 핵심 정리 ②

개념 3 퇴적암과 퇴적 구조

1 퇴적암의 생성 과정 지표의 암석이 풍화·침식 작용을 받아 생성된 퇴적물이 쌓여 ❶ _____(다짐 작용과 교결 작용)을 거쳐 단단하게 굳어져서 생성된다.

❶ 속성 작용

2 퇴적암의 종류 퇴적물의 기원에 따라 ❷ _____ 퇴적암(역암, 응회암), 화학적 퇴적암(석회암, 암염), 유기적 퇴적암(석회암, 석탄)으로 구분한다.

❷ 쇄설성

3 퇴적 구조 퇴적암에 나타나는 특징적인 구조로, 퇴적 구조를 통해 지층의 역전 여부를 알 수 있다.

구분	사층리	❸ _____	❹ _____	건열
모습	위↕아래 →퇴적물 공급 방향	위↕아래	위↕아래	위↕아래
형성 원인	바람, 흐르는 물	퇴적 속도 차이, 저탁류	흐르는 물, 파도, 바람	건조한 대기에 노출
퇴적 환경	사막, 삼각주	대륙대	얕은 물밑, 사막	❺ _____한 환경

❸ 점이 층리

❹ 연흔

❺ 건조

4 퇴적 환경 육상 환경(하천, 호수, 사막, 선상지), ❻ _____ 환경(삼각주, 해빈), 해양 환경(대륙붕, 대륙 사면, 대륙대, 심해저)으로 구분한다.

❻ 연안

개념 4 지질 구조

1 습곡 지층이 ❼ _____을 받아 휘어진 지질 구조로, 습곡축면이 수평면에 대해 기울어진 정도에 따라 정습곡, 경사 습곡, 횡와 습곡으로 구분한다.

❼ 횡압력

2 단층 지층이 힘을 받아 끊어진 면(단층면)을 경계로 양쪽 지층이 상대적으로 이동하여 어긋나 있는 지질 구조로, 힘의 종류와 지층의 상대적 이동 방향에 따라 정단층(장력 작용), ❽ _____(횡압력 작용), 주향 이동 단층(수평 이동)으로 구분한다.

▲ 정단층   ▲ 역단층

❽ 역단층

3 부정합 퇴적이 오랫동안 중단된 후 다시 퇴적이 일어나 인접한 상하 지층의 ❾ _____ 간격이 큰 지질 구조로, 평행 부정합, 경사 부정합, 난정합으로 구분한다.

· 부정합의 형성 과정: 퇴적 → ❿ _____ → 풍화·침식 → 침강 → 퇴적

❾ 시간

❿ 융기

4 절리 암석에 생긴 균열이나 틈으로, 주상 절리와 판상 절리가 있다.

🔟 주상 절리는 용암의 급격한 냉각에 의해 수축하여 형성되고, 판상 절리는 지하 깊은 곳의 암석이 융기할 때 ⓫ _____ 감소로 인해 팽창하여 형성된다.

⓫ 압력

5 그림은 퇴적암의 생성 과정을 나타낸 것이다.

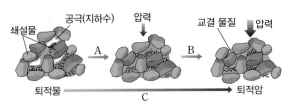

A~C에 해당하는 작용을 각각 쓰시오.

6 다음 〈보기〉는 여러 가지 퇴적암을 나열한 것이다.

> ● 보기 ●
> ㄱ. 석회암   ㄴ. 사암   ㄷ. 응회암
> ㄹ. 암염   ㅁ. 셰일   ㅂ. 석탄

퇴적암을 종류에 따라 구분할 때 (가)~(다)에 해당하는 퇴적암을 〈보기〉에서 있는 대로 고르시오.

(가) 쇄설성 퇴적암

(나) 유기적 퇴적암

(다) 화학적 퇴적암

7 그림은 여러 가지 퇴적 구조를 나타낸 것이다.

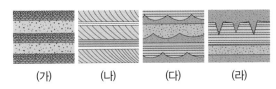

(가)~(라) 퇴적 구조의 명칭을 각각 쓰시오.

8 지질 구조에 해당하지 않는 것은?

① 습곡   ② 정단층   ③ 부정합
④ 점이 층리   ⑤ 주상 절리

9 그림은 습곡의 구조를 나타낸 것이다.

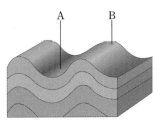

A, B 부분의 명칭을 각각 쓰시오.

10 지질 구조에 대한 설명이다. 빈칸에 알맞은 말을 쓰시오.

(1) 습곡과 역단층은 (   )을 받아 형성되었다.

(2) 암석에 힘이 작용하여 끊어지고, 끊어진 면을 경계로 양쪽의 암석이 상대적으로 이동한 지질 구조를 (   )이라고 한다.

(3) 상하 지층 사이에 큰 시간 간격이 있는 불연속적인 두 지층의 관계를 (   )이라고 한다.

(4) 주상 절리는 (   ) 지형에서, 판상 절리는 (   ) 지형에서 잘 나타난다.

대표 예제 1 마그마의 생성 조건

그림은 지하 온도 분포와 깊이에 따른 암석의 용융 곡선을 나타낸 것이다.
A의 생성 조건에 해당하는 것은?

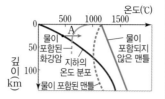

① 온도 상승
② 온도 하강
③ 압력 감소
④ 압력 증가
⑤ 물의 공급

개념 가이드

마그마는 온도 [　　　], 압력 [　　　], 물 공급에 의한 용융점 하강 등에 의해 생성된다.

답 상승, 감소

대표 예제 2 마그마의 생성 장소

생성 장소에 따른 마그마의 생성에 대한 설명으로 옳은 것만을 〈보기〉에서 있는 대로 고른 것은?

보기
ㄱ. 열점에서는 현무암질 마그마가 생성된다.
ㄴ. 해령 하부에서는 유문암질 마그마가 생성된다.
ㄷ. 섭입대 부근에서는 압력 감소에 의해 마그마가 생성된다.

① ㄱ
② ㄴ
③ ㄱ, ㄷ
④ ㄴ, ㄷ
⑤ ㄱ, ㄴ, ㄷ

개념 가이드

마그마는 [　　　] 하부, [　　　], 섭입대 부근에서 생성된다.

답 해령, 열점

대표 예제 3 화성암의 분류

표는 화성암 (가)와 (나)의 특징을 나타낸 것이다.

구분	(가)	(나)
조직	세립질	조립질
SiO_2 함량(%)	50	65

(가)보다 (나)에서 더 큰 값을 갖는 것만을 〈보기〉에서 있는 대로 고르시오.

보기
ㄱ. 밀도
ㄴ. 무색 광물의 함량
ㄷ. 마그마의 냉각 속도

개념 가이드

화성암은 [　　　]에 따라 조립질, 세립질로 구분하고, [　　　]에 따라 염기성암, 중성암, 산성암으로 구분한다.

답 조직, SiO_2 함량(화학 조성)

대표 예제 4 주상 절리와 판상 절리

주상 절리와 판상 절리에 대한 설명으로 옳지 않은 것은?

① 주상 절리는 주로 화산암에서 나타난다.
② 주상 절리는 주로 육각기둥 모양으로 나타난다.
③ 판상 절리는 마그마의 급격한 수축에 의해 형성된다.
④ 판상 절리를 이루는 암석은 지하 깊은 곳에서 생성되었다.
⑤ 주상 절리는 판상 절리보다 구성 광물 입자의 크기가 작다.

개념 가이드

주상 절리는 주로 [　　　], 판상 절리는 주로 [　　　]으로 이루어져 있다.

답 화산암, 심성암

대표 예제 5 퇴적암의 분류

퇴적암을 생성 원인에 따라 옳게 분류한 것은?

① 역암 – 화학적 퇴적암
② 셰일 – 유기적 퇴적암
③ 암염 – 유기적 퇴적암
④ 응회암 – 쇄설성 퇴적암
⑤ 석회암 – 쇄설성 퇴적암

개념 가이드

역암, 사암은 ☐☐☐ 퇴적암이고, 암염은 ☐☐☐ 퇴적암이다.

답 쇄설성, 화학적

대표 예제 6 퇴적 구조

사층리에 대한 설명으로 옳은 것만을 〈보기〉에서 있는 대로 고른 것은?

• 보기 •
ㄱ. 지층의 역전 유무를 알 수 있다.
ㄴ. 주로 사막이나 하천에서 생성된다.
ㄷ. 퇴적물의 공급 방향을 알 수 있다.

① ㄱ   ② ㄷ   ③ ㄱ, ㄴ
④ ㄴ, ㄷ   ⑤ ㄱ, ㄴ, ㄷ

개념 가이드

☐☐☐ 는 물이 흐르거나 ☐☐ 이 부는 곳에서 퇴적물이 기울어진 상태로 쌓여 형성된 퇴적 구조이다.

답 사층리, 바람

대표 예제 7 지질 구조

그림은 어느 지역에서 관찰한 습곡 구조를 나타낸 것이다. 이에 대한 설명으로 옳은 것만을 〈보기〉에서 있는 대로 고른 것은?

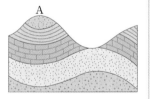

• 보기 •
ㄱ. A는 배사 구조이다.
ㄴ. 횡압력을 받아 형성되었다.
ㄷ. 판의 수렴형 경계에서 잘 발견된다.

① ㄱ   ② ㄷ   ③ ㄱ, ㄴ
④ ㄴ, ㄷ   ⑤ ㄱ, ㄴ, ㄷ

개념 가이드

☐☐ 은 양쪽에서 ☐☐ 힘을 받아 지층이 휘어진 지질 구조이다.

답 습곡, 미는

대표 예제 8 지질 구조

그림은 어느 지역에 발달한 단층 구조를 나타낸 것이다.

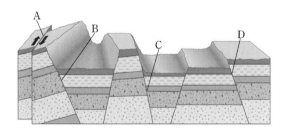

A~D 중 역단층만을 있는 대로 고른 것은?

① A   ② D   ③ B, C
④ B, D   ⑤ B, C, D

개념 가이드

☐☐☐ 은 단층면을 따라 상반이 아래로 내려간 단층이고, ☐☐☐ 은 단층면을 따라 상반이 위로 올라간 단층이다.

답 정단층, 역단층

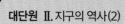

3 일

공부할 핵심 개념이 무엇인지 퀴즈를 통해 알아보자.

지사 해석의 방법과 지질 시대

Quiz 관입한 암석은 관입당한 암석보다 나중에 생성된 것이라는 지사학의 법칙은 ㄱ ㅇ 의 법칙이다.

지층이 수평으로 쌓여 있으니까 지각 변동을 거의 받지 않았어. 그리고 아래에 있는 지층일수록 오래된 지층이지.

수평 퇴적의 법칙
지층 누중의 법칙

부정합면   기저 역암

부정합의 법칙

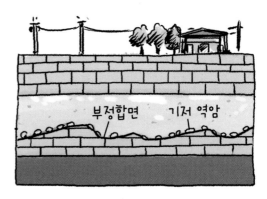

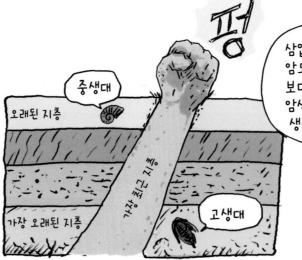

중생대

오래된 지층

가장 오래된 지층

가장 젊은 지층

고생대

삼엽충 화석이 발견된 지층은 암모나이트 화석이 발견된 지층보다 오래된 지층이야. 관입한 암석은 주변 지층보다 나중에 생성된 거지.

관입의 법칙, 동물군 천이의 법칙

답 관입

Quiz 지층이나 암석의 절대 연령은 방사성 동위 원소의 ⬚ ⬚ ⬚ 를 이용하여 구할 수 있다.

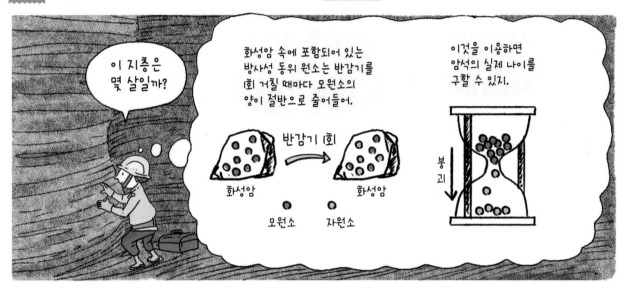

답 반감기

Quiz 공룡과 암모나이트는 지질 시대 중 ⬚ ⬚ ⬚ 에 번성한 생물이다.

답 중생대

3일 교과서 핵심 정리 ①

개념 1 지사학의 법칙

1 수평 퇴적의 법칙 퇴적물이 쌓일 때는 대체로 수평면과 나란하게 쌓이므로 지층이 기울어져 있으면 **❶**〔　　　〕을 받은 것이다.

2 지층 누중의 법칙 지층의 역전이 없었다면 아래에 있는 지층은 위에 있는 지층보다 먼저 퇴적된 것이다.

3 관입의 법칙 관입한 암석은 관입당한 암석보다 **❷**〔　　　〕 생성된 것이다.

4 부정합의 법칙 **❸**〔　　　〕을 기준으로 아래 지층과 위의 지층 사이에는 긴 시간 간격이 있다.

5 동물군 천이의 법칙 오래된 지층에서 새로운 지층으로 갈수록 더 복잡하고 진화된 화석이 발견된다.

　　예 삼엽충 화석이 발견된 지층은 암모나이트 화석이 발견된 지층보다 먼저 생성된 것이다.

❶ 지각 변동

❷ 나중에

❸ 부정합면

개념 2 지층의 나이

1 상대 연령 지사학의 법칙을 이용하여 지층이나 암석의 **❹**〔　　　〕와 지질학적 사건의 선후 관계를 결정하는 것이다.

2 지층의 대비 암석의 특징이나 **❺**〔　　　〕을 이용하여 지층의 선후 관계를 결정하는 것이다.

암상에 의한 대비	• 지층을 구성하는 암석의 종류, 조직, 퇴적 구조 등의 특징을 대비하여 지층의 선후 관계를 파악하는 방법 • **❻**〔　　　〕: 기준이 되는 층 예 석탄층, 응회암층
화석에 의한 대비	• **❼**〔　　　〕을 이용하여 지층의 선후 관계를 파악하는 방법 • 멀리 떨어져 있는 지층의 대비에도 이용

3 절대 연령 지층이나 암석의 생성 시기 및 지질학적 사건의 발생 시기를 수치로 나타낸 것으로, 방사성 동위 원소의 **❽**〔　　　〕를 이용하여 구한다.

① 방사성 동위 원소의 반감기: 방사성 동위 원소가 붕괴하여 모원소의 양이 **❾**〔　　　〕으로 줄어드는 데 걸리는 시간이다.

② 절대 연령: 방사성 동위 원소의 반감기를 T, 반감기 경과 횟수를 n이라고 하면, 절대 연령은 **❿**〔　　　〕이다.

❹ 생성 순서

❺ 화석

❻ 건층

❼ 표준 화석

❽ 반감기

❾ 절반

❿ $T \times n$

1 지사학의 법칙에 대한 설명으로 옳은 것은 ○표, 옳지 <u>않</u>은 것은 ✕표 하시오.

(1) 아래에 있는 지층은 위에 있는 지층보다 항상 먼저 형성된 것이다. ( )

(2) 관입한 암석은 관입당한 암석보다 나중에 생성된 것이다. ( )

(3) 어느 지역에서 부정합면이 발견되었다면 이 지역에는 지층의 퇴적이 중단된 시기가 있었음을 알 수 있다. ( )

(4) 오래된 지층일수록 복잡하고 진화된 화석이 발견된다. ( )

2 그림은 어느 지역에서 발견된 지층의 단면을 나타낸 것이다.

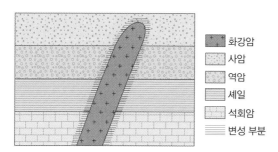

	화강암
	사암
	역암
	셰일
	석회암
	변성 부분

지층의 역전이 없었다고 할 때, 가장 나중에 생성된 암석을 쓰시오.

3 다음은 지층의 나이에 대한 설명이다. 빈칸에 알맞은 말을 쓰시오.

> 지층이나 암석의 생성 시기와 지질학적 사건의 선후 관계를 해석하여 알아낸 암석의 나이를 ㉠( ), 지층이나 암석의 실제 나이를 ㉡( )이라고 한다.

4 서로 떨어져 있는 지층의 선후 관계를 결정하는 방법에 대한 설명으로 옳지 <u>않은</u> 것은?

① 암상에 의한 대비와 화석에 의한 대비가 있다.
② 응회암층이나 석탄층은 암상에 의한 대비에 기준층으로 이용된다.
③ 화석에 의한 대비는 표준 화석과 동물군 천이의 법칙을 이용한다.
④ 화석에 의한 대비는 멀리 떨어져 있는 지층의 대비에만 이용된다.
⑤ 암상에 의한 대비는 비교적 가까운 거리에 있는 지층의 대비에 이용된다.

5 어느 지역에서 발견된 화강암 속에 반감기가 5000만 년인 방사성 동위 원소 X가 처음 양의 $\frac{1}{4}$이 포함되어 있었다. 이 암석의 나이를 구하시오.

3일 교과서 핵심 정리 ②

개념 3 지질 시대의 환경과 생물

1 표준 화석과 시상 화석

표준 화석	• 지질 시대 중 일정 기간에만 번성하다 멸종된 생물의 화석 • 생존 기간이 짧고 분포 면적이 넓을수록 유용하다 예 삼엽충−고생대, 공룡−중생대, 암모나이트− ❶ , 매머드−신생대, 화폐석−신생대	❶ 중생대
시상 화석	• 특정 ❷ 에서만 서식하는 생물의 화석 • 생존 기간이 길고, 분포 면적이 좁을수록 유용하다 예 산호−따뜻하고 얕은 바다, ❸ −따뜻하고 습한 육지	❷ 환경 ❸ 고사리

2 지질 시대의 구분
생물계의 급격한 변화, ❹ , 기후 변화 등을 기준으로 누대 → 대 → ❺ 로 구분한다.

❹ 지각 변동

❺ 기

3 지질 시대의 기후
① 고기후 연구 방법: 산소 동위 원소비의 연구, ❻ 코어 연구, 나무의 나이테 연구, 산호의 성장률 연구 등 └기온이 높은 시기에는 빙하 속 산소 동위 원소비($^{18}O/^{16}O$)가 높아진다.

❻ 빙하

② 지질 시대의 기후: 선캄브리아 시대, 고생대, 신생대에는 빙하기가 있었으며, ❼ 에는 빙하기가 없이 온난하였다.

❼ 중생대

4 지질 시대의 환경과 생물

선캄브리아 시대	• 오존층이 형성되지 않아 지표에 강한 자외선이 도달하였다 • 화석이 거의 발견되지 않는다 • 시생 누대에 ❽ 이 출현하여 대기 중 산소의 농도가 증가하기 시작하였다 • 원생 누대에 다세포 생물이 출현하였다	❽ 남세균
고생대	• 실루리아기에 오존층의 형성으로 육상 생물이 등장하였다 • 고생대 말기(페름기 말)에 ❾ 가 형성되었고, 빙하기가 나타났다 • 삼엽충, 필석, 방추충, 양치식물 등이 번성하였다	❾ 판게아
중생대	• 트라이아스기에 판게아가 분리되기 시작하였고, 대서양과 인도양이 형성되기 시작하였다 • 지질 시대 중 가장 온난하였으며, 빙하기가 없었다 • 암모나이트, 파충류, 공룡, ❿ 식물 등이 번성하였다	❿ 겉씨
신생대	• 오늘날과 비슷한 수륙 분포를 형성하였다 • 히말라야산맥이 형성되었다 • 초기에는 온난하고, 후기에는 빙하기와 간빙기가 반복되었다 • ⓫ , 화폐석, 속씨식물 등이 번성하였고, 인류의 조상이 출현하였다	⓫ 매머드

6 다음은 시상 화석에 대한 설명이다. 알맞은 말을 고르시오.

> 생물이 살던 (지질 시대 , 특정 환경)를/을 지시해 주는 화석으로, 생존 기간이 (짧고 , 길고), 분포 면적이 (좁아야 , 넓어야) 한다.

7 그림 (가)~(라)는 지질 시대의 대표적인 표준 화석을 나타낸 것이다.

(가) 삼엽충

(나) 암모나이트

(다) 공룡

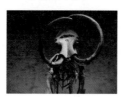

(라) 매머드

(가)~(라)의 지질 시대를 각각 쓰시오.

8 지질 시대를 구분하는 기준으로 옳은 것을 모두 고르면? (2개)

① 지질 구조   ② 퇴적 구조
③ 대륙의 이동   ④ 대규모 지각 변동
⑤ 생물계의 급격한 변화

9 그림은 지질 시대의 상대적 길이를 나타낸 것이다.

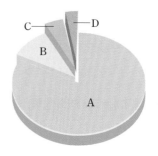

A~D에 해당하는 지질 시대를 각각 쓰시오.

10 지질 시대의 생물과 환경에 대한 설명이다. 빈칸에 알맞은 말을 쓰시오.

(1) (   ) 누대에 최초의 생명체가 출현하였다.

(2) 고생대 말기에는 대륙이 하나로 모여 있는 (   )가 형성되었다.

(3) 고생대 실루리아기에는 (   )이 형성되어 육상 식물이 출현하게 되었다.

(4) 지질 시대 중 (   )는 빙하기가 없는 온난한 시기였다.

(5) 중생대에는 (   )식물이, 신생대에는 (   )식물이 번성하였다.

(6) 지질 시대 동안 총 (   )차례의 생물 대멸종이 일어났다.

내신 기출 베스트

대표 예제 1 지사학의 법칙

표는 지사학의 법칙을 설명한 것이다.

| (가) | 퇴적물은 수평면과 나란하게 쌓인다 |
| (나) | 관입한 암석은 관입당한 암석보다 나중에 생성되었다 |

(가), (나)에 해당하는 지사학의 법칙을 옳게 짝지은 것은?

	(가)	(나)
①	수평 퇴적의 법칙	관입의 법칙
②	수평 퇴적의 법칙	부정합의 법칙
③	지층 누중의 법칙	관입의 법칙
④	지층 누중의 법칙	부정합의 법칙
⑤	동일 과정의 법칙	관입의 법칙

✦ 개념 가이드

지사학의 법칙에는 ☐☐☐☐☐, 지층 누중의 법칙, 관입의 법칙, ☐☐☐☐☐, 동물군 천이의 법칙이 있다.

🅣 수평 퇴적의 법칙, 부정합의 법칙

대표 예제 2 지사학의 법칙

그림은 어느 지역의 지질 단면도를 나타낸 것이다. 철수는 이 지질 단면도를 보고 다음과 같이 해석하였다.

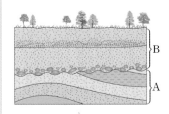

지층 A와 지층 B 사이에는 긴 시간 간격이 있다.

철수가 이와 같이 해석하는 데 적용한 지사학의 법칙은?

① 관입의 법칙 　② 부정합의 법칙

③ 수평 퇴적의 법칙 　④ 지층 누중의 법칙

⑤ 동물군 천이의 법칙

✦ 개념 가이드

부정합은 퇴적 → ☐☐☐ → 침식 → ☐☐☐ → 퇴적의 과정을 거쳐 형성된다.

🅣 융기, 침강

대표 예제 3 지층의 대비

그림은 멀리 떨어진 (가), (나) 두 지역의 지층 단면과 산출된 화석을 나타낸 것이다.
(가) 지역의 A층과 같은 지질 시대에 생성된 층을 (나)에서 옳게 고른 것은?

(가)　　　(나)

① ㉠　② ㉡　③ ㉢　④ ㉣　⑤ ㉤

✦ 개념 가이드

삼엽충은 ☐☐☐, 암모나이트는 ☐☐☐, 공룡은 중생대의 표준 화석이다.

🅣 고생대, 중생대

대표 예제 4 절대 연령

암석의 절대 연령 측정에 대한 설명으로 옳은 것은?

① 주로 퇴적암의 연령 측정에 이용된다.

② 모원소와 자원소의 양은 항상 일정하다.

③ 지층이나 암석의 생성 순서만을 알 수 있다.

④ 방사성 동위 원소의 반감기를 이용하여 구한다.

⑤ 방사성 동위 원소의 반감기는 지하의 온도가 높을수록 짧다.

✦ 개념 가이드

☐☐☐☐☐☐의 모원소의 양이 절반으로 줄어드는 데 걸리는 시간을 ☐☐☐라고 한다.

🅣 방사성 동위 원소, 반감기

대표 예제 **5** 표준 화석과 시상 화석

그림은 지질 시대 생물의 생존 기간과 분포 면적을 나타낸 것이다.

이에 대한 설명으로 옳은 것만을 〈보기〉에서 있는 대로 고르시오.

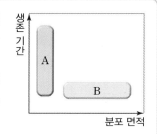

생존 기간 / 분포 면적

─● 보기 ●─
ㄱ. A는 시상 화석이다.
ㄴ. 에디아카라 동물군 화석은 A에 해당한다.
ㄷ. B는 생물이 살던 시기의 환경을 지시한다.

개념 가이드

[　　　　] 화석은 특정 지질 시대에만 번성했던 생물의 화석이고, [　　　　] 화석은 특정 환경에서 서식했던 생물의 화석이다.

답 표준, 시상

대표 예제 **6** 고기후 연구 방법

과거 지구의 기온이나 기후에 대한 정보를 연구하는 방법으로 옳지 않은 것은?

① 산호의 성장률 연구
② 나무의 나이테 연구
③ 빙하 속의 꽃가루 화석 연구
④ 빙하 코어 속 공기 방울에 포함된 산소 동위 원소비의 연구
⑤ 암석에 포함된 방사성 동위 원소의 모원소와 자원소 비율 연구

개념 가이드

나무의 나이테의 폭과 밀도를 조사하면 과거 [　　　　]과 [　　　　]의 변화를 알 수 있다.

답 기온, 강수량

대표 예제 **7** 지질 시대의 생물

그림은 지질 시대의 대표적인 표준 화석을 나타낸 것이다.

(가) (나) (다)

이에 대한 설명으로 옳은 것만을 〈보기〉에서 있는 대로 고르시오.

─● 보기 ●─
ㄱ. 생물이 번성했던 순서는 (가)-(다)-(나)이다.
ㄴ. (나)는 매머드와 같은 지질 시대에 번성하였다.
ㄷ. (다)가 번성했던 지질 시대에는 전 기간에 걸쳐 온난하였다.

개념 가이드

필석은 [　　　　], 암모나이트는 [　　　　]에 번성했던 생물이다.

답 고생대, 중생대

대표 예제 **8** 지질 시대의 환경

그림은 현생 누대 동안 생물 종의 수 변화를 나타낸 것이다.

이에 대한 설명으로 옳은 것만을 〈보기〉에서 있는 대로 고르시오.

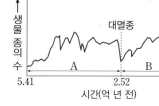

생물 종의 수 / 시간(억 년 전)

─● 보기 ●─
ㄱ. A 시기 말에 판게아가 형성되었다.
ㄴ. 육상 식물은 B 시기에 출현하였다.
ㄷ. C 시기에 히말라야산맥이 형성되었다.

개념 가이드

판게아는 [　　　　] 생대 말에 형성되었고, 오존층은 [　　　　]기에 형성되었다.

답 고, 실루리아

날씨 변화와 태풍

공부할 핵심 개념이
무엇인지 퀴즈를
통해 알아보자.

Quiz 온대 저기압은 남서쪽에 ⬚ ⬚ 전선, 남동쪽에 ⬚ ⬚ 전선을 동반한다.

답 한랭, 온난

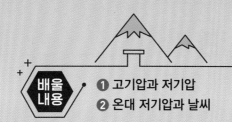

배울 내용
① 고기압과 저기압
② 온대 저기압과 날씨
③ 기상 위성 영상
④ 태풍과 날씨

Quiz 인공위성 영상을 이용하면 구름의 ㄷㄲ 와 높이를 파악할 수 있다.

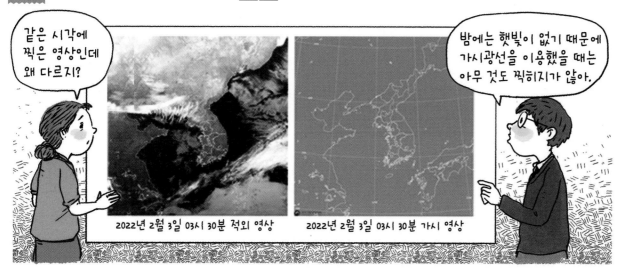

같은 시각에 찍은 영상인데 왜 다르지?

밤에는 햇빛이 없기 때문에 가시광선을 이용했을 때는 아무 것도 찍히지가 않아.

2022년 2월 3일 03시 30분 적외 영상   2022년 2월 3일 03시 30분 가시 영상

📝 답 두께

Quiz 태풍 이동 경로의 오른쪽 영역은 ㅇㅎ 반원, 왼쪽 영역은 ㅇㅈ 반원이라고 한다.

태풍이 이동하는 경로의 오른쪽은 위험 반원에 속해 풍속이 강하고, 태풍에 의한 피해가 커.

📝 답 위험, 안전

4일 교과서 핵심 정리 ①

개념 1 고기압과 저기압

1 고기압 주변보다 기압이 높은 곳으로, 중심부에는 **❶**⬜ 기류가 발생하고, 북반구에서는 바람이 시계 방향으로 불어 나간다.

① 정체성 고기압: 고기압의 중심부가 거의 이동하지 않고 한곳에 머무르는 고기압
　　예 시베리아 고기압, 북태평양 고기압

② **❷**⬜ 고기압: 중위도에서 편서풍의 영향으로 동쪽으로 이동하는 고기압
　　예 양쯔강 고기압

2 저기압 주변보다 기압이 낮은 곳으로, 중심부에는 **❸**⬜ 기류가 발생하고, 북반구에서는 바람이 시계 반대 방향으로 불어 들어간다.

❶ 하강

❷ 이동성

❸ 상승

개념 2 온대 저기압과 날씨

1 온대 저기압 중위도 온대 지방에서 발생하여 전선을 동반한 저기압

2 온대 저기압의 일생 정체 전선 형성 → 파동 형성 → 온대 저기압 발달 → **❹**⬜ 전선 형성 시작 → 폐색 전선 발달 → 온대 저기압 소멸

❹ 폐색

3 온대 저기압 주변의 날씨

① 한랭 전선과 온난 전선의 특징

구분	한랭 전선	온난 전선
전선면의 기울기	급하다	완만하다
전선의 이동 속도	빠르다	느리다
구름과 강수 형태	**❺**⬜ 구름, 소나기	**❻**⬜ 구름, 약한 비
구름과 강수 구역	전선 뒤 좁은 지역	전선 앞 넓은 지역
전선 통과 후 기온, 기압, 풍향 변화	기온 하강, 기압 상승, **❼**⬜ → 북서풍	기온 상승, 기압 하강, 남동풍 → **❽**⬜

❺ 적운형

❻ 층운형

❼ 남서풍

❽ 남서풍

② 온대 저기압 주변의 날씨: 온대 저기압은 남동쪽으로 온난 전선, 남서쪽으로 **❾**⬜ 전선을 동반하며, **❿**⬜ 의 영향으로 서쪽에서 동쪽으로 이동하므로 온난 전선과 한랭 전선이 차례로 통과하면서 날씨 변화가 나타난다.

❾ 한랭

❿ 편서풍

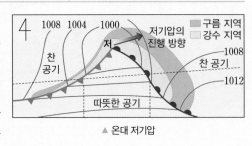

▲ 온대 저기압

기초 확인 문제

1 고기압과 저기압에 대한 설명이다. 빈칸에 알맞은 말을 쓰시오.

(1) 주변보다 기압이 높은 곳을 (   ), 기압이 낮은 곳을 (   )이라고 한다.

(2) 고기압의 중심부에서는 (   ) 기류가 발달한다.

(3) 시베리아 고기압은 (   ) 고기압, 양쯔강 고기압은 (   ) 고기압이다.

(4) 북반구에서는 저기압 중심부를 향해 바람이 (   ) 방향으로 불어 들어간다.

(5) (   )이 발달한 곳에서는 단열 팽창이 일어나 구름이 형성되고 흐린 날씨가 된다.

2 다음은 온대 저기압에 대한 설명이다. 빈칸에 알맞은 말을 쓰시오.

> 찬 기단과 따뜻한 기단이 만나는 중위도 지방에서 발달하여 ㉠(   )을 동반하고, 편서풍의 영향으로 ㉡(   ) 쪽에서 ㉢(   )쪽으로 이동한다.

3 그림 (가)~(다)는 온대 저기압의 발달 과정 일부를 순서 없이 나타낸 것이다.

(가)   (나)   (다)

(가)~(다)를 순서대로 나열하시오.

4 한랭 전선과 온난 전선에 대한 설명으로 옳지 **않은** 것은?

① 온난 전선 앞쪽에는 이슬비가 내린다.
② 한랭 전선이 통과한 후에는 기온이 낮아진다.
③ 한랭 전선 뒤쪽에는 적운형 구름이 형성된다.
④ 한랭 전선은 온난 전선보다 전선의 이동 속도가 빠르다.
⑤ 한랭 전선은 온난 전선보다 전선면의 기울기가 완만하다.

5 그림은 우리나라 주변에 발달한 온대 저기압의 모습을 나타낸 것이다.

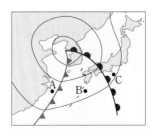

A~C 중 비가 내리는 지역을 모두 고르시오.

4일 교과서 핵심 정리 ②

개념 3 기상 위성 영상 해석

1 가시 영상 가시광선 영역의 에너지를 이용하며, 햇빛의 반사 강도가 클수록 밝게 보인다. ⑩ 구름의 두께가 **❶** 수록 밝게 보인다.

❶ 두꺼울

2 적외 영상 적외선 영역의 에너지를 이용하며, 온도가 낮을수록 밝게 보인다.
⑩ 구름 최상부의 높이가 **❷** 수록 밝게 보인다.

❷ 높을

개념 4 태풍과 날씨

1 태풍 수온이 27 ℃ 이상인 위도 5°~25° 사이의 열대 해상에서 발생한 **❸** 으로, 중심 부근의 최대 풍속이 17 m/s 이상인 것을 태풍이라고 한다.

❸ 열대 저기압

2 태풍의 에너지원 수증기가 응결할 때 방출되는 **❹** (잠열)

❹ 숨은열

⑩ 태풍이 고위도로 이동하거나 육지에 상륙하면 수증기의 공급이 줄어들고 지면과의 마찰이 일어나므로 태풍의 세력이 급격히 약해진다.

3 태풍의 이동 무역풍대에서는 대체로 **❺** 쪽으로 이동하고, 편서풍대에서는 **❻** 쪽으로 진로를 바꾸어 이동한다.

❺ 북서

❻ 북동

4 위험 반원과 안전 반원

위험 반원	안전 반원
• 태풍 이동 경로의 **❼** 지역으로, 풍속이 세고 피해가 크다 • 북반구에서는 풍향이 **❽** 방향으로 변한다	• 태풍 이동 경로의 **❾** 지역으로, 상대적으로 풍속이 약하고 피해가 작다 • 북반구에서는 풍향이 **❿** 방향으로 변한다

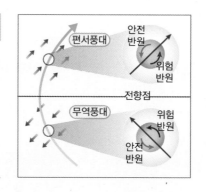

❼ 오른쪽

❽ 시계

❾ 왼쪽

❿ 시계 반대

5 태풍의 구조와 날씨

① 태풍의 눈: 태풍의 중심으로, **⑪** 기류가 나타나며, 날씨가 맑고 바람이 약하다.

② 기압: 중심으로 갈수록 낮아지며, **⑫** 에서 가장 낮다.

③ 풍속: 태풍의 눈 가장자리에서 가장 강하며, 태풍의 눈에서는 급격하게 감소한다.

⑪ 하강

⑫ 태풍의 눈

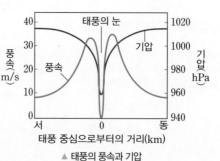

▲ 태풍의 풍속과 기압

6 기상 위성 영상에 대한 설명이다. 알맞은 말을 고르시오.

(1) (가시 , 적외) 영상은 햇빛이 있는 낮에만 이용할 수 있다.

(2) 가시 영상에서는 (적운형 , 층운형) 구름이 더 밝게 보인다.

(3) 적외 영상에서는 (적란운 , 난층운)이 더 밝게 보인다.

7 태풍에 대한 설명이다. 빈칸에 알맞은 말을 쓰시오.

(1) 중심 부근의 최대 풍속이 (   ) m/s 이상인 열대 저기압이다.

(2) 위도 5°~25° 사이의 수온이 27 ℃ 이상인 열대 해상에서 발생하며, 지구 자전 효과가 없는 (   )에서는 발생하지 않는다.

8 태풍의 에너지원을 쓰시오.

9 그림은 어느 태풍의 이동 경로를 나타낸 것이다. 빈칸에 알맞은 말을 쓰시오.

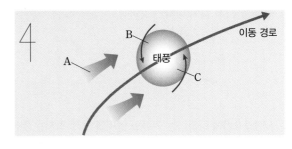

(1) 바람 A는 (   )이다.

(2) 태풍 이동 경로의 왼쪽에 위치한 B 지역을 (   ) 반원, 오른쪽에 위치한 C 지역을 (   ) 반원이라고 한다.

(3) 태풍에 의한 피해는 B 지역이 C 지역보다 (   ).

(4) 풍속은 B 지역이 C 지역보다 (   ).

10 태풍 주변의 날씨에 대한 설명으로 옳은 것은 ○표, 옳지 않은 것은 ✕표 하시오.

(1) 기압은 태풍의 중심으로 갈수록 낮아진다.
(   )

(2) 풍속은 태풍의 눈에서 가장 강하다. (   )

(3) 태풍의 눈에서는 상승 기류가 나타난다. (   )

(4) 태풍의 눈에서는 날씨가 비교적 맑다. (   )

(5) 북반구에서 안전 반원에 위치한 지역에서는 풍향이 시계 방향으로 변한다. (   )

대표 예제 1 · 고기압과 저기압

그림 (가)와 (나)는 북반구 고기압과 저기압에서의 공기의 운동을 순서 없이 나타낸 것이다.

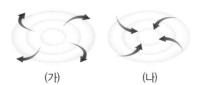

(가) (나)

(가)와 (나)에 나타나는 기류와 날씨를 옳게 짝지은 것은?

① (가) – 상승 기류, 맑음 ② (가) – 상승 기류, 흐림
③ (가) – 하강 기류, 맑음 ④ (나) – 상승 기류, 맑음
⑤ (나) – 하강 기류, 맑음

개념 가이드

북반구 고기압에서 바람은 [   ] 방향으로 불어 나가고, 북반구 저기압에서 바람은 [   ] 방향으로 불어 들어온다.

답 시계, 시계 반대

대표 예제 2 · 전선

그림은 어느 전선의 단면을 나타낸 것이다. 이에 대한 설명으로 옳은 것만을 〈보기〉에서 있는 대로 고른 것은?

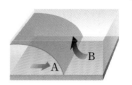

┌─── 보기 ───
│ ㄱ. 온난 전선이다.
│ ㄴ. 구름은 A 지역 상공에 형성된다.
│ ㄷ. 기온은 A 지역이 B 지역보다 낮다.
└

① ㄱ ② ㄷ ③ ㄱ, ㄴ
④ ㄴ, ㄷ ⑤ ㄱ, ㄴ, ㄷ

개념 가이드

한랭 전선은 [   ] 공기가 [   ] 공기를 파고들면서 형성된다.

답 찬, 따뜻한

대표 예제 3 · 온대 저기압과 날씨

그림은 온대 저기압에 동반된 두 전선을 나타낸 것이다.

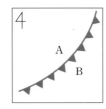 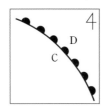

A~D 중 찬 공기가 분포하는 지역을 있는 대로 고른 것은?

① A, C ② A, D ③ B, C
④ B, D ⑤ A, C, D

개념 가이드

온대 저기압은 저기압 중심으로부터 남동쪽으로 [   ] 전선을, 남서쪽으로 [   ] 전선을 동반한다.

답 온난, 한랭

대표 예제 4 · 온대 저기압과 날씨

그림은 온대 저기압의 이동 경로를 24시간 간격으로 나타낸 것이다. 이에 대한 설명으로 옳은 것만을 〈보기〉에서 있는 대로 고르시오.

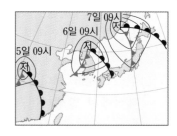

┌─── 보기 ───
│ ㄱ. 온대 저기압은 편서풍의 영향을 받아 이동한다.
│ ㄴ. 6일 오후에 서울에서는 소나기가 내렸을 것이다.
│ ㄷ. 6일 09시에 우리나라의 남부 지방에는 북서풍이
│   불었을 것이다.
└

개념 가이드

온대 저기압은 편서풍의 영향을 받아 [   ]쪽에서 [   ]쪽으로 이동한다.

답 서, 동

대표 예제 **5** 기상 위성 영상

그림은 어느 날 자정에 촬영한 기상 위성 영상을 나타낸 것이다.
이에 대한 설명으로 옳은 것만을 〈보기〉에서 있는 대로 고른 것은?

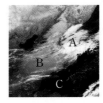

──── 보기 ────

ㄱ. 가시광선을 이용하여 촬영하였다.

ㄴ. C 지역에는 고기압이 형성되어 있다.

ㄷ. 구름 최상부의 고도는 A 지역이 가장 높다.

① ㄱ   ② ㄷ   ③ ㄱ, ㄴ
④ ㄴ, ㄷ   ⑤ ㄱ, ㄴ, ㄷ

개념 가이드

[   ] 영상에서는 구름 최상부의 고도가 높을수록 밝게 보이고, [   ] 영상에서는 두꺼운 구름이 밝게 보인다.

답 적외, 가시

대표 예제 **6** 위험 반원과 안전 반원

그림은 우리나라 부근을 지나는 태풍의 이동 경로를 나타낸 것이다.
이에 대한 설명으로 옳은 것만을 〈보기〉에서 있는 대로 고르시오.

──── 보기 ────

ㄱ. 풍속은 A 지역이 B 지역보다 작다.

ㄴ. 태풍의 이동 경로는 편서풍의 영향을 받았다.

ㄷ. 태풍이 진행하는 동안 A 지역의 풍향은 시계 방향으로 변한다.

개념 가이드

태풍 이동 경로의 오른쪽 지역은 [   ] 반원, 왼쪽 지역은 [   ] 반원이다.

답 위험, 안전

대표 예제 **7** 태풍의 발생

태풍에 대한 설명으로 옳은 것만을 〈보기〉에서 있는 대로 고른 것은?

──── 보기 ────

ㄱ. 태풍은 기온이 높은 여름철에만 발생한다.

ㄴ. 태풍은 주로 위도 5°~25° 사이에서 발생한다.

ㄷ. 우리나라에 영향을 주는 태풍은 주로 7~8월에 발생한다.

① ㄱ   ② ㄷ   ③ ㄱ, ㄴ
④ ㄴ, ㄷ   ⑤ ㄱ, ㄴ, ㄷ

개념 가이드

태풍은 위도 약 [   ] 사이의 수온이 27 ℃ 이상인 [   ] 해상에서 발생한다.

답 5°~25°, 열대

대표 예제 **8** 태풍의 구조

그림은 북반구 중위도에서 북상하는 어느 태풍의 단면을 나타낸 것이다.
이에 대한 설명으로 옳은 것을 〈보기〉에서 있는 대로 고르시오.

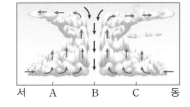

서   A   B   C   동

──── 보기 ────

ㄱ. 기압은 B 지역에서 가장 낮다.

ㄴ. 풍속은 A 지역이 C 지역보다 크다.

ㄷ. B 지역에는 태풍의 눈이 발달한다.

개념 가이드

태풍 중심에는 맑고 바람이 거의 불지 않는 태풍의 [   ]이 나타나며, 태풍 중심으로 갈수록 [   ]은 낮아진다.

답 눈, 기압

5일

대단원 Ⅲ. 대기와 해양의 변화(2)

우리나라 주요 악기상과 해수의 성질

공부할 핵심 개념이 무엇인지 퀴즈를 통해 알아보자.

Quiz 황사는 주로 중국과 몽골 지역에서 발생한 모래 먼지가 ㅍㅅㅍ 을 타고 우리나라로 이동해 오는 현상 이다.

편서풍

타커라마칸 사막

고비사막

츠펑

네이멍구 고원

황투 고원

황사는 중국 내륙 지역, 몽골 사막 지역 등지에서 상공으로 올라간 모래 먼지가 편서풍을 타고 이동하여 낙하하는 현상이야.

우리나라에는 주로 봄철에 영향을 미치지.

답 편서풍

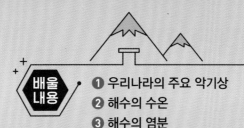

Quiz 해양은 깊이에 따른 수온 변화에 따라 ㅎㅎㅊ, 수온 약층, 심해층으로 구분한다.

🔲 혼합층

Quiz 해수면에서 용존 산소량은 극 지역이 저위도 지역보다 ㅁㄷ.

🔲 많다

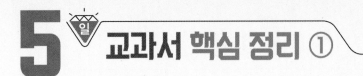

교과서 핵심 정리 ①

개념 1 　우리나라의 주요 악기상

1 뇌우　천둥과 번개를 동반한 폭풍우

　① 발생 장소: 강한 [❶　　　] 기류가 발달하는 곳 ❿ 한랭 전선, 태풍, 장마 전선

❶ 상승

　② 발달 과정: 적운 단계(상승 기류) → [❷　　　] 단계(상승 기류, 하강 기류, 소나기)
　　→ 소멸 단계(하강 기류, 약한 비)

❷ 성숙

　　적운 단계　　　성숙 단계　　　소멸 단계

▲ 뇌우의 발달 과정

2 황사　중국 내륙, [❸　　　]의 사막 지역에서 <u>상공으로 올라간 모래 먼지가 편서풍</u>

❸ 몽골

을 타고 이동하여 낙하하는 현상으로, 주로 봄철(3~5월)에 발생한다. └ 발원지에는 저기압(상승 기류) 발달

└ 우리나라에는 고기압(하강 기류) 발달

3 집중 호우(국지성 호우)　짧은 시간 동안 좁은 지역에서 많은 비가 내리는 현상

4 [❹　　　]　짧은 시간에 많은 눈이 오는 현상

❹ 폭설

5 한파　겨울철 기온이 급격하게 낮아지는 현상

6 강풍　10분 동안의 평균 풍속이 14 m/s 이상인 바람

7 우박　[❺　　　] 내에서 빙정이 상승과 하강을 반복하여 성장한 얼음덩어리

❺ 적란운

　❿ 기온이 높은 한여름과 상승 기류가 잘 발달하지 않는 겨울철에는 잘 발생하지 않는다.

개념 2 　해수의 수온

1 표층 수온 분포

　① [❻　　　]의 영향을 크게 받아 대체로 고위도로 갈수록 표층 수온이 낮아진다.

❻ 태양 복사 에너지양

　② 대양의 가장자리에서는 한류와 난류의 영향을 받아 대양의 서쪽 해역이 동쪽 해역
　　보다 표층 수온이 대체로 높다.

2 연직 수온 분포

혼합층	바람에 의한 혼합으로 수심에 따라 수온이 일정한 층 ❿ 바람이 강한 해역일수록 [❼　　　] 발달한다.
수온 약층	수심이 깊어질수록 수온이 급격하게 낮아져 매우 [❽　　　]한 층
[❾　　　]	위도와 계절에 관계없이 수온이 낮고, 수심에 따라 수온이 거의 일정한 층

❼ 두껍게

❽ 안정

❾ 심해층

정답과 해설 71쪽

1 그림 (가)~(다)는 뇌우의 발달 과정을 순서 없이 나타낸 것이다. 빈칸에 알맞은 말을 쓰고, (가)~(다)를 순서대로 나열하시오.

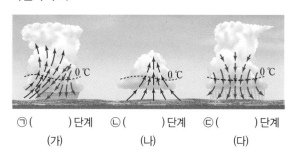

ⓐ ( ) 단계   ⓑ ( ) 단계   ⓒ ( ) 단계
    (가)   (나)   (다)

2 우리나라의 악기상에 대한 설명이다. 빈칸에 알맞은 말을 쓰시오.

(1) 시베리아 기단이 황해를 건너오면서 열과 수증기를 공급받아 기단이 불안정해지면 우리나라 서해안 지방에 ( )이 발생할 수 있다.

(2) 10분 동안 평균 풍속이 14 m/s 이상인 바람을 ( )이라고 한다.

(3) 황사는 중국 내륙이나 몽골의 사막 지역에서 발생하여 ( )을 타고 우리나라로 이동해오는 모래 먼지로, 주로 봄철에 발생한다.

(4) 집중 호우, 뇌우, 우박은 ( )이 강하게 발달했을 때 잘 발생한다.

3 해수의 표층 수온 분포에 대한 설명이다. 빈칸에 알맞은 말을 쓰시오.

(1) 등수온선은 대체로 ( )와 나란하다.

(2) 표층 수온 분포에 가장 큰 영향을 주는 요인은 ( )이다.

(3) 대양의 동쪽 해역에서는 ( )의 영향으로 같은 위도의 서쪽 해역보다 표층 수온이 낮다.

4 그림은 깊이에 따른 해수의 수온 분포를 나타낸 것이다.

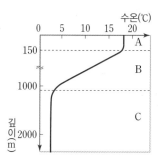

A~C층의 명칭을 각각 쓰시오.

5 다음은 혼합층에 대한 설명이다. 빈칸에 공통으로 들어갈 말을 쓰시오.

> 태양 복사 에너지와 ( )의 영향을 크게 받으며, ( )이 강할수록 해수의 혼합이 활발하게 일어나 두껍게 발달하므로 저위도 지역보다 중위도 지역에서 잘 발달한다.

5일 교과서 핵심 정리 ②

개념 3 해수의 염분과 밀도

1 해수의 염분 해수에 녹아 있는 염류의 양을 염분이라고 하며, 표층 염분은 **❶**⬚, 강수량, 결빙, 해빙, 담수의 유입 등의 영향을 받는다.

예 (증발량−강수량) 값이 클수록 대체로 표층 염분이 높다.

❶ 증발량

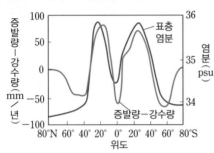

2 해수의 밀도 수온이 낮을수록, **❷**⬚이 높을수록, 수압이 클수록 크다.

① 해수의 밀도 분포: 해수의 표층 밀도는 적도 부근에서 가장 작고, 고위도로 갈수록 대체로 증가하며, 수심이 깊어질수록 **❸**⬚하다가 심해에서는 거의 일정하다.

② 수온 염분도(T−S도): **❹**⬚과 염분을 축으로 하여 해수의 밀도를 나타내는 그래프로, 오른쪽 아래로 갈수록 밀도가 증가한다.

❷ 염분

❸ 증가

❹ 수온

개념 4 해수의 용존 기체

1 용존 산소량 해수에 녹아 있는 산소의 양으로, 표층에서는 광합성에 의해 가장 높고, 수심이 깊어질수록 급격히 감소하다가 심해에서는 극지방에서 **❺**⬚한 찬 해수에 의해 약간 증가한다.

2 용존 이산화 탄소량 해수에 녹아 있는 이산화 탄소의 양으로, 용존 산소량보다 전체적으로 많다. 표층에서는 **❻**⬚에 의해 적지만 수심이 깊어질수록 증가한다.

❺ 침강

❻ 광합성

개념 5 우리나라 주변 해수의 성질

1 표층 수온 분포 동해는 남북 간의 표층 수온 변화가 크고 난류와 한류가 만나 **❼**⬚이 형성되며, 황해는 표층 수온의 연교차가 크고, 남해는 연중 표층 수온이 높다.

2 표층 염분 분포 난류가 북상하는 해역은 표층 염분이 높고, 담수가 유입되는 남해와 황해는 표층 염분이 **❽**⬚다. 또한 여름철이 겨울철보다 표층 염분이 낮다.

❼ 조경 수역

❽ 낮

정답과 해설 71쪽

6 표층 염분을 증가시키는 요인만을 〈보기〉에서 있는 대로 고르시오.

> ● 보기 ●
> ㄱ. 결빙　　　　　ㄴ. 해빙
> ㄷ. 강수량　　　　ㄹ. 증발량
> ㅁ. 하천수의 유입량

7 해수의 표층 염분 분포에 대한 설명으로 옳은 것은 O표, 옳지 않은 것은 ×표 하시오.

(1) 대체로 위도와 나란하게 분포한다. 　(　)

(2) 강수량이 증발량보다 많은 곳은 표층 염분이 높다. 　(　)

(3) 하천수의 유입이 많은 연안 지역은 대양 한가운데보다 표층 염분이 낮다. 　(　)

(4) '증발량－강수량' 값이 클수록 표층 염분이 높다. 　(　)

8 수온과 염분 변화에 따른 밀도 변화를 함께 나타낸 도표를 무엇이라고 하는지 쓰시오.

9 해수의 밀도 분포에 대한 설명이다. 알맞은 말을 고르시오.

(1) 수온이 (낮을 , 높을)수록, 염분이 (낮을 , 높을) 수록 밀도가 크다.

(2) 적도 해역은 극 해역보다 해수의 밀도가 (작다 , 크다).

(3) 표층 해수는 심층 해수보다 밀도가 (작다 , 크다).

10 다음은 해수의 용존 산소량에 대한 설명이다. 빈칸에 알맞은 말을 쓰시오.

> 해수의 표층에서는 대기로부터 산소가 공급되고 해양 생물의 ㉠(　　　　　)에 의해 용존 산소의 농도가 높다. 또한 심층에서는 극 해역에서 유입된 찬 해수의 영향으로 용존 산소의 농도가 ㉡(　　　　　)진다.

11 우리나라 주변 해수의 성질에 대한 설명이다. 알맞은 말을 고르시오.

(1) 표층 수온의 연교차는 (동해 , 황해 , 남해)에서 가장 크다.

(2) 동해는 황해보다 평균 표층 염분이 (높다 , 낮다).

5일

대표 예제 1 뇌우

그림은 뇌우의 발달 과정을 순서 없이 나타낸 것이다. 이에 대한 설명으로 옳은 것만을 〈보기〉에서 있는 대로 고른 것은?

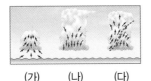

(가)　(나)　(다)

● 보기 ●
ㄱ. (다)에서 우박이 발생할 수 있다.
ㄴ. 발달 순서는 (가) → (나) → (다)이다.
ㄷ. 집중 호우는 (다)보다 (나)에서 활발하다.

① ㄱ　　② ㄷ　　③ ㄱ, ㄴ
④ ㄴ, ㄷ　　⑤ ㄱ, ㄴ, ㄷ

개념 가이드

뇌우는 [　　　] 단계 → [　　　] 단계 → 소멸 단계를 거친다.

답 적운, 성숙

대표 예제 2 황사

그림은 황사의 이동 과정을 나타낸 것이다.

 → →

이에 대한 설명으로 옳은 것만을 〈보기〉에서 있는 대로 고르시오.

● 보기 ●
ㄱ. 편서풍을 타고 이동한다.
ㄴ. 우리나라에서 황사는 주로 봄철에 나타난다.
ㄷ. 중국과 몽골 지방에 저기압이 형성될 때 발생한다.

개념 가이드

황사의 발생지는 [　　　] 내륙과 [　　　]의 사막 지역이다.

답 중국, 몽골

대표 예제 3 국지성 호우

국지성 호우에 대한 설명으로 옳지 않은 것은?

① 강한 뇌우와 함께 나타나는 경우가 많다.
② 전선 부근에서 강한 상승 기류가 발달할 때 잘 발생한다.
③ 이동성 고기압의 영향을 받는 봄이나 가을에 잘 나타난다.
④ 농경지와 가옥, 도로의 침수나 산사태 등의 피해를 발생시킨다.
⑤ 한 시간에 30 mm 이상, 하루에 80 mm 이상 또는 연 강수량의 10 % 이상 비가 내릴 때를 말한다.

개념 가이드

좁은 지역에서 많은 양의 비가 내리는 것을 [　　　] 호우 또는 [　　　] 호우라고 한다.

답 국지성, 집중

대표 예제 4 해수의 표층 수온 분포

해수의 표층 수온에 대한 설명으로 옳은 것만을 〈보기〉에서 있는 대로 고른 것은?

● 보기 ●
ㄱ. 고위도로 갈수록 대체로 높아진다.
ㄴ. 주로 태양 복사 에너지양의 영향을 받는다.
ㄷ. 같은 위도라도 한류가 흐르는 곳이 난류가 흐르는 곳보다 표층 수온이 낮다.

① ㄱ　　② ㄷ　　③ ㄱ, ㄴ
④ ㄴ, ㄷ　　⑤ ㄱ, ㄴ, ㄷ

개념 가이드

표층 해수의 등수온선의 분포는 [　　　]와 대체로 나란하며, 대양의 가장자리에서 표층 수온은 [　　　]의 영향을 받는다.

답 위도, 해류

대표 예제 5   해수의 표층 염분 분포

해수의 표층 염분 분포에 대한 설명으로 옳지 <u>않은</u> 것은?

① 대서양은 태평양보다 표층 염분이 높다.

② 빙하가 녹아 흘러드는 해역은 표층 염분이 낮다.

③ 해수의 결빙이 일어나는 해역은 표층 염분이 높다.

④ 적도 해역은 증발량이 강수량보다 많아 표층 염분이 높다.

⑤ 대륙 연안 해역은 육지로부터 유입되는 담수의 영향으로 대양의 중앙부보다 표층 염분이 낮다.

개념 가이드

표층 염분 분포에 가장 큰 영향을 주는 요인은   과   이다.

답 증발량, 강수량

대표 예제 6   수온 염분도

그림은 수온 염분도에 서로 다른 수괴 A~C를 나타낸 것이다. 이에 대한 설명으로 옳은 것만을 〈보기〉에서 있는 대로 고르시오.

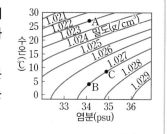

━━ 보기 ━━

ㄱ. 염분은 B와 C가 같다.

ㄴ. 밀도는 A가 가장 크다.

ㄷ. 염분이 같을 때 수온이 낮을수록 밀도가 크다.

개념 가이드

해수의 밀도는   이 높을수록,   이 낮을수록 크다.

답 염분, 수온

대표 예제 7   용존 기체

그림은 깊이에 따른 용존 산소와 용존 이산화 탄소의 농도 변화를 A, B로 순서 없이 나타낸 것이다. 이에 대한 설명으로 옳은 것만을 〈보기〉에서 있는 대로 고르시오.

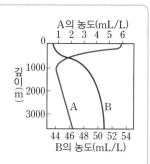

━━ 보기 ━━

ㄱ. A는 이산화 탄소이다.

ㄴ. 표층에서 A의 농도는 B의 농도보다 크다.

ㄷ. 깊이 1000 m 이상에서 A의 농도는 증가한다.

개념 가이드

용존 산소량은 생물의   과   의 영향을 크게 받는다.

답 광합성, 호흡

대표 예제 8   우리나라 주변 해수의 표층 염분 분포

우리나라 주변 해수의 표층 염분 분포에 대한 설명으로 옳은 것만을 〈보기〉에서 있는 대로 고른 것은?

━━ 보기 ━━

ㄱ. 황해가 동해보다 표층 염분이 낮다.

ㄴ. 여름철보다 겨울철에 표층 염분이 더 낮다.

ㄷ. 해수 1 kg 속에 들어 있는 Cl⁻의 양은 연중 일정하다.

① ㄱ   ② ㄷ   ③ ㄱ, ㄴ

④ ㄴ, ㄷ   ⑤ ㄱ, ㄴ, ㄷ

개념 가이드

우리나라는 여름철에   이 집중되어 표층 염분이 낮고, 황해는   의 유입으로 표층 염분이 낮다.

답 강수량, 담수

1 대륙 이동의 증거로 옳지 않은 것은?

① 빙하의 이동 흔적과 분포
② 멀리 떨어진 대륙에서 나타나는 지질 구조의 연속성
③ 해령을 축으로 대칭으로 나타나는 고지자기 역전 줄무늬
④ 멀리 떨어진 대륙에서 발견되는 같은 종의 고생물 화석 분포
⑤ 남아메리카 대륙 동해안과 아프리카 대륙 서해안 해안선 모양의 유사성

2 맨틀 대류설에 대한 설명으로 옳은 것만을 〈보기〉에서 있는 대로 고른 것은?

──● 보기 ●──

ㄱ. 베게너가 주장하였다.
ㄴ. 발표 당시 대륙 이동의 원동력으로 인정받았다.
ㄷ. 맨틀 대류가 상승하는 곳에서는 새로운 해양이 형성된다.

① ㄱ   ② ㄷ   ③ ㄱ, ㄴ
④ ㄴ, ㄷ   ⑤ ㄱ, ㄴ, ㄷ

신경향

3 그림은 어느 해역에서 측정한 해양 지각의 연령 분포를 나타낸 것이다.

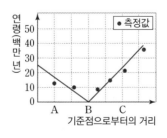

A~C 중 해령의 위치를 고르시오.

4 플룸 구조론에 대한 설명으로 옳지 않은 것은?

① 맨틀 대류는 상부 맨틀에서만 일어난다.
② 판의 내부에서 일어나는 화산 활동을 설명할 수 있다.
③ 아시아 대륙 아래에서는 차가운 플룸이 형성되고 있다.
④ 하와이섬은 뜨거운 플룸이 상승하는 곳에서 형성되었다.
⑤ 뜨거운 플룸이 상승하는 곳에서는 지진파의 속도가 느려진다.

5 그림은 마그마가 생성되는 조건을 나타낸 것이다.

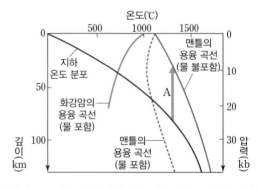

A 과정으로 마그마가 생성될 수 있는 장소로 옳은 것은?

① 해구   ② 해령   ③ 변환 단층
④ 습곡 산맥   ⑤ 호상 열도

정답과 해설 **73**쪽

6 우리나라의 대표적인 화산암 지형으로 옳지 <u>않은</u> 것은?

① 독도
② 울릉도
③ 설악산 울산바위
④ 제주도 주상 절리
⑤ 철원 한탄강 일대

신경향

7 그림은 어느 지역에서 발견된 지층의 모습을 나타낸 것이다.

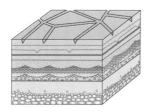

이 지역에서 관찰되는 퇴적 구조를 모두 쓰시오.

8 그림은 서로 다른 지질 구조를 나타낸 것이다.

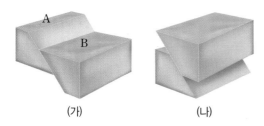

이에 대한 설명으로 옳은 것은?

① (가)는 역단층이다.
② A는 상반, B는 하반이다.
③ (나)는 주향 이동 단층이다.
④ (가)는 수렴형 경계에서 잘 발달한다.
⑤ (나)에는 양쪽에서 미는 힘이 작용하였다.

9 그림은 지층이 역전되지 않은 어느 지역의 지질 단면도를 나타낸 것이다.

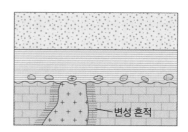

이 지역 지층의 생성 순서를 결정하는 데 이용할 수 있는 지사학의 법칙이 <u>아닌</u> 것은?

① 관입의 법칙
② 부정합의 법칙
③ 수평 퇴적의 법칙
④ 지층 누중의 법칙
⑤ 동물군 천이의 법칙

10 그림은 비교적 가까이 있는 (가)~(다) 세 지역의 지질 단면을 나타낸 것이다.

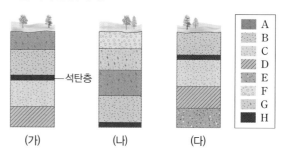

A~H 중 가장 오래된 지층과 가장 새로운 지층을 순서대로 옳게 짝지은 것은?

① A-D
② D-B
③ E-F
④ F-E
⑤ H-B

1 표는 서로 다른 지질 시대의 표준 화석을 순서 없이 나타낸 것이다.

지질 시대	표준 화석
(가)	삼엽충, 필석, 갑주어, 방추충
(나)	화폐석, 매머드
(다)	에디아카라 동물군, 스트로마톨라이트
(라)	암모나이트, 공룡, 시조새

(가)~(라) 지질 시대를 오래된 것부터 시간 순으로 옳게 나열하시오.

2 중생대의 환경과 생물에 대한 설명으로 옳은 것은?

① 오존층이 형성되었다.
② 최초의 생물이 출현하였다.
③ 빙하기와 간빙기가 반복되었다.
④ 판게아가 분리되고 대서양이 형성되기 시작하였다.
⑤ 여러 대륙이 모여 하나의 초대륙인 판게아가 형성되었다.

3 고기압 부근에서 나타나는 날씨 특징에 대한 설명으로 옳은 것만을 〈보기〉에서 있는 대로 고른 것은?

> ● 보기 ●
> ㄱ. 날씨가 비교적 맑다.
> ㄴ. 지상에는 상승 기류가 발달한다.
> ㄷ. 북반구에서는 바람이 시계 방향으로 불어 들어온다.

① ㄱ   ② ㄴ   ③ ㄱ, ㄷ
④ ㄴ, ㄷ   ⑤ ㄱ, ㄴ, ㄷ

4 그림은 온대 저기압과 그 주변의 구름 및 강수 지역을 나타낸 것이다.

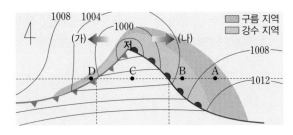

이에 대한 설명으로 옳지 않은 것은?

① 온대 저기압은 (나) 방향으로 이동할 것이다.
② A 지역은 B 지역보다 기압이 높다.
③ B 지역에는 소나기가 내릴 것이다.
④ C 지역은 날씨가 맑고 따뜻하다.
⑤ D 지역에는 적운형 구름이 발달한다.

5 그림은 우리나라의 어느 관측소에 온대 저기압이 통과하는 동안 관측한 기상 요소를 일기 기호로 순서 없이 나타낸 것이다.

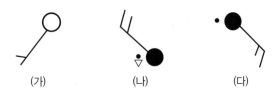

관측 시간 순서대로 옳게 나열한 것은?

① (가)-(나)-(다)   ② (가)-(다)-(나)
③ (나)-(가)-(다)   ④ (다)-(가)-(나)
⑤ (다)-(나)-(가)

6 태풍에 대한 설명으로 옳은 것은?

① 전선을 동반한다.

② 수온이 높은 적도 해상에서 발생한다.

③ 위도 60° 부근에서 진행 방향이 바뀐다.

④ 일기도상에서 등압선 모양은 거의 원형으로 나타난다.

⑤ 태풍 이동 방향의 오른쪽 지역은 태풍 내 풍향과 대기 대순환의 바람 방향이 반대이다.

신경향

7 그림은 태풍의 구조를 모식적으로 나타낸 것이다.

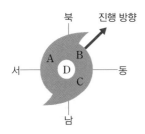

A~D 중 바람이 가장 세게 부는 지역과 바람이 가장 약하게 부는 지역을 순서대로 나열하시오.

8 우리나라의 악기상에 대한 설명으로 옳은 것은?

① 황사는 주로 겨울철에 발생한다.

② 우박은 하강 기류가 강할 때 발생한다.

③ 뇌우의 적운 단계에서는 천둥과 번개를 동반한 소나기가 내린다.

④ 뇌우, 집중 호우, 강풍은 태풍의 영향을 받을 때 함께 나타날 수 있다.

⑤ 이동성 고기압의 영향을 받는 계절에는 기단의 변질로 폭설이 자주 발생한다.

9 그림은 위도에 따른 표층 염분과 (증발량-강수량)의 분포를 나타낸 것이다.

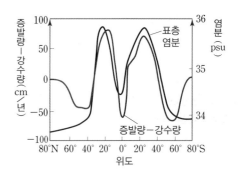

이에 대한 설명으로 옳은 것만을 〈보기〉에서 있는 대로 고른 것은?

┌─────────────────────────────── 보기 ┐
ㄱ. 적도 부근은 증발량이 강수량보다 많다.

ㄴ. 표층 염분은 중위도 해역에서 가장 높다.

ㄷ. 고위도 해역에서 표층 염분은 (증발량-강수량)의 값에 비례한다.
└──────────────────────────────────┘

① ㄱ   ② ㄴ   ③ ㄱ, ㄷ

④ ㄴ, ㄷ   ⑤ ㄱ, ㄴ, ㄷ

10 해수의 밀도에 영향을 주는 요인에 대한 설명으로 옳은 것만을 〈보기〉에서 있는 대로 고른 것은?

┌─────────────────────────────── 보기 ┐
ㄱ. 수온이 높아질수록 밀도가 증가한다.

ㄴ. 염분이 높아질수록 밀도가 증가한다.

ㄷ. 수심이 깊어질수록 밀도가 증가한다.
└──────────────────────────────────┘

① ㄱ   ② ㄴ   ③ ㄱ, ㄷ

④ ㄴ, ㄷ   ⑤ ㄱ, ㄴ, ㄷ

1 그림은 어느 해역에서 직선 구간을 따라 일정한 간격으로 음파를 발사하여 해저에서 반사되어 되돌아오는 시간을 측정하여 나타낸 것이다. 이 지역에는 판의 경계가 발달해 있다.

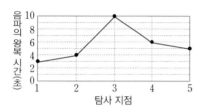

(1) 수심이 가장 깊은 탐사 지점을 고르고, 이 지점의 수심을 구하시오. (단, 해양에서 음파의 속력은 1500 m/s이다.)

_____

(2) 이 지역에 발달한 판의 경계를 쓰고, 그 까닭을 서술하시오.

_____

_____

2 그림은 초대륙이 분리되는 과정을 모식적으로 나타낸 것이다. 화살표는 판의 이동 방향을 의미한다.

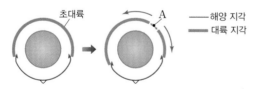

A 지역에 형성되는 판의 경계를 맨틀 대류와 연관지어 서술하시오.

_____

_____

3 그림은 북한산 인수봉의 모습이다.

(1) 이 지역에서 관찰되는 지질 구조를 쓰시오.

_____

(2) 이 지형을 이루고 있는 화성암의 종류를 쓰고, 이 암석의 특징을 화성암의 분류 기준(SiO_2 함량, 마그마의 냉각 속도, 조직)에 따라 서술하시오.

_____

_____

4 그림은 어느 지역에서 관찰한 지층의 단면을 나타낸 것이다.

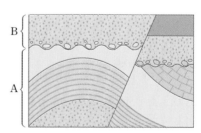

이 지역 지층의 형성 과정과 지질학적 사건을 서술하시오.

_____

_____

5 그림은 현생 누대 동안 주요 생물계의 변화를 나타낸 것이다.

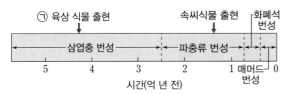

⊙이 일어난 지질 시대를 쓰고, 이와 같은 생물계의 변화가 일어나게 된 주요 사건을 서술하시오.

_____

_____

6 그림은 우리나라 어느 지역을 통과한 온대 저기압의 단면을 나타낸 것이다.

A 지역의 현재 날씨와 앞으로 다가올 날씨 변화를 다음 내용을 포함하여 서술하시오.

전선, 풍향, 구름, 강수 형태

_____

_____

_____

7 그림은 어느 해 우리나라 부근을 지나는 태풍의 모습을 나타낸 것이다.

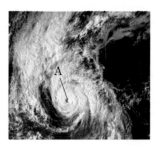

(1) A 부분의 명칭을 쓰시오.

_____

(2) A 지역의 날씨를 다음 내용을 포함하여 서술하시오.

풍속, 구름의 양, 기류

_____

_____

8 그림은 깊이에 따른 용존 산소의 농도를 나타낸 것이다. A와 B 깊이에서 산소의 농도가 높은 까닭을 각각 서술하시오.

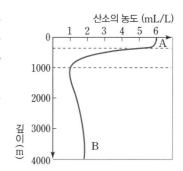

_____

_____

_____

1 그림은 판 구조론이 정립되는 과정에서 제시되었던 여러 가지 학설을 주장한 과학자들과 그들의 의견을 나타낸 것이다.
창의
융합

맨틀 대류가 대류를 움직이게 하는 거라구.

대륙은 하나로 모여있다가 분리되어 이동하였지.

해령에서 새로운 해양지각이 생성되고, 해저는 확장하고 있어.

(1) 과학자 A, B, C의 이름과 주장한 학설을 각각 쓰시오.

(2) 판 구조론이 정립되기까지 제시되었던 학설을 주장한 순서대로 나열하시오.

2 그림은 선영이가 지난 여름 제주도 여행지에서 보았던 안내판에 그려진 어느 지형의 형성 과정을 나타낸 것이다.
창의
융합

온도 하강
부피 감소

뜨겁고 부피가 팽창된 용암

용암이 식어감에 따라 부피 감소

선영이가 다녀온 여행지는 어디인가?

① 만장굴   ② 수월봉
③ 한라산   ④ 성산 일출봉
⑤ 주상 절리대

3 그림은 퇴적암이 생성되는 과정과 퇴적암에 대해 학생들이 나눈 대화 내용이다.
창의
융합

퇴적암이 생성되는 과정에서 공극은 감소해.

유기적 퇴적암은 다짐 작용이 일어나지 않고, 교결 작용에 의해서만 생성돼.

응회암은 화산 활동에 의해 생성되었으니까 퇴적암이 아니야.

희원   윤슬   승아

제시한 설명이 옳은 학생을 있는 대로 고른 것은?

① 희원   ② 윤슬   ③ 승아
④ 희원, 윤슬   ⑤ 희원, 승아

4 다음은 여러 가지 지질 구조를 구분하는 과정을 나타낸 것이다.
코딩

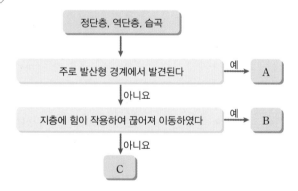

정단층, 역단층, 습곡

주로 발산형 경계에서 발견된다 → 예 → A

아니요

지층에 힘이 작용하여 끊어져 이동하였다 → 예 → B

아니요

C

A, B, C에 해당하는 지질 구조를 옳게 짝지은 것은?

	A	B	C
①	정단층	역단층	습곡
②	정단층	습곡	역단층
③	역단층	정단층	습곡
④	역단층	습곡	정단층
⑤	습곡	정단층	역단층

정답과 해설 77쪽

5 창의 그림 (가)는 어느 해 우리나라 부근을 통과한 태풍 무이파의 이동 경로를, (나)는 우리나라 부근을 지나는 태풍의 일반 경로를 나타낸 것이다.

(가)

(나)

태풍 무이파가 일반적인 경로가 아닌 황해를 따라 북상한 까닭을 북태평양 고기압과 관련지어 서술하시오.

6 창의 융합 다음은 우박에 대해 친구들이 나눈 대화 내용이다.

- 지민: 우박은 적란운 속에서 만들어져.
- 정국: 맞아. 우박은 상승 기류에 의해서만 만들어지니까.
- 석진: 한여름에는 우박이 잘 내리지 않아. 기온이 높아 떨어지는 동안 녹기 때문이야.
- 남준: 겨울철에는 기온이 낮으니까 눈과 함께 우박이 잘 생겨.

위의 대화 내용 중 옳지 <u>않은</u> 설명을 한 학생을 있는 대로 고르시오.

7 창의 융합 그림은 (가)~(다) 세 지역에서 깊이에 따른 해수의 연직 수온 분포를 나타낸 것이다.

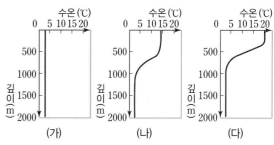
(가)   (나)   (다)

(가)~(다) 중 해수 표층에서 바람이 가장 많이 부는 지역을 고르고, 그렇게 선택한 까닭을 서술하시오.

8 창의 코딩 그림은 위도별 표층 해수의 온도와 염분 및 밀도를 나타낸 것이다.

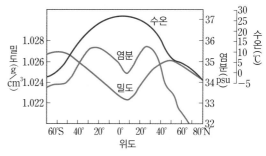

(1) 해수의 밀도에 영향을 미치는 요인을 세 가지 쓰시오.

(2) 위도 60°N 이상에서 수온은 낮지만 밀도가 작아지는 까닭을 서술하시오.

1 해령에서 멀어질수록 증가하는 것만을 〈보기〉에서 있는 대로 고른 것은?

> **보기**
> ㄱ. 진원의 깊이
> ㄴ. 지진 발생 횟수
> ㄷ. 해양 지각의 나이
> ㄹ. 해저 퇴적물의 두께

① ㄱ, ㄴ   ② ㄴ, ㄹ   ③ ㄷ, ㄹ
④ ㄱ, ㄷ, ㄹ   ⑤ ㄴ, ㄷ, ㄹ

신경향

2 그림은 위도가 다른 두 지역에서 나침반의 자침이 지평면과 이루는 각도를 나타낸 것이다. 화살표는 자침의 N극이 향하는 방향이다.

 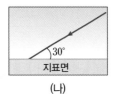

(가)   (나)

이에 대한 설명으로 옳은 것만을 〈보기〉에서 있는 대로 고른 것은?

> **보기**
> ㄱ. (가) 지역은 자기 적도에 위치한다.
> ㄴ. (나) 지역은 남반구에 위치한다.
> ㄷ. (나) 지역의 복각은 30°이다.

① ㄱ   ② ㄴ   ③ ㄱ, ㄷ
④ ㄴ, ㄷ   ⑤ ㄱ, ㄴ, ㄷ

3 그림은 하와이 열도를 이루는 섬들의 위치를 나타낸 것이다. 화산섬 A, B, C의 생성 순서를 쓰고, 하와이 열도의 형성 과정을 판 구조론 및 플룸 구조론과 관련하여 서술하시오.

_____

_____

_____

4 그림은 마그마가 생성되는 장소를 모식적으로 나타낸 것이다.

A~D 중 압력 감소에 의해 마그마가 생성되는 장소를 있는 대로 고른 것은?

① A, B   ② A, C   ③ B, C
④ B, D   ⑤ C, D

5 다음은 어느 화성암의 특징을 설명한 것이다.

> • SiO_2 함량이 52 % 이하이다.
> • Ca, Fe, Mg 성분이 상대적으로 많다.
> • 암석을 구성하고 있는 광물 입자의 크기가 육안으로 구별되지 않을 정도로 작다.
> • 표면에 많은 구멍이 나 있다.

이 암석의 명칭으로 옳은 것은?

① 화강암   ② 섬록암   ③ 반려암
④ 현무암   ⑤ 유문암

[6~7] 다음은 우리나라의 지질 명소의 위치와 특징을 설명한 것이다.

- A: 석회암층으로 이루어져 있으며, 연흔, 건열 등이 관찰되고, 삼엽충, 완족류 화석이 발견된다.
- B: 사암과 셰일층으로 이루어져 있으며, 공룡 발자국, 새 발자국 화석이 발견된다.
- C: 화산재가 두껍게 쌓여 이루어진 응회암층으로 이루어져 있다.

6 퇴적암을 퇴적물의 기원에 따라 분류할 때 A~C 지역에 분포한 퇴적암의 종류를 옳게 짝지은 것은?

	A	B	C
①	쇄설성 퇴적암	유기적 퇴적암	화학적 퇴적암
②	쇄설성 퇴적암	쇄설성 퇴적암	유기적 퇴적암
③	유기적 퇴적암	쇄설성 퇴적암	쇄설성 퇴적암
④	유기적 퇴적암	유기적 퇴적암	쇄설성 퇴적암
⑤	화학적 퇴적암	유기적 퇴적암	화학적 퇴적암

7 A, B, C 지역이 형성된 순서대로 나열하시오.

8 그림은 어느 지역에서 발견된 퇴적 구조를 나타낸 것이다. 이 퇴적 구조에 대한 설명으로 옳은 것은?

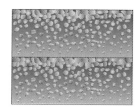

① 연흔이다.
② 지층이 역전되었다.
③ 수심이 얕은 곳에서 형성된다.
④ 건조한 환경에 노출된 적이 있다.
⑤ 퇴적 당시 물이나 바람의 방향을 알 수 있다.

9 부정합에 대한 설명으로 옳지 않은 것은?

① 상하 지층 사이에 긴 시간 간격이 있다.
② 부정합면 바로 위에는 포획암이 분포한다.
③ 조륙 운동이나 조산 운동을 받은 지층에서 잘 나타난다.
④ 퇴적 → 융기 → 침식 → 침강 → 퇴적의 과정을 거친다.
⑤ 부정합면 아래에 심성암이나 변성암이 분포한 부정합을 난정합이라고 한다.

신경향

10 그림은 어느 지역의 지질 단면도를 나타낸 것이다. 셰일과 사암에서는 화석이 산출되지 않았다. 이 지질 단면도를 해석하기 위해 적용해야 할 지사학의 법칙을 〈보기〉에서 있는 대로 고른 것은? (단, 이 지역 지층은 역전되지 않았다.)

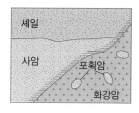

┌─────────────────── 보기 ───────────────────
│ ㄱ. 부정합의 법칙
│ ㄴ. 지층 누중의 법칙
│ ㄷ. 동물군 천이의 법칙
└───

① ㄱ
② ㄴ
③ ㄱ, ㄷ
④ ㄴ, ㄷ
⑤ ㄱ, ㄴ, ㄷ

11 그림은 어떤 방사성 동위 원소 X의 붕괴 곡선을 나타낸 것이다. 이에 대한 설명으로 옳은 것만을 〈보기〉에서 있는 대로 고른 것은?

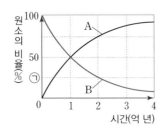

〈보기〉
ㄱ. A는 모원소, B는 자원소이다.
ㄴ. 방사성 동위 원소 X의 반감기는 1억 년이다.
ㄷ. A 원소의 비율이 ㉠일 때 방사성 동위 원소 X는 반감기를 2회 지났다.

① ㄱ
② ㄴ
③ ㄱ, ㄷ
④ ㄴ, ㄷ
⑤ ㄱ, ㄴ, ㄷ

12 그림은 지질 시대의 상대적인 길이를 나타낸 것이다. (가)삼엽충이 번성하였던 지질 시대와 (나)빙하기가 없었던 지질 시대를 옳게 짝지은 것은?

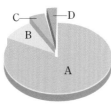

	(가)	(나)		(가)	(나)
①	A	C	②	B	C
③	C	A	④	C	D
⑤	D	C			

13 지질 시대의 생물에 대한 설명으로 옳은 것은?

① 어류가 최초로 출현한 시대는 중생대이다.
② 최초의 육상 식물은 시생 누대에 출현하였다.
③ 지질 시대 동안 총 여섯 번의 생물 대멸종이 있었다.
④ 파충류가 번성한 시대에는 겉씨식물이 번성하였다.
⑤ 광합성을 하는 생물이 최초로 출현한 시대는 원생 누대이다.

14 그림은 어느 날 우리나라에 어느 전선이 통과하기 전후에 측정한 기온과 풍향 변화를 나타낸 것이다. 이에 대한 설명으로 옳은 것만을 〈보기〉에서 있는 대로 고른 것은?

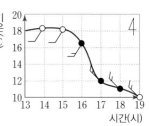

〈보기〉
ㄱ. 17~18시경에 약한 비가 내렸다.
ㄴ. 전선 통과 후에는 기압이 높아진다.
ㄷ. 16~17시 사이에 온난 전선이 통과하였다.

① ㄱ
② ㄴ
③ ㄱ, ㄷ
④ ㄴ, ㄷ
⑤ ㄱ, ㄴ, ㄷ

15 그림은 어느 날 12시간 간격으로 작성한 우리나라 부근의 일기도를 순서 없이 나타낸 것이다.

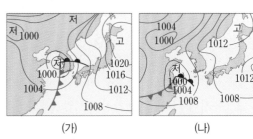

(가)　　　　　(나)

이에 대한 설명으로 옳은 것만을 〈보기〉에서 있는 대로 고른 것은?

〈보기〉
ㄱ. (가)는 (나)보다 먼저 작성된 것이다.
ㄴ. 제주도에서는 풍향이 남서풍에서 남동풍으로 변했다.
ㄷ. (가) 시간에 우리나라 남부 지방은 대체로 맑고 따뜻했다.

① ㄱ
② ㄷ
③ ㄱ, ㄴ
④ ㄴ, ㄷ
⑤ ㄱ, ㄴ, ㄷ

16 그림은 우리나라를 통과한 어느 태풍의 이동 경로와 중심 기압의 변화를 나타낸 것이다.
이에 대한 설명으로 옳은 것만을 〈보기〉에서 있는 대로 고른 것은?

┌─────────────── 보기 ┐
ㄱ. 9일 0시에는 편서풍의 영향을 받았다.
ㄴ. 12일 0시에 태풍의 세력이 가장 강했다.
ㄷ. 태풍이 통과하는 동안 제주도에서는 풍향이 시계 방향으로 변했다.
└────────────────────┘

① ㄱ ② ㄷ ③ ㄱ, ㄴ
④ ㄴ, ㄷ ⑤ ㄱ, ㄴ, ㄷ

`신경향`
17 그림은 봄철 황사의 발원지와 이동 경로를 나타낸 것이다.

황사에 대한 설명으로 옳은 것은?

① 주로 한랭 건조한 기단의 세력이 강해질 때 관측된다.
② 황사의 발원지에는 강한 하강 기류가 발달해야 한다.
③ 중국과 몽골의 사막 지대에서 날아온 모래 먼지이다.
④ 편서풍의 영향을 받아 대체로 동쪽에서 서쪽으로 이동한다.
⑤ 우리나라 주변에 저기압이 형성될 때 황사가 더 심해진다.

18 그림은 위도별 해양의 연직 구조와 수온 분포를 나타낸 것이다.

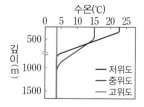
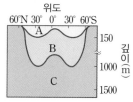

이에 대한 설명으로 옳은 것만을 〈보기〉에서 있는 대로 고른 것은?

┌─────────────── 보기 ┐
ㄱ. A는 혼합층, C는 심해층이다.
ㄴ. 바람은 고위도 해역에서 가장 강하다.
ㄷ. 저위도 해역에서는 표층과 심층의 물질 교환이 활발하다.
└────────────────────┘

① ㄱ ② ㄴ ③ ㄱ, ㄷ
④ ㄴ, ㄷ ⑤ ㄱ, ㄴ, ㄷ

19 해수의 표층 염분에 대한 설명으로 옳은 것만을 〈보기〉에서 있는 대로 고른 것은?

┌─────────────── 보기 ┐
ㄱ. 계절에 따라 표층 염분이 달라진다.
ㄴ. 강수량이 많고 증발량이 적을수록 표층 염분이 높다.
ㄷ. 대륙 연안보다 대양의 중앙부가 표층 염분이 높다.
└────────────────────┘

① ㄱ ② ㄴ ③ ㄱ, ㄷ
④ ㄴ, ㄷ ⑤ ㄱ, ㄴ, ㄷ

20 그림은 해수의 수온과 염분에 따른 등밀도선을 나타낸 것이다.
A~D 해수가 만났을 때 가장 아래에 위치하는 해수를 골라 기호를 쓰시오.

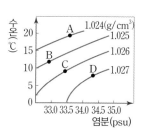

1 그림은 고생대 말의 빙하 퇴적층 분포와 빙하의 이동 흔적, 육상 파충류인 메소사우루스의 화석 산출지를 나타낸 것이다.

이에 대한 설명으로 옳은 것만을 〈보기〉에서 있는 대로 고른 것은?

┌──────────────────────── 보기 ┐
ㄱ. 고생대 말에 대서양은 현재보다 넓었다.
ㄴ. 고생대 말에 인도 대륙은 남반구에 위치하였다.
ㄷ. 고생대 말에 메소사우루스는 A에서 B로 바다를 건너갔다.
└────────────────────────────┘

① ㄱ   ② ㄴ   ③ ㄱ, ㄷ
④ ㄴ, ㄷ   ⑤ ㄱ, ㄴ, ㄷ

2 그림은 주요 판의 경계와 이동 방향을 나타낸 것이다.

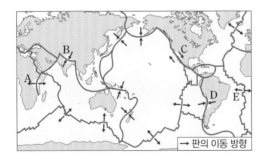

→ 판의 이동 방향

이에 대한 설명으로 옳지 <u>않은</u> 것은?

① A에서는 천발 지진이 발생한다.
② B에서는 맨틀 대류가 하강한다.
③ C에서는 화산 활동이 활발하다.
④ D에서는 천발~심발 지진이 발생한다.
⑤ E에서는 새로운 해양 지각이 생성된다.

3 그림은 판을 움직이는 힘 A, B, C를 나타낸 것이다. 이에 대한 설명으로 옳은 것만을 〈보기〉에서 있는 대로 고른 것은?

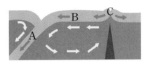

┌──────────────────────── 보기 ┐
ㄱ. A는 섭입하는 판이 잡아당기는 힘이다.
ㄴ. B는 맨틀 대류이다.
ㄷ. C는 해령에서 밀어내는 힘이다.
└────────────────────────────┘

① ㄱ   ② ㄴ   ③ ㄱ, ㄷ
④ ㄴ, ㄷ   ⑤ ㄱ, ㄴ, ㄷ

4 그림은 지구 내부의 플룸 구조를 간단히 나타낸 것이다. 이에 대한 설명으로 옳은 것만을 〈보기〉에서 있는 대로 고른 것은?

┌──────────────────────── 보기 ┐
ㄱ. 하강하는 플룸은 섭입대와 관련이 있다.
ㄴ. 열점은 플룸 상승류가 있는 곳에서 생성된다.
ㄷ. 판의 경계에서 발생하는 화산 활동만을 설명할 수 있다.
└────────────────────────────┘

① ㄱ   ② ㄷ   ③ ㄱ, ㄴ
④ ㄴ, ㄷ   ⑤ ㄱ, ㄴ, ㄷ

5 그림은 섭입대 부근에서 서로 다른 마그마의 혼합에 의해 마그마 A가 생성되는 과정을 나타낸 것이다.
마그마 A의 종류를 쓰시오.

신경향

6 그림은 서로 다른 세 화성암 A, B, C를 입자의 크기와 광물의 부피비에 따라 나타낸 것이다.

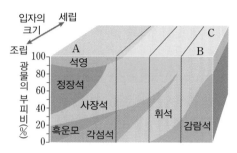

이에 대한 설명으로 옳은 것만을 〈보기〉에서 있는 대로 고른 것은?

> ● 보기 ●
> ㄱ. A는 반려암이다.
> ㄴ. A는 B보다 SiO_2 함량이 많다.
> ㄷ. B와 C는 마그마가 지하 깊은 곳에서 천천히 냉각되어 생성되었다.

① ㄱ   ② ㄴ   ③ ㄱ, ㄷ
④ ㄴ, ㄷ   ⑤ ㄱ, ㄴ, ㄷ

7 다음과 같은 특징을 가진 퇴적암의 이름으로 옳은 것은?

> • 생성 과정에 따라 화학적 퇴적암으로 분류되기도 하고, 유기적 퇴적암으로 분류되기도 한다.
> • 칼슘 이온과 탄산 이온의 화학적 반응으로 생성된다.
> • 생물이나 미생물의 유해가 쌓여 생성된다.

① 역암   ② 셰일   ③ 석탄
④ 응회암   ⑤ 석회암

8 그림 (가)~(다)는 여러 가지 퇴적 구조를 나타낸 것이다.

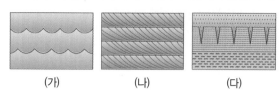

(가)   (나)   (다)

이에 대한 설명으로 옳은 것만을 〈보기〉에서 있는 대로 고른 것은?

> ● 보기 ●
> ㄱ. (가)는 건조한 기후에서 형성되었다.
> ㄴ. (나)는 퇴적물의 공급 방향을 알 수 있다.
> ㄷ. (다)는 퇴적된 후 지층이 역전되지 않았다.

① ㄱ   ② ㄴ   ③ ㄱ, ㄷ
④ ㄴ, ㄷ   ⑤ ㄱ, ㄴ, ㄷ

9 그림 (가)와 (나)는 서로 다른 종류의 습곡을 나타낸 것이다.

(가)   (나)

이에 대한 설명으로 옳은 것만을 〈보기〉에서 있는 대로 고른 것은?

> ● 보기 ●
> ㄱ. (가)에서 A는 상반, B는 하반이다.
> ㄴ. (나)는 횡와 습곡이다.
> ㄷ. (가)와 (나)는 주로 수렴형 경계 지역에서 발견된다.

① ㄱ   ② ㄷ   ③ ㄱ, ㄴ
④ ㄴ, ㄷ   ⑤ ㄱ, ㄴ, ㄷ

[10~11] 그림은 어느 지역의 지질 단면 모습을 나타낸 것이다. (단, 이 지역 지층은 역전되지 않았다.)

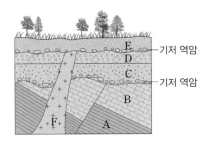

10 이 지역 지층에 대한 설명으로 옳은 것만을 〈보기〉에서 있는 대로 고른 것은?

> ─ 보기 ●
> ㄱ. 역단층이 형성되어 있다.
> ㄴ. B층과 C층 사이에는 오랜 시간 간격이 있다.
> ㄷ. 이 지역 지층의 상대 연령을 결정할 때 관입의 법칙이 적용된다.

① ㄱ   ② ㄴ   ③ ㄱ, ㄷ
④ ㄴ, ㄷ   ⑤ ㄱ, ㄴ, ㄷ

11 이 지역 지층과 암석의 생성 순서를 쓰시오.

12 그림 (가)~(다)는 서로 다른 시기의 수륙 분포를 순서 없이 나타낸 것이다.

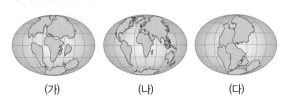

(가)   (나)   (다)

시간 순서대로 옳게 나열한 것은?

① (가) → (나) → (다)   ② (가) → (다) → (나)
③ (나) → (가) → (다)   ④ (다) → (가) → (나)
⑤ (다) → (나) → (가)

13 그림은 우리나라의 어느 지역에 형성된 전선 주변의 일기도를 나타낸 것이다. 이에 대한 설명으로 옳지 않은 것은?

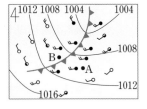

① 기온은 A 지역이 B 지역보다 높다.
② B 지역에는 적운형 구름이 발달한다.
③ 이 지역에 형성된 전선은 한랭 전선이다.
④ 전선이 통과한 후 기압은 대체로 낮아진다.
⑤ 전선 통과 전후 풍향은 남서풍에서 북서풍으로 바뀐다.

신경향

14 그림은 어느 날 03시에 촬영한 우리나라 부근의 위성 영상 사진을 나타낸 것이다. 이에 대한 설명으로 옳은 것만을 〈보기〉에서 있는 대로 고른 것은?

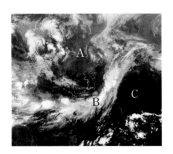

> ─ 보기 ●
> ㄱ. 가시 영상이다.
> ㄴ. 구름의 높이는 B 지역이 가장 높다.
> ㄷ. C 지역에는 고기압이 형성되어 있다.

① ㄱ   ② ㄴ   ③ ㄱ, ㄷ
④ ㄴ, ㄷ   ⑤ ㄱ, ㄴ, ㄷ

15 열대 저기압에 대한 설명으로 옳은 것만을 〈보기〉에서 있는 대로 고른 것은?

> ─ 보기 ●
> ㄱ. 전선을 동반한다.
> ㄴ. 에너지원은 수증기의 응결열이다.
> ㄷ. 수온이 높은 적도 지방에서 주로 발생한다.

① ㄱ   ② ㄴ   ③ ㄱ, ㄷ
④ ㄴ, ㄷ   ⑤ ㄱ, ㄴ, ㄷ

16 다음은 어느 해 겨울의 한파와 서해안 폭설에 관한 기사의 일부이다.

> 전국에 연일 기승을 부리고 있는 한파는 ㉠강력하게 발달한 고기압이 세력을 확장해 와 우리나라 상공에 −30~30 ℃의 공기층을 형성하였기 때문이라고 기상청은 전했다. 찬 공기가 ㉡황해상을 지나면서 따뜻한 해수면을 만나 구름대가 만들어지고, ㉢이 구름대가 내륙으로 들어와 충청과 호남 서해안 지방에 많은 눈을 뿌리고 있는 것이다.

이에 대한 설명으로 옳은 것만을 〈보기〉에서 있는 대로 고른 것은?

> 보기
> ㄱ. ㉠은 시베리아 고기압이다.
> ㄴ. ㉡ 과정에서 기단의 기층이 불안정해진다.
> ㄷ. ㉢의 구름은 주로 층운형 구름이다.

① ㄱ ② ㄷ ③ ㄱ, ㄴ
④ ㄴ, ㄷ ⑤ ㄱ, ㄴ, ㄷ

17 그림은 전 세계 해수면의 평균 표층 수온 분포를 나타낸 것이다.

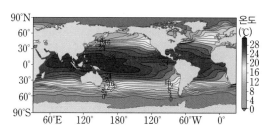

표층 수온 분포에 대한 설명으로 옳지 **않은** 것은?

① 등수온선은 대체로 위도와 나란하다.
② 표층 수온은 염분의 영향을 크게 받는다.
③ 대체로 대양의 동쪽보다 서쪽의 수온이 높다.
④ 고위도로 갈수록 대체로 표층 수온이 낮아진다.
⑤ 해수의 표층 수온에 가장 큰 영향을 주는 요인은 태양 복사 에너지이다.

18 중위도 해역에서 해수의 연직 수온 분포와 밀도 분포를 옳게 나타낸 것은?

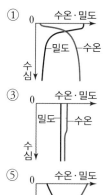

19 그림은 해수의 깊이에 따른 용존 산소량의 변화를 나타낸 것이다.
이에 대한 설명으로 옳은 것만을 〈보기〉에서 있는 대로 고른 것은?

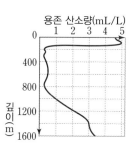

> 보기
> ㄱ. 수심 0~100 m에서 용존 산소량은 바람의 영향을 크게 받는다.
> ㄴ. 극 해역 해수의 침강이 강화되면 수심 1600 m 이상에서 용존 산소량은 증가할 것이다.
> ㄷ. 수심 200~800 m에는 광합성을 하는 생물보다 산소 호흡을 하는 생물의 수가 더 많다.

① ㄱ ② ㄷ ③ ㄱ, ㄴ
④ ㄴ, ㄷ ⑤ ㄱ, ㄴ, ㄷ

20 우리나라 부근 바다 중 황해는 동해나 남해보다 표층 염분이 낮다. 그 까닭을 서술하시오.

Memo

1일 기초 확인 문제

9쪽, 11쪽

• 1. 판 구조론과 플룸 구조론

1 (1) ○ (2) ○ (3) × (4) × (5) ○ **2** 상승부, 하강부 **3** (1) 해령, 해구 (2) 많아진다 (3) 두꺼워진다 **4** 대륙 이동설 – 맨틀 대류설 – 해양저 확장설 – 판 구조론 **5** (가) 보존형 경계, (나) 수렴형 경계, (다) 발산형 경계 **6** (1) 복각 (2) +90, 0 (3) 한 (4) 위도 **7** A: 해령, B: 해구 **8** (1) 맨틀 대류 (2) 밀어내는 (3) 잡아당기는 (4) 미끄러지는 **9** ㉠ 뜨거운, ㉡ 차가운

1 (3), (4) 해령을 축으로 양쪽으로 갈수록 해저 퇴적물의 두께가 두꺼워지고, 해구에서 대륙 쪽으로 갈수록 진원의 깊이가 깊어지는 것은 해양저 확장설의 증거이다.

2 맨틀 대류가 상승하는 곳에서는 지각이 갈라지고 갈라진 틈을 따라 맨틀 물질이 분출하여 새로운 지각이 생성되며, 맨틀 대류가 하강하는 곳에서는 해양 지각이 소멸한다.

3 해양저 확장설은 해령에서 새로운 해양 지각이 생성되고 해령을 축으로 양쪽으로 이동하면서 해저가 넓어진다는 학설로, 해령에서 멀어질수록 해양 지각을 이루는 암석의 나이는 많아지고 해저 퇴적물의 두께는 두꺼워진다.

5 (가)는 두 판이 서로 어긋나는 보존형 경계이고, (나)는 두 판이 서로 가까워지는 수렴형 경계이며, (다)는 두 판이 서로 멀어지는 발산형 경계이다.

6 (1), (2) 나침반이 수평면에 대해 기울어진 각을 복각이라고 하며, 복각은 자북극에서는 +90°, 자남극에서는 −90°, 자기 적도에서는 0°이다.
(3), (4) 지자기 북극은 항상 한 개이므로, 암석에 남아 있는 고지자기 복각을 측정하면 지질 시대 동안 대륙 이동의 경로를 추정할 수 있다.

7 맨틀 대류의 상승부에서는 새로운 해양 지각이 생성되는 해령이 형성되고, 맨틀 대류의 하강부에서는 오래된 해양 지각이 소멸하는 해구가 형성된다.

8 판은 맨틀 대류뿐만 아니라 판 자체에서 만들어지는 물리

적인 힘에 의해서도 이동한다. 그 힘에는 해령에서 판을 밀어내는 힘, 섭입하는 판이 잡아당기는 힘, 해저면 경사에 의해 판이 미끄러지는 힘 등이 있다.

9 맨틀과 외핵의 경계면에서 지표 부근으로 상승하는 고온의 열기둥을 뜨거운 플룸이라고 하며, 섭입대에서 침강한 해양 지각이 용융되어 형성된 물질이 상부 맨틀과 하부 맨틀의 경계 부근에 쌓여 있다가 가라앉아 형성된 저온의 열기둥을 차가운 플룸이라고 한다.

1일 내신 기출 베스트

12~13쪽

• 1. 판 구조론과 플룸 구조론

1 ③ **2** ② **3** ④ **4** ② **5** ㄷ **6** ② **7** ③ **8** ⑤

1 ㄱ, ㄷ. 빙하의 흔적을 살펴보면 남극을 중심으로 한 점으로 모인다. 따라서 고생대 말에 인도 대륙은 남극 대륙과 붙어 있었으며, 중생대 초에 대륙이 분리되고 점차 북상하여 신생대에 유라시아 대륙과 충돌하였다.

> **오답 풀이**
>
> ㄴ. 현재 적도에서 발견되는 빙하의 흔적은 고생대 말에 남극 주변에서 형성된 것이다. 고생대 말에도 적도 부근은 기온이 높았을 것이며, 빙하가 형성되기 어려웠을 것이다. 따라서 적도 부근에 분포해 있는 빙하의 흔적은 대륙 이동의 증거가 된다.

2 ㄴ. 음향 측심법은 해수면에서 발사한 초음파가 해저면에서 반사되어 되돌아오는 시간을 측정하여 수심을 측정하는 방법이다.

> **오답 풀이**
>
> ㄱ. 수심이 깊을수록 초음파가 해저면에 반사되어 되돌아오는 시간이 길다.
>
> ㄷ. 음향 측심법에서 '수심 $= \frac{1}{2} \times$ 초음파의 속도 $\times$ 초음파의 왕복 시간'으로 구할 수 있다.

3 해양저 확장설은 해령 아래에서 맨틀 물질이 상승하여 새로운 해양 지각이 만들어지고, 맨틀 대류를 따라 해령을 기준으로 양쪽으로 이동하다가 해구에서 침강하여 맨틀로 들어간다는 학설이다.

> **선택지 바로 보기**
>
> ① 해령에서 멀어질수록 해양 지각의 나이가 많아진다. (○)
> → 해양 지각은 해령에서 생성되어 양쪽으로 멀어지므로 해령에서 멀어질수록 해양 지각의 나이가 많아지는 것은 해양저 확장설을 뒷받침할 수 있는 증거이다.

② 해령에서 멀어질수록 해저 퇴적물의 두께가 두꺼워진다. (○)

→ 해령에서 새로운 해양 지각이 생성되어 양쪽으로 멀어지므로 해령에서 멀어질수록 해저 퇴적물의 두께가 두꺼워지는 것은 해양저 확장설을 뒷받침할 수 있는 증거이다.

③ 해구에서 대륙 쪽으로 갈수록 진원의 깊이가 점차 깊어진다. (○)

→ 해령에서 생성된 해양 지각은 양쪽으로 이동하여 해구에서 섭입하여 소멸한다. 이때 섭입대를 따라 지진이 발생하므로 해구에서 대륙 쪽으로 갈수록 진원의 깊이가 점차 깊어지는 것은 해양저 확장설을 뒷받침할 수 있는 증거이다.

④ 대서양 양쪽 해안에서 발견되는 암석의 분포와 지질 구조가 연속적이다. (×)

→ 대서양 양쪽 해안에서 발견되는 암석의 분포와 지질 구조가 연속적인 것은 대륙 이동의 증거이다.

⑤ 해저 고지자기 줄무늬는 해령과 나란하게 분포하며, 해령을 축으로 거의 대칭을 이룬다. (○)

→ 해양 지각이 생성될 때 지구 자기장의 방향이 기록되며, 지구 자기장의 방향은 정자극기와 역자극기를 반복하므로 고지자기 줄무늬가 나타난다. 이때 해령을 축으로 고지자기 역전 줄무늬가 대칭으로 나타나는 것은 해양저 확장설을 뒷받침할 수 있는 증거이다.

4 베게너는 1912년 여러 가지 대륙 이동의 증거를 제시하며 대륙 이동설을 주장하였지만, 대륙을 이동시키는 원동력을 설명하지 못하여 당시의 학계에서 인정받지 못하였다.

선택지 바로 보기

① A는 맨틀 대류설이다. (○)

→ 판 구조론은 대륙 이동설 → 맨틀 대류설 → 해양저 확장설을 거쳐 정립되었다. 따라서 A는 맨틀 대류설이다.

② (가)에서는 대륙 이동의 원동력을 설명하였다. (×)

→ 대륙 이동설에서는 대륙 이동의 원동력을 설명하지 못했다.

③ (나)는 홈스가 주장하였다. (○)

→ (나)는 맨틀 대류설로, 1928년에 홈스가 주장하였다.

④ (다)에서는 해령에서 새로운 해양 지각이 생성된다. (○)

→ 해양저 확장설에 의하면 해령에서 새로운 해양 지각이 생성되어 양쪽으로 멀어지면서 해저가 확장된다.

⑤ (라)에 의하면 판의 경계에서 지각 변동이 일어난다. (○)

→ 판 구조론에 의하면 지구의 겉 표면은 크고 작은 여러 개의 판으로 이루어져 있으며, 판이 이동함에 따라 판의 경계에서 지진이나 화산 활동과 같은 지각 변동이 일어난다고 설명한다.

5 ㄷ. 지구상에 지자기 북극은 언제나 한 개이므로 두 대륙에서 지자기 북극의 겉보기 이동 경로가 다른 것은 대륙이 이동했기 때문인 것으로 해석할 수 있다.

오답 풀이

ㄱ. 5억 년 전에도 지자기 북극은 한 개였으며, 유럽과 북아메리카 대륙에서 측정한 지자기 북극의 겉보기 위치가 다른 것은 대륙의 분포가 현재와 달랐기 때문이다.

ㄴ. 지자기 북극의 이동 경로를 일치시켜 보면 대륙이 하나로 모이게 된다. 따라서 3억 년 전에는 대서양이 거의 형성되지 않았으므로, 대서양은 현재가 3억 년 전보다 넓다.

6 ㄷ. 차가운 플룸은 섭입대에서 침강한 판의 물질이 상부 맨틀과 하부 맨틀의 경계부에 쌓여 있다가 가라앉아 형성된다.

오답 풀이

ㄱ. 뜨거운 플룸은 차가운 플룸보다 온도가 높다.

ㄴ. 뜨거운 플룸은 차가운 플룸이 맨틀과 외핵의 경계부에 도달하면서 온도 교란과 물질을 밀어 올리는 작용이 일어나 생성된 것으로, 외핵을 구성하는 물질이 아닌 맨틀 물질이다.

7 ㄱ. 맨틀 대류가 상승하는 곳에는 해령이 형성되고, 맨틀 대류가 하강하는 곳에는 해구나 습곡 산맥이 형성된다.

ㄷ. 맨틀 대류는 방사성 원소의 붕괴열이나 고온의 지구 중심부에서 맨틀로 공급되는 열에 의해 맨틀 상하부의 온도 차이가 발생하여 일어난다.

오답 풀이

ㄴ. 상부 맨틀의 운동에 의해서는 주로 판의 경계 부근에서 일어나는 화산 활동을 설명할 수 있으며, 판의 내부에서 화산 활동이 일어나는 것은 플룸 구조론으로 설명할 수 있다.

8 ⑤ 하와이섬 아래에는 열점이 분포하므로 하와이섬은 뜨거운 플룸이 상승하는 곳에서 맨틀 물질이 분출하여 생성된 것이다.

선택지 바로 보기

① 하와이섬은 발산형 경계에 위치한다. (×)

→ 하와이섬은 열점 위에 분포한다.

② 태평양판은 북동쪽으로 이동하였다. (×)

→ 하와이 열도의 분포로 보아 태평양판은 북서쪽으로 이동하였다.

③ 판이 이동하면 열점의 위치가 변한다. (×)

→ 열점은 맨틀 깊은 곳에 위치가 고정되어 있다.

④ 화산섬의 분포는 플룸 구조론으로 설명할 수 있다. (×)

→ 하와이 열도를 이루고 있는 화산섬의 생성은 플룸 구조론으로 설명할 수 있고, 화산섬의 분포는 판 구조론으로 설명할 수 있다.

⑤ 하와이섬은 뜨거운 플룸이 상승하는 곳에서 맨틀 물질이 지각을 뚫고 분출하여 생성되었다. (○)

자료 분석 **＋** **열점과 하와이 열도**

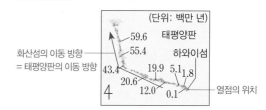

- 하와이섬에서 북서쪽으로 화산섬들이 일렬로 분포해 있다.
- 하와이섬에서 멀어질수록 화산섬의 나이가 많아진다.
- 현재 화산 활동이 일어나는 곳은 하와이섬 부근에 있으며, 하와이섬 아래에 열점이 분포해 있다.
- 열점에서 생성된 화산섬은 태평양판이 이동함에 따라 함께 이동하였다. 즉, 화산섬의 이동 방향은 판의 이동 방향과 같다.

2일 기초 확인 문제

17쪽, 19쪽

• 2. 화성암과 퇴적 구조

1 (1) 용융점(녹는점) (2) 감소, 상승, 물 **2** A: ㄱ, B: ㄱ, C: ㄱ
3 (1) 화산암 (2) 화학 조성 (3) 염기성암, 화산암 (4) 큰, 조립질
4 (1) 화산암 (2) 화산암 (3) 심성암 (4) 화산암 **5** A: 다짐 작용
(압축 작용), B: 교결 작용, C: 속성 작용 **6** (가) ㄴ, ㄷ, ㅁ, (나) ㄱ,
ㅂ, (다) ㄱ, ㄹ **7** (가) 점이 층리, (나) 사층리, (다) 연흔, (라) 건열
8 ④ **9** A: 향사, B: 배사 **10** (1) 횡압력 (2) 단층 (3) 부정합
(4) 화산암, 심성암

1 정상적인 상태에서 지하의 온도는 암석의 용융 온도보다 낮아서 마그마가 생성될 수 없지만, 압력 감소, 온도 상승, 물 공급 등에 의해 암석의 용융점이 낮아지면 부분 용융이 일어나 마그마가 생성될 수 있다.

2 A에서는 물의 공급에 의해, B와 C에서는 압력 감소에 의해 현무암질 마그마가 생성된다.

3 (1), (2) 화성암은 화학 조성(SiO_2 함량)에 따라 염기성암, 중성암, 산성암으로 분류하고, 구성 광물의 조직(산출 상태)에 따라 화산암, 심성암으로 분류한다.
(3) 현무암은 SiO_2 함량이 52 % 이하인 염기성암이면서 지표 부근에서 마그마가 빠르게 냉각되어 생성된 화산암이다.
(4) 화강암은 SiO_2 함량이 63 % 이상인 산성암이면서 지하 깊은 곳에서 마그마가 천천히 냉각되어 생성된 심성암이다.

4 (1), (2), (4) 우리나라의 화산암 지형은 대부분 신생대의 현무암으로 이루어져 있으며, 대표적인 지형으로는 백두산, 한탄강 일대, 제주도, 울릉도, 독도 등이 있다.
(3) 우리나라의 심성암 지형은 대부분 중생대의 화강암으로 이루어져 있으며, 대표적인 지형으로는 북한산, 불암산, 설악산 울산바위, 부산 황령산 등이 있다.

5 퇴적물 사이에 있던 물이 빠져나가 공극이 줄어들면서 퇴적물이 치밀하고 단단해지는 과정을 다짐 작용(압축 작용)이라 하고, 퇴적물 입자들이 교결 물질에 의해 서로 접착되고 굳어지는 과정을 교결 작용이라고 한다. 퇴적암은 다짐 작용과 교결 작용을 거쳐 생성되는데, 이와 같은 전체 과정을 속성 작용이라고 한다.

6 (1) 쇄설성 퇴적암은 암석이 풍화·침식 작용을 받아 생긴 쇄설성 퇴적물이나 화산 쇄설물이 쌓여 생성된 퇴적암으로, 사암은 모래, 응회암은 화산재, 셰일은 점토가 쌓여 형성된다.
(2) 유기적 퇴적암은 동식물이나 미생물의 유해가 쌓여 생성된 퇴적암으로, 석회암은 석회질 생물체, 석탄은 식물체가 쌓여 형성된다.
(3) 화학적 퇴적암은 물에 녹아 있던 물질이 화학적으로 침전되거나 물이 증발하면서 침전되어 생성된 퇴적암으로, 석회암은 탄산칼슘이 침전되어, 암염은 물이 증발하고 화학 성분($NaCl$)이 침전되어 형성된다.

7 (가)는 위로 갈수록 퇴적물의 크기가 작아지는 점이 층리, (나)는 물이나 바람에 의해 퇴적물이 기울어진 상태로 쌓인 사층리, (다)는 물결 모양의 연흔, (라)는 건조한 환경에서 표면이 갈라진 건열이다.

8 지질 구조는 지층이나 암석이 지각 변동을 받아 형태가 변한 것으로, 습곡, 단층, 부정합, 절리 등이 있다.

오답 풀이
④ 점이 층리는 퇴적 구조이다.

9 습곡에서 아래로 휘어져 오목하게 들어간 부분(A)은 향사이고, 위로 볼록하게 솟은 부분(B)은 배사이다.

10 지질 구조에는 습곡, 단층, 부정합, 절리 등이 있으며, 정단층은 장력에 의해, 역단층과 습곡은 횡압력에 의해 형성된다.

2일 내신 기출 베스트

20~21쪽

• 2. 화성암과 퇴적 구조

1 ① **2** ① **3** ㄴ **4** ③ **5** ④ **6** ⑤ **7** ④ **8** ②

1 A는 지구 내부의 온도 상승으로 물이 포함된 화강암의 용융점보다 높아져 대륙 지각이 용융되어 마그마가 생성되는 과정이다.

2 ㄱ. 열점에서는 지하 깊은 곳에서 뜨거운 맨틀 물질이 상승하면서 압력이 감소하여 현무암질 마그마가 생성된다.

오답 풀이

ㄴ. 해령 하부에서는 맨틀 물질이 상승하면서 압력 감소에 의해 맨틀 물질이 용융되어 현무암질 마그마가 생성된다.

ㄷ. 섭입대에서는 물의 공급에 의해 현무암질 마그마가 생성되고, 생성된 현무암질 마그마가 상승하면서 대륙 지각 하부를 가열하여 온도가 상승하면 대륙 지각의 일부가 용융되어 유문암질 마그마가 생성된다. 또한 유문암질 마그마와 현무암질 마그마가 혼합되어 안산암질 마그마가 생성된다.

3 (가)는 세립질이며, SiO_2 함량이 50 %이므로 현무암이고, (나)는 조립질이며, SiO_2 함량이 65 %이므로 화강암이다.

ㄴ. 무색 광물의 함량은 현무암보다 화강암에서 많다.

오답 풀이

ㄱ. 밀도는 어두운색 광물의 함량이 많을수록 크다. 따라서 현무암이 화강암보다 밀도가 크다.

ㄷ. 마그마의 냉각 속도는 화산암이 심성암보다 빠르다. 따라서 현무암보다 화강암이 마그마의 냉각 속도가 느리다.

4 주상 절리는 마그마가 지표 부근에서 급격하게 냉각되는 과정에서 수축에 의해 형성되고, 판상 절리는 지하 깊은 곳에 있는 암석이 융기할 때 암석을 누르는 압력이 감소하면서 팽창하여 형성된다.

선택지 바로 보기

① 주상 절리는 주로 화산암에서 나타난다. (○)
→ 주상 절리는 주로 화산암, 판상 절리는 주로 심성암에서 나타난다.
② 주상 절리는 주로 육각기둥 모양으로 나타난다. (○)
→ 주상 절리는 오각기둥이나 육각기둥 모양으로 나타난다.
③ 판상 절리는 마그마의 급격한 수축에 의해 형성된다. (×)
→ 판상 절리는 압력 감소에 의해, 주상 절리는 마그마의 급격한 수축에 의해 형성된다.
④ 판상 절리를 이루는 암석은 지하 깊은 곳에서 생성되었다. (○)
→ 판상 절리는 지하 깊은 곳에서 형성된 심성암이 지표로 노출되는 과정에서 생성된 것이다.
⑤ 주상 절리는 판상 절리보다 구성 광물 입자의 크기가 작다. (○)
→ 주상 절리는 화산암으로, 판상 절리는 심성암으로 이루어져 있으므로, 구성 광물 입자의 크기는 주상 절리가 판상 절리보다 작다.

5 쇄설성 퇴적암은 기존의 암석 조각이나 화산 분출물이 굳어져서 생성된 퇴적암이고 화학적 퇴적암은 물에 녹아 있

던 물질이 침전되어 생성된 퇴적암이며, 유기적 퇴적암은 생물체의 유해가 쌓여 생성된 퇴적암이다.

④ 응회암은 화산재가 퇴적되어 생성된 쇄설성 퇴적암이다.

선택지 바로 보기

① 역암 − 화학적 퇴적암 (×) → 쇄설성 퇴적암
② 셰일 − 유기적 퇴적암 (×) → 쇄설성 퇴적암
③ 암염 − 유기적 퇴적암 (×) → 화학적 퇴적암
④ 응회암 − 쇄설성 퇴적암 (○)
⑤ 석회암 − 쇄설성 퇴적암 (×) → 유기적 퇴적암, 화학적 퇴적암

6 ㄱ. 퇴적 구조는 특정 환경에서 형성되므로 퇴적 구조의 형태를 통해 지층의 역전 유무를 알 수 있다. 사층리는 위쪽으로 갈수록 층리의 폭이 넓어지므로 지층이 역전되면 아래쪽으로 갈수록 층리의 폭이 넓어지는 형태로 나타난다.

ㄴ, ㄷ. 사층리는 물이 흐르거나 바람이 부는 환경에서 형성되므로, 이를 통해 과거 물이 흘렀던 방향이나 바람이 불었던 방향을 알 수 있다.

7 ㄴ. 습곡은 양쪽에서 미는 힘인 횡압력이 작용하여 형성된다.

ㄷ. 판의 수렴형 경계에서는 횡압력이 작용하므로 습곡이나 역단층과 같은 지질 구조가 잘 발달한다.

오답 풀이

ㄱ. A는 습곡에서 아래로 오목한 부분으로 향사 구조이다.

자료 분석 ➕ 습곡의 구조

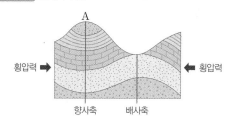

• 배사: 습곡에서 위로 볼록한 부분
• 향사(A): 습곡에서 아래로 오목한 부분
• 배사와 향사는 지표면에 나타난 모습이 아니라 지층 단면의 모습을 보고 판단해야 한다.

8 역단층은 지층에 횡압력이 작용하여 끊어지면서 단층면을 따라 상반이 위로 올라간 단층이고, 정단층은 지층에 장력이 작용하여 끊어지면서 단층면을 따라 상반이 아래로 내려간 단층이다. 따라서 역단층은 D이다.

오답 풀이

A는 단층면을 따라 수평으로 이동한 주향 이동 단층(수평 이동 단층)이고, B와 C는 상반이 아래로 내려간 정단층이다.

• 3. 지사 해석의 방법과 지질 시대

1 (1) × (2) ○ (3) ○ (4) × 　**2** 화강암 　**3** ㉠ 상대 연령, ㉡ 절대 연령 　**4** ④ 　**5** 1억 년 　**6** 특정 환경, 길고, 좁아야 　**7** (가) 고생대, (나) 중생대, (다) 중생대, (라) 신생대 　**8** ④, ⑤ 　**9** A: 선캄브리아 시대, B: 고생대, C: 중생대, D: 신생대 　**10** (1) 시생 (2) 판게아 (3) 오존층 (4) 중생대 (5) 겉씨, 속씨 (6) 5

1 (1) 지각 변동을 받아 지층이 역전된 경우에는 위의 지층이 아래 지층보다 먼저 생성된 것이다.
(4) 오래된 지층에서 새로운 지층으로 갈수록 더 복잡하고 진화된 화석이 발견된다.

2 관입암은 관입당한 암석보다 나중에 생성된 것이므로 화강암이 가장 나중에 생성되었다. 이 지역 지층은 석회암 → 셰일 → 역암 → 사암 → 화강암 순으로 형성되었다.

3 상대 연령은 지사학의 법칙을 이용하고, 절대 연령은 방사성 동위 원소의 반감기를 이용한다.

4 화석에 의한 대비는 가까운 거리에 있는 지층뿐만 아니라 멀리 떨어져 있는 지층의 대비에도 이용된다.

5 방사성 동위 원소 X가 처음 양의 $\frac{1}{4}$이 남아 있으므로 반감기를 2회 거쳤다. 방사성 동위 원소 X의 반감기가 5000만 년이므로 이 암석의 나이는 5000만 년×2회＝1억 년이다.

6 시상 화석은 특정한 환경에서 서식하는 생물의 화석으로, 생존 기간이 길고 분포 면적이 좁아야 한다.

8 지질 시대는 생물계의 급격한 변화나 대규모 지각 변동, 기후 변화 등을 기준으로 구분한다.

9 지질 시대 중 선캄브리아 시대가 가장 길고, 신생대가 가장 짧다.

10 (1) 최초의 생명체는 시생 누대에 바다에서 출현하였으며, 최초의 다세포 생물은 원생 누대에 출현하였다.
(3) 최초의 육상 식물은 고생대 실루리아기에 출현하였다.
(5) 고생대에는 양치식물, 중생대에는 겉씨식물, 신생대에는 속씨식물이 번성하였다.

• 3. 지사 해석의 방법과 지질 시대

1 ① 　**2** ② 　**3** ② 　**4** ④ 　**5** ㄱ 　**6** ⑤ 　**7** ㄷ 　**8** ㄱ, ㄷ

1 (가) 퇴적물이 중력의 영향으로 수평면과 나란하게 쌓인다는 것은 수평 퇴적의 법칙이다.
(나) 관입한 암석은 관입당한 암석보다 나중에 생성되었다는 것은 관입의 법칙이다.

2 아래층(A)과 위층(B) 사이에 긴 시간 간격이 있다는 것은 부정합의 법칙이다.

3 (가) 지역의 A층에서는 중생대의 표준 화석인 암모나이트 화석이 산출된다. (나) 지역에서 중생대 표준 화석인 공룡 화석이 발견되는 ㉡층이 (가)의 A층과 같은 지질 시대에 생성된 것이다.

자료 분석 ➕ **화석에 의한 지층 대비**

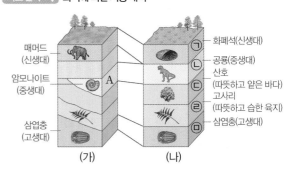

• 화석에 의한 대비는 특정 시기의 지층에서 발견되는 화석을 이용하여 지층의 선후 관계를 파악하는 방법으로, 표준 화석을 이용한다.
• 삼엽충 화석이 산출되는 (가) 지역의 맨 아래 지층과 (나) 지역의 지층 ㉤은 고생대 지층이고, 암모나이트 화석이 산출되는 (가) 지역의 A층과 공룡 화석이 산출되는 (나) 지역의 ㉡층은 중생대 지층이며, 매머드 화석이 산출되는 (가) 지역의 맨 위층과 화폐석 화석이 산출되는 (나) 지역의 ㉠층은 신생대 지층이다.

4 ④ 암석의 절대 연령은 방사성 동위 원소의 반감기를 이용하여 구한다.

선택지 바로 보기

① 주로 퇴적암의 연령 측정에 이용된다. (×)
→ 퇴적암은 생성 시기가 다른 여러 퇴적물로 이루어져 있으므로 절대 연령을 구하기 어렵다.

② 모원소와 자원소의 양은 항상 일정하다. (×)

→ 방사성 동위 원소의 모원소는 붕괴하여 일정한 시간 동안 일정한 비율로 감소한다.

③ 지층이나 암석의 <u>생성 순서만을 알 수 있다.</u> (×)

→ 절대 연령은 지층이나 암석의 실제 생성 시기를 알 수 있다.

④ 방사성 동위 원소의 반감기를 이용하여 구한다. (○)

⑤ 방사성 동위 원소의 반감기는 지하의 <u>온도가 높을수록 짧다.</u> (×)

→ 방사성 동위 원소의 반감기는 외부의 온도나 압력·조건에 관계없이 항상 일정하다.

5 ㄱ. A는 생존 기간이 길고 분포 면적이 좁으므로 시상 화석이다.

오답 풀이

ㄴ. 에디아카라 동물군은 선캄브리아 시대의 표준 화석이다. A는 시상 화석, B는 표준 화석이므로 에디아카라 동물군 화석은 B에 해당한다.

ㄷ. B는 표준 화석으로 생물이 살던 지질 시대를 지시한다.

자료 분석 ➕ 표준 화석과 시상 화석

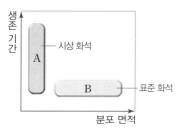

• 시상 화석: 특정 환경에서만 서식하는 생물의 화석으로, 분포 면적은 좁고 생존 기간이 길수록 유용하다.

• 표준 화석: 특정 시기에만 번성했던 생물의 화석으로, 분포 면적은 넓고 생존 기간이 짧을수록 유용하다.

6 ① 수온이 높을수록 산호의 성장 속도가 빠르므로 산호의 성장률을 연구하면 과거의 수온을 알 수 있다.

② 나무의 나이테는 기온이 높고 비가 많이 내리는 지역일수록 폭이 넓고 밀도가 작으므로, 나이테의 폭과 밀도를 조사하면 기온과 강수량의 변화를 추정할 수 있다.

③ 빙하 속에 포함된 꽃가루 화석을 분석하면 식물의 종류나 당시 기후 환경을 유추할 수 있다.

④ 온난한 시기에 형성된 빙하일수록 빙하 코어 속 공기 방울에 포함된 산소 동위 원소비($^{18}O/^{16}O$)가 크고, 한랭한 시기에 형성된 빙하일수록 빙하 코어 속 공기 방울에 포함된 산소 동위 원소비가 작다. 따라서 빙하 코어 속 공기 방울에 포함된 산소 동위 원소비를 연구하면 빙하가 형성될 당시의 기후를 유추할 수 있다.

오답 풀이

⑤ 암석에 포함된 방사성 동위 원소의 모원소와 자원소의 비율을 연구하면 암석의 절대 연령을 구할 수 있다.

7 (가)는 신생대의 화폐석, (나)는 고생대의 필석, (다)는 중생대의 암모나이트이다.

ㄷ. (다)의 암모나이트는 중생대에 번성한 해양 생물이다. 중생대에는 전 기간에 걸쳐 빙하기가 없는 온난한 기후가 지속되었다.

오답 풀이

ㄱ. (가)는 신생대, (나)는 고생대, (다)는 중생대에 번성했던 생물이므로 생물이 번성했던 순서는 (나)−(다)−(가)이다.

ㄴ. (나)는 고생대에 번성했으며, 매머드는 (가)와 같은 지질 시대인 신생대에 번성하였다.

8 A 시기는 고생대, B 시기는 중생대, C 시기는 신생대이다.

ㄱ. 고생대(A 시기) 페름기 말에 대륙이 하나로 모여 판게아가 형성되었다.

ㄷ. 히말라야산맥은 북상하던 인도 대륙이 신생대(C 시기)에 유라시아 대륙과 충돌하면서 형성되었다.

오답 풀이

ㄴ. 고생대(A 시기) 실루리아기에 대기 중에 오존층이 형성되어 자외선이 차단되면서 육상 식물이 출현하게 되었다.

4일 기초 확인 문제   33쪽, 35쪽

• 4. 날씨 변화와 태풍

1 (1) 고기압, 저기압 (2) 하강 (3) 정체성, 이동성 (4) 시계 반대 (5) 저기압   **2** ㉠ 전선, ㉡ 서, ㉢ 동   **3** (나) − (다) − (가)   **4** ⑤
5 A, C   **6** (1) 가시 (2) 적운형 (3) 적란운   **7** (1) 17 (2) 적도
8 수증기의 응결열(잠열, 숨은열)   **9** (1) 편서풍 (2) 안전(가항), 위험 (3) 작다 (4) 작다   **10** (1) ○ (2) × (3) × (4) ○ (5) ×

1 (3) 시베리아 고기압은 고기압의 중심부가 거의 이동하지 않고 한곳에 머무르는 정체성 고기압이고, 양쯔강 고기압은 편서풍의 영향으로 서쪽에서 동쪽으로 이동하는 이동성 고기압이다.

(4) 북반구에서는 고기압 중심부에서 시계 방향으로 바람이 불어 나가고, 저기압 중심부를 향해 시계 반대 방향으로 바람이 불어 들어간다.

2 온대 저기압은 중위도 온대 지방에서 발달한 저기압으로,

1학기 중간·기말

정답과 해설 **69**

한랭 전선과 온난 전선을 동반하고, 편서풍의 영향으로 서쪽에서 동쪽으로 이동한다.

3 온대 저기압은 정체 전선 형성 → 파동 형성 → 온대 저기압 발달 → 폐색 전선 형성 시작 → 폐색 전선 발달 과정을 거쳐 소멸한다.

4 한랭 전선은 온난 전선보다 전선면의 기울기가 급하다.

5 A 지역은 한랭 전선 후면으로 적운형 구름이 발달하여 소나기가 내리고, C 지역은 온난 전선 전면으로 층운형 구름이 발달하여 약한 비가 내린다.

6 (1), (2) 가시 영상은 햇빛이 있는 낮에만 이용할 수 있으며, 햇빛의 반사 강도가 클수록 밝게 보이므로 구름의 두께가 두꺼울수록 밝게 보인다.
(3) 적외 영상에서는 온도가 낮을수록 밝게 보이므로 구름 최상부의 높이가 높을수록 밝게 보인다.

7 (2) 지구 자전 효과가 없어 공기의 회전이 일어나지 않는 적도에서는 태풍이 발생하지 않는다.

8 태풍은 수증기가 응결할 때 발생하는 숨은열(잠열)을 에너지원으로 하여 발생한다.

9 태풍은 편서풍대에서는 북동쪽으로 이동하며, 이동 경로의 오른쪽은 위험 반원, 왼쪽은 안전(가항) 반원이라고 한다. 태풍에 의한 피해나 풍속은 위험 반원이 안전 반원보다 크다.

10 (1) 태풍은 열대 저기압이므로 중심으로 갈수록 기압이 낮아진다.
(2), (3), (4) 태풍의 중심부인 태풍의 눈에서는 약한 하강 기류가 발생하여 날씨가 비교적 맑고 바람이 약하다.
(5) 북반구에서 안전 반원에 위치한 지역에서는 풍향이 시계 반대 방향으로 변하고, 위험 반원에 위치한 지역에서는 풍향이 시계 방향으로 변한다.

4일 내신 기출 베스트　　36~37쪽

●4. 날씨 변화와 태풍

1 ③　**2** ④　**3** ②　**4** ㄱ, ㄴ　**5** ④　**6** ㄱ, ㄴ　**7** ④
8 ㄱ, ㄷ

1 (가)는 고기압, (나)는 저기압이다. 고기압은 주변보다 기압이 높은 곳으로, 북반구에서는 바람이 시계 방향으로 회전하면서 불어 나가며, 중심부에는 하강 기류가 발달하고 날씨가 맑다. 저기압은 주변보다 기압이 낮은 곳으로, 북반구에서는 바람이 시계 반대 방향으로 회전하면서 불어 들어오며, 중심부에는 상승 기류가 발달하고 날씨가 흐리거나 비가 온다.

2 ㄴ. 한랭 전선면을 따라 따뜻한 공기가 상승하면서 적운형 구름이 형성되므로 구름은 A 지역 상공에 형성된다.
ㄷ. A 지역에는 찬 공기가, B 지역에는 따뜻한 공기가 분포하므로 기온은 A 지역이 B 지역보다 낮다.

오답 풀이
ㄱ. 찬 공기가 따뜻한 공기를 파고들면서 형성된 한랭 전선이다.

자료 분석 ✚ 한랭 전선

한랭 전선면
찬 공기　A　B　따뜻한 공기
한랭 전선

- 한랭 전선은 밀도가 큰 찬 공기가 밀도가 작은 따뜻한 공기 아래를 파고들면서 밀어 올려 형성된 전선이다.
- 한랭 전선 앞쪽에는 따뜻한 공기가, 뒤쪽에는 찬 공기가 분포해 있어 한랭 전선 통과 후에는 기온이 하강한다.
- 한랭 전선 뒤쪽에는 좁은 지역에 적운형 구름이 형성되어 소나기가 내린다.

3 왼쪽 전선은 찬 공기가 따뜻한 공기를 파고들어 형성된 한랭 전선이고, 오른쪽 전선은 따뜻한 공기가 찬 공기 위로 타고 올라 형성된 온난 전선이다. 따라서 A와 D 지역에는 찬 공기가 분포하고, B와 C 지역에는 따뜻한 공기가 분포한다.

4 ㄱ. 5일부터 7일까지 온대 저기압은 편서풍의 영향을 받아 대체로 서쪽에서 동쪽으로 이동하였다.
ㄴ. 6일 09시에 서울은 한랭 전선 앞쪽에 위치하였으므로 6일 오후에는 한랭 전선이 통과한 후가 될 것이다. 따라서 6일 오후에 서울에서는 소나기가 내렸을 것이다.

오답 풀이
ㄷ. 6일 09시에 우리나라의 남부 지방은 온난 전선과 한랭 전선 사이에 위치하였으므로 남서풍이 불었을 것이다.

5 ㄴ. C 지역에는 구름이 없으므로 고기압이 형성되어 있다.

ㄷ. 적외 영상에서 구름 최상부의 고도가 높을수록 온도가 낮으므로 위성 영상에서 밝게 나타난다. 따라서 구름 최상부의 고도는 A 지역이 가장 높다.

오답 풀이

ㄱ. 자정에는 햇빛이 없으므로 이 위성 영상은 가시 영상이 아니고, 적외선을 이용해 촬영한 적외 영상이다.

자료 분석 ➕ 위성 영상 해석

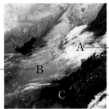

약간 밝게 보인다. — → 구름 최상부의 고도가 낮은 편이다.

A → 가장 밝게 보인다. → 구름 최상부 고도가 가장 높다.

B

C → 가장 어둡게 보인다. → 구름이 없다.

• 가시 영상은 구름이 반사하는 햇빛을 이용하므로 구름이 두꺼울수록 반사되는 양이 많아 더 밝게 보인다.
• 적외 영상은 구름이 방출하는 적외선 영역의 에너지를 이용하므로 구름의 온도가 낮을수록 더 밝게 보인다. 따라서 구름 최상부의 고도가 높을수록 밝게 보인다.

6 ㄱ. A 지역은 태풍 이동 경로의 왼쪽에 위치하므로 안전 반원에 속해 있고, B 지역은 태풍 이동 경로의 오른쪽에 위치하므로 위험 반원에 속해 있다. 따라서 풍속은 A 지역이 B 지역보다 약하다.

ㄴ. 우리나라는 편서풍대에 위치하므로 태풍은 편서풍의 영향을 받아 북동쪽으로 이동한다.

오답 풀이

ㄷ. A 지역은 안전 반원에 속해 있으므로 태풍이 진행하는 동안 풍향이 시계 반대 방향으로 변한다.

자료 분석 ➕ 위험 반원과 안전 반원

↱ 태풍

안전 반원 — A

태풍 진행 방향: 북동쪽

B — 위험 반원

• A: 태풍 진행 방향의 왼쪽에 위치하여 태풍의 이동 방향과 태풍 내에서 부는 바람의 방향이 반대이므로 풍속이 상대적으로 약해 피해가 작다.
• B: 태풍 진행 방향의 오른쪽에 위치하여 태풍의 이동 방향과 태풍 내에서 부는 바람의 방향이 일치하므로 풍속이 강해 피해가 크다.

7 ㄴ. 태풍은 주로 위도 약 5°~25° 사이의 열대 해상에서 발생한다.

ㄷ. 우리나라에 영향을 주는 태풍은 주로 적도 기단의 영향을 받는 7~8월에 발생하여 이동해 온다.

오답 풀이

ㄱ. 태풍은 수온이 27 ℃ 이상인 열대 해상에서 거의 일 년 내내 발생한다.

8 ㄱ. 기압은 태풍 중심 지역인 B 지역에서 가장 낮다.

ㄷ. B 지역은 하강 기류가 발달하는 태풍의 눈으로, 날씨가 맑고 바람이 약하다.

오답 풀이

ㄴ. 북상하는 태풍의 동쪽은 서쪽보다 풍속이 빠르므로 A 지역보다 C 지역의 풍속이 크다.

5일 **기초 확인 문제** 41쪽, 43쪽

• 5. 우리나라 주요 악기상과 해수의 성질

1 ⊙ 성숙, ⓒ 적운, ⓒ 소멸, (나) – (가) – (다) **2** (1) 폭설 (2) 강풍 (3) 편서풍 (4) 적란운 **3** (1) 위도 (2) 태양 복사 에너지양 (3) 한류 **4** A: 혼합층, B: 수온 약층, C: 심해층 **5** 바람 **6** ㄱ, ㄹ **7** (1) × (2) × (3) ○ (4) ○ **8** 수온 염분도 **9** (1) 낮을, 높을 (2) 작다 (3) 작다 **10** ⊙ 광합성, ⓒ 높아 **11** (1) 황해 (2) 높다

1 뇌우는 적운 단계 → 성숙 단계 → 소멸 단계를 거치며, 적운 단계에서는 상승 기류만 나타나고, 성숙 단계에서는 상승 기류와 하강 기류가 함께 나타나며, 소멸 단계에서는 하강 기류만 나타난다.

2 (1) 시베리아 기단이 황해 쪽으로 확장하여 기단이 변질되면 우리나라의 서해안 지방에는 폭설이 발생할 수 있다.

(4) 집중 호우, 뇌우, 우박은 모두 강한 상승 기류에 의해 발달한 적란운에서 잘 발생한다.

3 (1), (2) 해수의 표층 수온은 태양 복사 에너지양의 영향을 받아 저위도에서 고위도로 갈수록 낮아지므로, 등수온선은 대체로 위도와 나란하게 나타난다.

(3) 대양의 가장자리에서는 해류의 영향을 받아 같은 위도의 동쪽 해안은 한류의 영향으로 표층 수온이 낮고, 서쪽 해안은 난류의 영향으로 표층 수온이 높다.

4 해수는 깊이에 따른 수온 분포에 따라 혼합층, 수온 약층, 심해층으로 구분한다.

5 혼합층은 바람이 강하게 불수록 두껍게 발달한다.

6 해수가 얼 때는 염류는 빠져나가고 순수한 물만 얼기 때문에 염분이 높아진다.

7 표층 염분 분포는 대체로 '증발량−강수량' 값에 비례하며, 강수량이 증발량보다 많은 곳은 표층 염분이 낮다.

8 수온 염분도는 가로축을 염분, 세로축을 수온으로 하여 등밀도선을 나타낸 것으로, 이를 통해 수괴의 특성을 알아낼 수 있다.

9 수온이 낮을수록, 염분이 높을수록 밀도가 크므로 적도 해역보다 극 해역에서 해수의 밀도가 크고, 표층 해수보다 심층 해수가 밀도가 크다.

10 해수의 용존 기체는 수온이 낮을수록 증가하며, 용존 산소량은 해양 생물의 광합성의 영향을 받는다.

11 황해는 수심이 얕고 대륙의 영향을 받아 우리나라 주변 바다에서 표층 수온의 연교차가 가장 크고, 육지로부터 유입되는 담수의 영향으로 동해보다 평균 표층 염분이 낮다.

5일 내신 기출 베스트 44~45쪽

• 5. 우리나라 주요 악기상과 해수의 성질

1 ① 2 ㄱ, ㄴ, ㄷ 3 ③ 4 ④ 5 ④ 6 ㄷ 7 ㄷ
8 ①

1 ㄱ. 우박은 강한 상승 기류가 나타나는 적란운 내에서 빙정이 상승과 하강을 반복하여 생성되므로, (다)와 같이 상승 기류와 하강 기류가 함께 나타날 때 발생할 수 있다.

오답 풀이
ㄴ. (가)는 적운 단계, (나)는 소멸 단계, (다)는 성숙 단계로, (가)−(다)−(나) 순으로 발달한다.
ㄷ. 집중 호우는 상승 기류와 하강 기류가 함께 나타나는 성숙 단계에서 나타난다.

자료 분석 ➕ 뇌우의 발달 과정

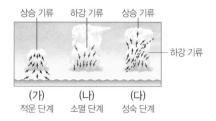

상승 기류 하강 기류 상승 기류
하강 기류
(가) (나) (다)
적운 단계 소멸 단계 성숙 단계

• (가) 적운 단계: 강한 상승 기류가 발생하면서 적운이 발달한다.
• (다) 성숙 단계: 상승 기류와 하강 기류가 함께 나타나며, 천둥·번개와 함께 강한 소나기가 내린다.
• (나) 소멸 단계: 상승 기류는 사라지고 하강 기류만 남게 된다.

2 ㄱ. 황사는 중국 내륙이나 몽골 사막 지역에서 발생하여 편서풍을 타고 우리나라 쪽으로 이동해 온다.
ㄴ. 우리나라에서 황사는 양쯔강 기단의 세력이 강해지는 봄철에 주로 발생한다.
ㄷ. 황사 발원지인 중국과 몽골 지역에 저기압이 형성되어 상승 기류가 발달할 때 모래 먼지가 상공으로 떠올라 황사가 발생한다.

3 ①, ② 국지성 호우는 상승 기류가 발달하여 적란운이 형성될 때 강한 뇌우와 함께 나타나는 경우가 많다.
④ 국지성 호우는 홍수, 산사태 등을 일으킬 수 있어서 많은 인명과 재산 피해를 가져온다.
⑤ 국지성 호우는 짧은 시간 동안 좁은 지역에서 많은 비가 내리는 현상으로 집중 호우라고도 하며, 한 시간에 30 mm 이상, 하루에 80 mm 이상 또는 연 강수량의 10 % 이상 비가 내릴 때를 말한다.

오답 풀이
③ 국지성 호우는 주로 여름철에 발생하며, 장마 전선의 영향을 받거나 태풍의 영향을 받을 때 잘 나타난다.

4 ㄴ. 해수의 표층 수온에 가장 큰 영향을 주는 요인은 태양 복사 에너지양이다.
ㄷ. 같은 위도라도 한류가 흐르는 곳은 표층 수온이 낮고, 난류가 흐르는 곳은 표층 수온이 높다.

오답 풀이
ㄱ. 고위도로 갈수록 해수면에서 흡수하는 태양 복사 에너지양이 감소하므로 표층 수온이 대체로 낮아진다.

5 빙하가 녹아 흘러드는 해역, 육지로부터 담수가 유입되는 연안, 강수량이 증발량보다 많은 해역은 표층 염분이 낮고,

결빙이 일어나는 해역, 대양의 중앙부, 증발량이 강수량보다 많은 해역은 표층 염분이 높다.

④ 적도 해역은 저압대가 형성되어 강수량이 증발량보다 많으므로 표층 염분이 낮다.

6 ㄷ. A와 B는 염분이 약 34.1 psu로 같지만 밀도는 수온이 낮은 B가 더 크다. 즉, 염분이 같을 때 수온이 낮을수록 밀도가 크다.

ㄱ. B의 염분은 약 34.1 psu, C의 염분은 약 34.8 psu로 C가 B보다 높다.
ㄴ. A의 밀도는 1.022 g/cm^3, B의 밀도는 1.027 g/cm^3, C의 밀도는 1.027 g/cm^{3}로 A의 밀도가 가장 작다.

자료 분석 + **수온 염분도**

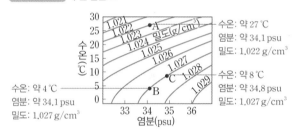

수온: 약 27 °C
염분: 약 34.1 psu
밀도: 1.022 g/cm^3

수온: 약 4 °C
염분: 약 34.1 psu
밀도: 1.027 g/cm^3

수온: 약 8 °C
염분: 약 34.8 psu
밀도: 1.027 g/cm^3

• 수온: B<C<A
• 염분: A≒B<C
• 밀도: A<B=C
• 해수의 밀도는 수온이 낮을수록, 염분이 높을수록 대체로 크고, 수온 염분도에서 밀도는 오른쪽 아래로 갈수록 크다.

7 ㄷ. 깊이 1000 m 이상에서는 극 해역에서 침강한 심층 해류로부터 산소가 공급되기 때문에 A의 농도가 높아진다.

ㄱ. A는 해수 표층에서 농도가 높고 깊이 들어갈수록 낮아지다가 심해에서 농도가 약간 높아지는 것으로 보아 용존 산소의 농도이다.
ㄴ. 표층에서 A의 농도는 약 6 mL/L이고, B의 농도는 약 44 mL/L이므로 A보다 B가 크다.

8 ㄱ. 황해는 중국과 우리나라로부터 흘러드는 담수의 유입으로 표층 염분이 동해나 남해보다 낮다.

ㄴ. 우리나라는 여름철에 강수량이 집중되므로 겨울철보다 표층 염분이 낮다.
ㄷ. 해수 1 kg 속에 들어 있는 염소 이온(Cl$^-$)의 양은 염분이 높을수록 많다.

---

6 일

누구나 100점 테스트 ① 회 46~47쪽

• **범위** | I-[1] 대륙 이동설과 판 구조론 ~ II-[2] 지사학의 법칙과 지층의 연령
1 ③ **2** ② **3** B **4** ① **5** ② **6** ③ **7** 건열, 연흔, 점이 층리 **8** ⑤ **9** ⑤ **10** ③

1 빙하의 이동 흔적과 분포, 멀리 떨어진 대륙에서 나타나는 지질 구조의 연속성과 같은 종의 고생물 화석의 발견, 서로 마주보고 있는 남아메리카 대륙과 아프리카 대륙의 해안선 모양의 유사성 등은 대륙 이동의 증거이다.

③ 해령을 축으로 고지자기 역전 줄무늬가 대칭으로 나타나는 것은 해양저 확장설의 증거이다.

2 ㄷ. 맨틀 대류가 상승하는 곳에서는 마그마가 분출하여 새로운 지각이 생성되면서 대륙이 갈라지고 새로운 해양이 형성되거나 해령에서 새로운 해양 지각이 생성되어 양쪽으로 멀어진다.

ㄱ. 맨틀 대류설은 홈스가 주장하였다.
ㄴ. 발표 당시의 탐사 기술로는 맨틀 대류를 확인할 수 없어서 대륙 이동의 원동력으로 인정받지 못했다.

3 해령에서 새로운 해양 지각이 생성되어 양쪽으로 확장되므로, 해령에서 해양 지각의 연령은 0이고, 해령에서 멀어질수록 해양 지각의 나이는 많아진다. 따라서 해양 지각의 연령이 0인 B에 해령이 위치한다.

자료 분석 + **해양 지각의 연령 분포**

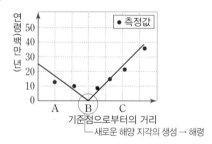

새로운 해양 지각의 생성 → 해령

• 해령에서 해양 지각의 연령은 0이다.
• 해령에서 멀어질수록 해양 지각의 연령이 많아진다.

---

4 ② 플룸 구조론으로는 판의 내부에서 일어나는 화산 활동을 설명할 수 있다.
③ 아시아 대륙 아래에는 섭입대가 발달하므로 차가운 플룸이 형성되고 있다.

④ 하와이섬은 열점에서 분출한 마그마에 의해 형성된 화산섬으로, 뜨거운 플룸이 상승하는 곳에서 형성되었다.
⑤ 뜨거운 플룸은 주변보다 상대적으로 온도가 높으므로 지진파의 속도가 느려진다.

① 플룸 구조론에서 맨틀 대류는 상부 맨틀뿐만 아니라 맨틀 전체에서 일어난다.

5 A 과정은 압력 감소에 의해 현무암질 마그마가 생성되는 과정으로, 해령 하부와 열점에서 이와 같은 과정에 의해 마그마가 생성된다.

호상 열도에서는 섭입대에서 물의 공급에 의해 현무암질 마그마 생성, 대륙 지각 하부에서 온도 상승에 의해 유문암질 마그마 생성, 유문암질 마그마와 현무암질 마그마의 혼합으로 안산암질 마그마가 생성된다.

6 독도, 울릉도, 제주도 주상 절리, 철원 한탄강 일대는 신생대 화산 활동으로 이루어진 화산암 지형이다.

③ 설악산 울산바위는 중생대에 지각을 뚫고 관입한 화강암으로 이루어진 심성암 지형이다.

7 이 지역의 맨 아래층에는 위로 갈수록 퇴적물 입자의 크기가 작아지는 점이 층리가, 가운데층에는 물결 모양의 연흔이, 맨 위층에는 건조한 환경에서 표면이 갈라져서 형성된 건열이 나타나 있다.

8 (가)는 장력을 받아 지층이 끊어지면서 단층면을 따라 상반이 상대적으로 아래로 내려간 정단층이고, (나)는 횡압력을 받아 지층이 끊어지면서 단층면을 따라 상반이 상대적으로 위로 올라간 역단층이다.

① (가)는 역단층이다. (×)
→ (가)는 정단층이다.
② A는 상반, B는 하반이다. (×)
→ A는 하반, B는 상반이다.
③ (나)는 주향 이동 단층이다. (×)
→ (나)는 역단층이다.
④ (가)는 수렴형 경계에서 잘 발달한다. (×)
→ 정단층은 주로 발산형 경계에서, 역단층은 주로 수렴형 경계에서 잘 발달한다.
⑤ (나)에는 양쪽에서 미는 힘이 작용하였다. (○)
→ (가)는 양쪽에서 잡아당기는 장력이 작용하였고, (나)는 양쪽에서 미는 횡압력이 작용하였다.

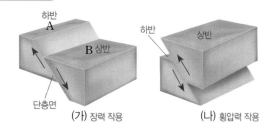

(가) 장력 작용 　　 (나) 횡압력 작용

- (가): 장력이 작용하여 상반이 하반보다 아래로 내려갔다. → 정단층
- (나): 횡압력이 작용하여 상반이 하반보다 위로 올라갔다. → 역단층

9 ① 관입암이 발견되므로 관입의 법칙을 적용할 수 있다.
② 부정합면이 발견되므로 부정합의 법칙을 적용할 수 있다.
③ 퇴적물이 수평면과 나란하게 쌓여 있으므로 수평 퇴적의 법칙을 적용할 수 있다.
④ 지층의 역전이 없었으므로 아래 지층이 위에 있는 지층보다 먼저 생성되었다는 지층 누중의 법칙을 적용할 수 있다.

⑤ 이 지역에는 지질 시대의 동물 화석이 산출되지 않았으므로 동물군 천이의 법칙을 적용할 수 없다.

10 석탄층을 건층으로 하여 세 지역 지층의 생성 순서를 대비해 보면, E-D-C-H(석탄층)-B-A-G-F 순으로 퇴적되었다. 따라서 (다) 지역의 E층이 가장 먼저 생성되었고, (나) 지역의 F층이 가장 나중에 생성되었다.

6일 누구나 100점 테스트 2회 　　 48~49쪽

• 범위 | Ⅱ-[3] 지질 시대의 환경과 생물 ~ Ⅲ-[4] 해수의 성질

1 (다) – (가) – (라) – (나) 　**2** ④ 　**3** ① 　**4** ③ 　**5** ④ 　**6** ④ 　**7** C, D 　**8** ④ 　**9** ② 　**10** ④

1 (가)는 고생대, (나)는 신생대, (다)는 선캄브리아 시대, (라)는 중생대의 표준 화석이다.

2 ④ 판게아가 분리되고 대서양이 형성되기 시작한 시기는 중생대 트라이아스기 초이다.

① 오존층이 형성되었다. (×)
→ 오존층이 형성된 시기는 고생대 실루리아기이다.
② 최초의 생물이 출현하였다. (×)
→ 최초의 생물이 출현한 시기는 시생 누대이다.

③ 빙하기와 간빙기가 반복되었다. (×)

→ 빙하기와 간빙기가 반복된 시기는 신생대 제4기이다.

④ 판게아가 분리되고 대서양이 형성되기 시작하였다. (○)

⑤ 여러 대륙이 모여 하나의 초대륙인 판게아가 형성되었다. (×)

→ 초대륙 판게아가 형성된 시기는 고생대 말 페름기이다.

---

3 ㄱ. 고기압은 주위보다 기압이 높은 곳으로, 날씨가 비교적 맑다.

ㄴ. 고기압 부근 지상에는 하강 기류가 발달한다.

ㄷ. 북반구에서는 고기압 중심에서 바람이 시계 방향으로 불어 나간다.

4 ① 온대 저기압은 편서풍의 영향을 받아 서쪽에서 동쪽으로 이동하므로 (나) 방향으로 이동할 것이다.

② A 지역의 기압은 약 1010 hPa, B 지역의 기압은 약 1005 hPa이므로 A 지역은 B 지역보다 기압이 높다.

④ C 지역은 온난 전선과 한랭 전선 사이에 위치하므로 날씨가 맑고 따뜻하다.

⑤ D 지역은 한랭 전선 뒤쪽에 위치하므로 적운형 구름이 발달하여 소나기가 내린다.

오답 풀이

③ B 지역은 온난 전선 앞쪽에 위치하므로 층운형 구름이 발달하여 이슬비(약한 비)가 내린다.

자료 분석 ➕ 온대 저기압에서의 날씨 변화

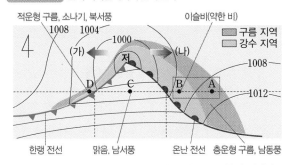

- 온대 저기압의 남동쪽으로 온난 전선, 남서쪽으로 한랭 전선이 분포한다.
- 온대 저기압은 편서풍의 영향을 받아 대체로 서쪽에서 동쪽으로 이동한다.

5 (가) 시간에는 남서풍이 불고 맑은 날씨, (나) 시간에는 북서풍이 불고 소나기, (다) 시간에는 남동풍이 불고 비가 내린다. 우리나라에서 온대 저기압이 통과하는 동안 온난 전선과 한랭 전선이 차례대로 통과하므로 풍향은 남동풍 → 남서풍 → 북서풍으로 변화한다.

---

6 ④ 일기도상에서 태풍의 등압선은 원형으로 나타나며, 등압선 간격이 매우 조밀하다.

선택지 바로 보기

① 전선을 동반한다. (×)

→ 태풍은 전선을 동반하지 않는다.

② 수온이 높은 적도 해상에서 발생한다. (×)

→ 적도 해상에서는 전향력이 작용하지 않으므로 태풍이 발생하지 않는다.

③ 위도 60° 부근에서 진행 방향이 바뀐다. (×)

→ 위도 5°~25° 부근에서 생성된 태풍은 무역풍의 영향을 받아 북서쪽으로 진행하고, 위도 약 30° 부근에서 진행 방향이 바뀌어 편서풍의 영향을 받아 북동쪽으로 진행한다.

④ 일기도상에서 등압선 모양은 거의 원형으로 나타난다. (○)

⑤ 태풍 이동 방향의 오른쪽 지역은 태풍 내 풍향과 대기 대순환의 바람 방향이 반대이다. (×)

→ 태풍 이동 방향의 오른쪽 지역은 태풍 내 풍향과 대기 대순환의 바람 방향이 일치하여 풍속이 강하다.

7 태풍 진행 방향의 오른쪽 지역은 위험 반원에 속하여 바람이 가장 강하고, 태풍의 눈에서는 약한 하강 기류가 발생하여 바람이 약하고 날씨가 비교적 맑다.

자료 분석 ➕ 태풍의 이동과 바람

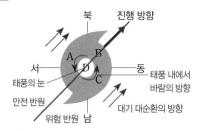

- A는 태풍 진행 방향의 왼쪽인 안전 반원에 위치하며, 대기 대순환에 의한 바람의 방향과 태풍 내에서의 바람의 방향이 반대가 되어 풍속이 상쇄되므로 풍속이 상대적으로 약하다.
- C는 태풍 진행 방향의 오른쪽인 위험 반원에 위치하며, 대기 대순환에 의한 바람의 방향과 태풍 내에서의 바람의 방향이 같아 풍속이 강해진다.
- D는 태풍의 눈에 위치하며, 약한 하강 기류가 발달하고 바람이 거의 불지 않는다.

8 ④ 태풍의 영향을 받을 때 강한 상승 기류와 적란운의 발달로 뇌우와 집중 호우가 발생하고, 강풍이 동반된다.

선택지 바로 보기

① 황사는 주로 겨울철에 발생한다. (×)

→ 황사는 주로 양쯔강 기단의 영향을 받는 봄철에 발생한다.

② 우박은 하강 기류가 강할 때 발생한다. (×)

→ 우박은 적란운 내에서 상승 기류와 하강 기류가 반복되면서 얼음 알갱이가 성장하여 발생한다.

③ 뇌우의 적운 단계에서는 천둥과 번개를 동반한 소나기가 내린다. (×)

→ 천둥과 번개를 동반한 소나기는 뇌우의 성숙 단계에서 나타난다.

④ 뇌우, 집중 호우, 강풍은 태풍의 영향을 받을 때 함께 나타날 수 있다. (○)

⑤ 이동성 고기압의 영향을 받는 계절에는 기단의 변질로 폭설이 자주 발생한다. (×)

→ 폭설은 겨울철에 시베리아 기단이 황해로 확장될 때 기단의 변질로 자주 발생한다. 시베리아 기단은 정체성 고기압이다.

9 ㄷ. 표층 염분은 대체로 (증발량−강수량)의 값에 비례하지만, 고위도 해역은 결빙과 해빙의 영향을 받으므로 표층 염분이 (증발량−강수량)의 값에 비례하지 않는다.

오답 풀이

ㄱ. 적도 해역은 대기 대순환에 의해 저압대가 형성되므로 강수량이 증발량보다 많아 표층 염분이 낮다.

ㄴ. 표층 염분은 (증발량−강수량)의 값이 큰 중위도 해역에서 가장 높다.

10 ㄴ. 해수의 밀도는 염분이 높을수록 증가한다.

ㄷ. 해수의 밀도는 수압이 클수록 크므로 수심이 깊어질수록 대체로 증가한다.

오답 풀이

ㄱ. 해수의 밀도는 수온이 낮을수록 증가한다.

6일 서술형·사고력 테스트 50~51쪽

• **범위** | I. 지권의 변동 ~ III. 대기와 해양의 변화

1 (1) 탐사 지점 3, 7500 m (2) 해설 참조 **2** 해설 참조 **3** (1) 판상 절리 (2) 해설 참조 **4** 해설 참조 **5** 해설 참조 **6** 해설 참조 **7** (1) 태풍의 눈 (2) 해설 참조 **8** 해설 참조

1 (2) ✏️**모범 답안** **수렴형 경계, 수심이 7500 m인 지점은 해구에 해당하므로 이 지역에는 수렴형 경계가 발달해 있다.**

음파의 왕복 시간이 길수록 수심이 깊다. '수심=$\frac{1}{2}$ × 음파의 속력 × 음파의 왕복 시간'이므로 탐사 지점 3의 수심은 $\frac{1}{2}$ × 1500 m/s × 10 s=7500 m이다. 해구는 수심이 6000 m 이상인 깊은 골짜기이다.

채점 기준	배점(%)
(1)	수심이 가장 깊은 탐사 지점을 옳게 고른 경우	20
	수심이 가장 깊은 탐사 지점의 수심을 옳게 구한 경우	30
(2)	이 지역에 발달한 판의 경계와 그 까닭을 옳게 서술한 경우	50

2 ✏️**모범 답안** **맨틀 대류가 상승하여 대륙이 분리되면서 발산형 경계가 형성된다.**

맨틀 대류가 상승하는 곳에서는 대륙이 분리되고 발산형 경계가 형성되어 새로운 해양 지각이 생성되며, 해령을 축으로 양쪽으로 이동하면서 해저가 확장된다.

채점 기준	배점(%)
모범 답안과 같이 옳게 서술한 경우	100
A 지역에 형성되는 판의 경계만 옳게 쓴 경우	50

3 (2) ✏️**모범 답안** **화강암, SiO₂ 함량이 63 % 이상인 산성암이며, 지하 깊은 곳에서 마그마가 서서히 냉각되어 구성 입자의 크기가 큰 조립질 조직을 나타내는 심성암이다.**

북한산 인수봉의 판상 절리는 우리나라의 대표적인 심성암 지형이다.

채점 기준	배점(%)
(1)	지질 구조를 옳게 쓴 경우	30
(2)	화성암의 종류를 옳게 쓴 경우	20
	화성암의 분류 기준에 따라 특징을 옳게 서술한 경우	50

4 ✏️**모범 답안** **A층이 퇴적된 후 횡압력을 받아 습곡이 형성되고, 융기, 침식, 침강을 거쳐 부정합이 형성된 후 B층이 퇴적된 다음 횡압력이 작용하여 역단층이 형성되었다.**

이 지역에는 습곡, 부정합, 역단층이 형성되어 있다.

채점 기준	배점(%)
지층의 형성 과정을 옳게 서술한 경우	50
이 지역에서 일어난 지질학적 사건을 옳게 서술한 경우	50

5 ✏️**모범 답안** **고생대, 오존층이 형성되어 태양으로부터 오는 강한 자외선이 차단되었기 때문이다.**

고생대 실루리아기에 대기 중에 산소의 농도가 충분해지면서 오존층이 형성되었다. 오존층이 형성되기 전에는 지표까지 강한 자외선이 도달하였기 때문에 육상에서 생물이 생활할 수 없었다.

채점 기준	배점(%)
지질 시대만 옳게 쓴 경우	30
오존층 형성과 자외선 차단을 포함하여 옳게 서술한 경우	70

6 ✏️**모범 답안** **현재는 남동풍이 불고 층운형 구름이 발달하여 약한 비(이슬비)가 내리고, 온난 전선이 통과하면 풍향은 남서풍으로 바뀌고 맑고 따뜻해졌다가 한랭 전선이 통과하면 북서풍이 불고 적운형 구름이 발달하여 소나기가 내린다.**

A 지역은 현재 온난 전선 앞쪽에 위치해 있으며, 온난 전

선, 한랭 전선이 차례로 통과한다.

채점 기준	배점(%)
주어진 내용 네 가지를 모두 포함하여 현재와 앞으로의 날씨를 옳게 서술한 경우	100
현재 날씨만 옳게 서술한 경우	50
앞으로의 날씨만 옳게 서술한 경우	50

7 (2) ✎ **모범 답안** 약한 하강 기류가 발달하여 구름이 거의 없고, 풍속이 약하다.

태풍의 중심을 태풍의 눈이라고 하며, 이곳에는 약한 하강 기류가 발달한다.

	채점 기준	배점(%)
(1)	A 부분의 명칭을 옳게 쓴 경우	40
(2)	A 지역의 날씨를 주어진 내용 세 가지를 모두 포함하여 옳게 서술한 경우	60
	A 지역의 날씨를 주어진 내용 중 두 가지만 포함하여 옳게 서술한 경우	40
	A 지역의 날씨를 주어진 내용 중 한 가지만 포함하여 옳게 서술한 경우	20

8 ✎ **모범 답안** A에서는 표층 해양 생물의 광합성과 대기로부터 산소가 공급되어 농도가 높고, B에서는 극 해역에서 침강한 해수로부터 산소가 공급되어 농도가 높아진다.

해수 표층에서 햇빛의 영향을 받는 깊이에서는 생물의 광합성이 일어난다.

채점 기준	배점(%)
A와 B 깊이에서 산소의 농도가 높은 까닭을 모두 옳게 서술한 경우	100
A, B 깊이 중 한 구간만 옳게 서술한 경우	50

6 일 창의·융합·코딩 테스트

52~53쪽

• 범위 | I. 지권의 변동 ~ III. 대기와 해양의 변화

1 (1) A: 홈스, 맨틀 대류설, B: 헤스, 해양저 확장설, C: 베게너, 대륙 이동설 (2) C - A - B **2** ⑤ **3** ① **4** ① **5** 해설 참조 **6** 정국, 남준 **7** 해설 참조 **8** (1) 수온, 염분, 수압 (2) 해설 참조

1 A는 홈스가 주장한 맨틀 대류설이고, B는 헤스가 주장한 해양저 확장설이며, C는 베게너가 주장한 대륙 이동설이다. 판 구조론은 베게너의 대륙 이동설 → 홈스의 맨틀 대류설 → 헤스의 해양저 확장설을 거쳐 정립되었다.

2 ⑤ 용암이 급격히 식으면서 수축하여 형성된 절리는 주상 절리이다.

선택지 바로 보기

① 만장굴 (×)
→ 만장굴은 용암이 흐를 때 겉 부분은 식어서 빨리 굳고, 안쪽은 용암이 빠져 나가면서 형성된 용암 동굴이다.
② 수월봉 (×)
→ 수월봉은 응회암이 쌓여서 형성된 퇴적층이다.
③ 한라산 (×)
→ 한라산은 화산 폭발로 형성된 순상 화산이다.
④ 성산 일출봉 (×)
→ 성산 일출봉은 해저에서 수중 폭발하여 형성된 화산체이다.
⑤ 주상 절리대 (○)

3 희원: 퇴적암은 다짐 작용과 교결 작용을 거쳐 생성되므로 퇴적암이 생성되는 과정에서 공극은 감소하고 밀도는 증가한다.

오답 풀이

윤슬: 모든 퇴적암은 속성 과정을 거쳐 형성된다. 따라서 유기적 퇴적암이 형성되는 과정에서 다짐 작용과 교결 작용이 모두 일어난다.
승아: 응회암은 화산재가 퇴적되어 형성된 쇄설성 퇴적암이다.

4 A: 발산형 경계에서는 장력이 작용하여 주로 정단층이 잘 발달한다.
B: 지층에 힘이 작용하여 끊어져 이동한 지질 구조는 정단층과 역단층이다. 따라서 B는 역단층이다.
C: 발산형 경계에서 발달하지 않고, 단층이 아닌 지질 구조는 습곡이다. 습곡은 주로 수렴형 경계에서 발달하는 지층이 휘어진 구조이다.

5 ✎ **모범 답안** 북태평양 고기압이 예년에 비해 크게 발달하여 우리나라에 영향을 미쳤기 때문이다.

우리나라 부근을 지나는 태풍은 북태평양 고기압의 가장자리를 따라 북상한다.

채점 기준	배점(%)
모범 답안과 같이 옳게 서술한 경우	100
북태평양 고기압의 발달 정도를 예년과 비교하지 않은 경우	70

6 우박은 여러 차례 상승과 하강을 반복하면서 얼음이 성장하여 만들어진다. 한여름에는 우박이 떨어지는 도중에 녹기 쉽고, 겨울철에는 기온이 낮고 대기 중 수증기의 양이 적어서 우박이 성장하기 어렵다.

7 ✎ **모범 답안** (나), 혼합층이 가장 두껍게 형성되어 있기 때문이다.

혼합층은 바람에 의해 혼합 작용이 일어나 깊이에 따라 수온이 일정한 층으로, 바람이 강할수록 두껍게 발달한다.

채점 기준	배점(%)
지역을 옳게 고르고 까닭을 옳게 서술한 경우	100
지역만 옳게 고른 경우	50

8 (2) **✎ 모범 답안** **빙하가 녹은 물이 유입되어 염분이 낮아졌기 때문이다.**
해수의 밀도는 염분보다 수온의 영향을 크게 받지만, 북위 60° 이상에서는 빙하가 녹은 물이 많이 유입되어 염분의 영향을 크게 받는다.

	채점 기준	배점(%)
(1)	밀도에 영향을 주는 요인 세 가지를 모두 옳게 쓴 경우	30
	밀도에 영향을 주는 요인 중 두 가지만 옳게 쓴 경우	20
	밀도에 영향을 주는 요인 중 한 가지만 옳게 쓴 경우	10
(2)	모범 답안과 같이 옳게 서술한 경우	70

7일 학교시험 기본 테스트 1회
54~57쪽

• **범위** | I. 지권의 변동 ~ III. 대기와 해양의 변화

1 ③ **2** ③ **3** 해설 참조 **4** ⑤ **5** ④ **6** ③ **7**
A – B – C **8** ② **9** ② **10** ② **11** ② **12** ②
13 ④ **14** ② **15** ② **16** ② **17** ③ **18** ① **19**
③ **20** D

1 ㄷ, ㄹ. 해령에서 새로운 해양 지각이 생성되어 양쪽으로 확장되므로, 해령에서 멀어질수록 해양 지각의 나이는 많아지고, 해저 퇴적물의 두께는 두꺼워진다.

오답 풀이
ㄱ, ㄴ. 해령 부근에서는 해령을 따라 지진이 발생하며, 해구 부근에서는 해구에서 대륙 쪽으로 갈수록 진원의 깊이가 깊어진다.

2 나침반의 자침이 수평면과 이루는 각을 복각이라고 하며, 북반구에서는 나침반의 N극이 지표면을 향하고, 남반구에서는 S극이 지표면을 향한다. 따라서 (가) 지역은 자기 적도에 위치하고 복각은 0°이며, (나) 지역은 북반구에 위치하고 복각은 30°이다.

3 **✎ 모범 답안** **A–B–C, 하와이 열도를 이루는 섬들은 하와이섬 아래에 위치한 열점에서 마그마가 분출하여 생성되고, 태평양판이 이동함에 따라 판과 함께 이동하여 일렬로 배열된다.**

하와이섬 아래에는 뜨거운 플룸이 상승하는 열점이 분포한다.

채점 기준	배점(%)
생성 순서를 옳게 쓰고, 하와이 열도의 형성 과정을 판 구조론과 플룸 구조론으로 옳게 서술한 경우	100
생성 순서만 옳게 쓴 경우	40
하와이 열도의 형성 과정을 판 구조론 및 플룸 구조론으로 옳게 서술한 경우	60
하와이 열도의 형성 과정에서 판 구조론 및 플룸 구조론 중 한 가지에 대해 서술하지 못한 경우	30

자료 분석 ➕ 하와이 열도의 형성 과정

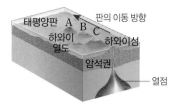

• 하와이섬 아래에는 열점이 분포하므로 새로운 화산섬이 계속 생성된다. 현재 열점 위에는 하와이섬이 위치해 있다.
• 열점에서 생성된 화산섬들은 태평양판에 실려 판과 함께 이동하므로 태평양판의 이동 방향을 따라 일렬로 분포한다.

4 열점(C)과 해령 하부(D)에서는 압력 감소에 의해 현무암질 마그마가 생성된다.

오답 풀이
해구에서 해양판이 섭입대(B)를 따라 섭입할 때 퇴적물과 함수 광물에 포함된 물이 방출되어 맨틀의 용융점을 낮추어 현무암질 마그마가 생성되고, 이렇게 생성된 현무암질 마그마가 상승하여 대륙 지각(A)에 도달하면 대륙 지각의 온도가 상승하면서 유문암질 마그마가 생성된다. 또한 현무암질 마그마와 유문암질 마그마가 혼합되어 안산암질 마그마가 생성된다.

5 SiO_2 함량이 52 % 이하이면서 세립질인 화성암은 염기성 화산암인 현무암이다.

6 석회암은 화학적 퇴적암 또는 유기적 퇴적암이고, 사암은 모래, 셰일은 점토, 응회암은 화산재가 쌓여서 굳어진 쇄설성 퇴적암이다.

7 A 지역은 삼엽충, 완족류 화석이 발견되므로 고생대에 형성되었고, B 지역은 공룡 발자국 화석이 발견되므로 중생대에 형성되었으며, C 지역은 신생대에 화산 활동으로 형성되었다.

8 ② 이 지역에는 위로 갈수록 퇴적물 입자의 크기가 점차 커

지는 퇴적 구조가 나타나므로 점이 층리가 형성된 이후 지층이 역전되었음을 알 수 있다.

선택지 바로 보기

① 연흔이다. (×)
→ 연흔은 수심이 얕은 바다나 물밑에서 형성된 물결 모양의 퇴적 구조이다.
② 지층이 역전되었다. (○)
③ 수심이 얕은 곳에서 형성된다. (×)
→ 점이 층리는 비교적 수심이 깊은 곳이나 대륙대에서 형성된다.
④ 건조한 환경에 노출된 적이 있다. (×)
→ 건조한 환경에 노출된 적이 있는 퇴적 구조는 건열이다.
⑤ 퇴적 당시 물이나 바람의 방향을 알 수 있다. (×)
→ 퇴적 당시 물이나 바람의 방향을 알 수 있는 퇴적 구조는 사층리이다.

9 ①, ④ 부정합은 퇴적 → 융기 → 침식 → 침강 → 퇴적의 과정을 거쳐 형성되므로 상하 지층 사이에 긴 시간 간격이 존재한다.
③ 부정합은 융기와 침강 과정을 거치므로 조륙 운동이나 조산 운동이 일어난 지층에서 잘 나타난다.
⑤ 부정합면 아래에 지층이 경사져 있거나 습곡이 분포하면 경사 부정합이고, 심성암이나 변성암이 분포하면 난정합이다.

오답 풀이
② 부정합면 바로 위에는 기저 역암이 분포한다.

10 ㄴ. 화강암이 사암과 셰일을 관입하였으며, 지층의 생성 순서는 사암 → 셰일 → 화강암이다. 따라서 지층 누중의 법칙과 관입의 법칙이 적용되었다.

오답 풀이
ㄱ. 부정합의 법칙은 부정합면을 경계로 인접한 두 지층 사이에는 긴 시간 간격이 있다는 것이므로, 지질 단면도에 부정합이 나타날 때 적용할 수 있다.
ㄷ. 동물군 천이의 법칙은 새로운 지층으로 갈수록 진화된 생물의 화석이 발견된다는 것이므로, 표준 화석이 산출될 때 적용할 수 있다.

11 ㄴ. 반감기는 방사성 동위 원소의 모원소 양이 절반으로 줄어드는 데 걸리는 시간이므로, X의 반감기는 1억 년이다.

오답 풀이
ㄱ. 시간이 지날수록 증가하는 A는 자원소, 감소하는 B는 모원소이다.
ㄷ. 자원소(A)의 양이 ㉠(25 %)일 때는 아직 반감기를 1회도 거치지 않은 시기이다.

12 A는 선캄브리아 시대, B는 고생대, C는 중생대, D는 신생대이다. 삼엽충은 고생대의 표준 화석이며, 빙하기가 없는 온난한 시기는 중생대이다.

13 ④ 파충류와 겉씨식물은 모두 중생대에 번성하였다.

선택지 바로 보기

① 어류가 최초로 출현한 시대는 중생대이다. (×)
→ 어류가 최초로 출현한 지질 시대는 고생대이다.
② 최초의 육상 식물은 시생 누대에 출현하였다. (×)
→ 최초의 육상 식물은 오존층이 형성되고 난 이후 고생대 실루리아기에 출현하였다.
③ 지질 시대 동안 총 여섯 번의 생물 대멸종이 있었다. (×)
→ 지질 시대 동안 총 다섯 번의 생물 대멸종이 있었다.
④ 파충류가 번성한 시대에는 겉씨식물이 번성하였다. (○)
⑤ 광합성을 하는 생물이 최초로 출현한 시대는 원생 누대이다. (×)
→ 광합성을 하는 생물이 최초로 출현한 시대는 시생 누대이다.

14 ㄴ. 한랭 전선이 통과하였으므로 전선 통과 후에는 기압이 높아진다.

오답 풀이
ㄱ, ㄷ. 16~17시경에 기온이 급격히 낮아지고, 풍향이 남서풍에서 북서풍으로 바뀌었으므로 한랭 전선이 통과하였다. 따라서 17~18시경에는 소나기가 내렸다.

자료 분석 ➕ 전선 통과 전후의 날씨 변화

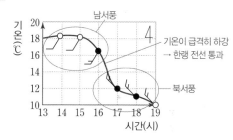

• 16~17시 사이에 기온이 급격히 하강하였고 풍향은 남서풍에서 북서풍으로 바뀌었으므로 한랭 전선이 통과하였다.
• 17~18시에는 흐리고 북서풍이 불었으므로 한랭 전선이 통과하여 적운형 구름에서 소나기가 내렸을 것이다.

15 ㄷ. (가) 시간에 우리나라 남부 지방은 온난 전선과 한랭 전선 사이에 위치하였으므로 대체로 맑고 따뜻했다.

오답 풀이
ㄱ. 온대 저기압은 서쪽에서 동쪽으로 이동하므로 (나) → (가) 순으로 작성되었다.
ㄴ. 제주도는 (나) 시간대에 온난 전선 앞쪽에 위치하였고, (가) 시간대에 한랭 전선 앞쪽에 위치하였으므로, 제주도에서는 풍향이 남동풍에서 남서풍으로 변했다.

16 ㄷ. 제주도는 태풍 진행 방향의 오른쪽에 위치하여 위험 반원에 속해 있으므로 풍향이 시계 방향으로 변하였다.

ㄱ. 9일 0시에는 태풍이 북서쪽으로 진행하므로 무역풍의 영향을 받았다.

ㄴ. 태풍은 중심 기압이 낮을수록 세력이 강하므로 10일 0시경에 태풍의 세력이 가장 강했다.

17 ③ 황사는 중국과 몽골의 사막 지대 등에서 발생하여 하늘 높이 올라간 모래 먼지가 상층의 편서풍을 타고 우리나라에 날아오는 것을 말한다.

① 주로 한랭 건조한 기단의 세력이 강해질 때 관측된다. (×)
→ 황사는 양쯔강 기단의 세력이 강해지는 봄철에 주로 관측된다.

② 황사의 발원지에는 강한 하강 기류가 발달해야 한다. (×)
→ 황사의 발원지에는 저기압이 형성되어 상승 기류가 발달해야 한다.

③ 중국과 몽골의 사막 지대에서 모래가 날아온 것이다. (○)

④ 편서풍의 영향을 받아 대체로 동쪽에서 서쪽으로 이동한다. (×)
→ 황사는 편서풍의 영향을 받아 서쪽에서 동쪽으로 이동한다.

⑤ 우리나라 주변에 저기압이 형성될 때 황사가 더 심해진다. (×)
→ 우리나라에는 고기압이 형성되어 하강 기류가 발달할 때 잘 발생한다.

18 ㄱ. A는 혼합층, B는 수온 약층, C는 심해층이다.

ㄴ. 바람이 강할수록 혼합층이 두껍게 발달하므로, 바람은 중위도 해역에서 가장 강하다.

ㄷ. 수온 약층은 혼합층과 심해층 사이의 물질 교환을 차단하는 역할을 한다. 따라서 수온 약층이 뚜렷하게 발달한 저위도 해역에서는 표층과 심층의 물질 교환이 잘 일어나지 않는다.

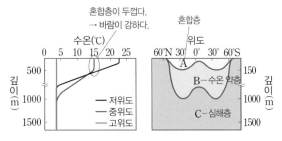

- 해수는 깊이에 따른 수온 분포에 따라 혼합층, 수온 약층, 심해층으로 구분한다.
- 혼합층은 바람이 강할수록 두껍게 발달한다. 따라서 중위도에서 바람이 가장 강하다.
- 수온 약층은 혼합층의 수온이 높을수록 뚜렷하게 발달한다. 따라서 저위도 지역에서 가장 뚜렷하게 발달한다.
- 고위도 해역은 연중 수온이 낮으므로 혼합층과 수온 약층이 발달하지 않는다.

19 ㄱ. 표층 염분은 강수량, 증발량, 강물의 유입량, 빙하의 결

빙과 해빙 등의 영향을 받는다. 따라서 계절과 장소에 따라 표층 염분은 달라진다.

ㄷ. 대륙 연안은 대륙으로부터 유입되는 담수의 영향으로 대양의 중앙부보다 표층 염분이 낮다.

ㄴ. 강수량이 많고 증발량이 적을수록 표층 염분이 낮다.

20 밀도가 큰 해수일수록 아래로 가라앉아 흐르므로 D 해수가 가장 아래에 위치한다.

7일 학교시험 기본 테스트 2회   58~61쪽

• **범위** | Ⅰ. 지권의 변동 ~ Ⅲ. 대기와 해양의 변화

1 ②	**2** ③	**3** ③	**4** ③	**5** 안산암질 마그마	**6** ②
7 ⑤	**8** ④	**9** ②	**10** ④	**11** A → B → C → D → F	
→ E	**12** ④	**13** ④	**14** ④	**15** ②	**16** ③	**17** ②
18 ②	**19** ④	**20** 해설 참조			

1 고생대 말 빙하 퇴적층 분포와 이동 흔적, 메소사우루스 화석 산출지는 대륙 이동의 증거이다.

ㄴ. 인도 대륙에 분포하는 빙하는 판게아가 형성되었을 때 남극 부근에 위치하였던 것으로 판단되므로 고생대 말에 인도 대륙은 남반구에 위치하였다.

ㄱ. 고생대 말에는 판게아가 형성되었고, 중생대 초에 판게아가 분리되면서 대서양이 형성되기 시작하였다.

ㄷ. 메소사우루스는 육상 파충류이므로 바다 건너 대륙으로 이동해 갈 수 없었다.

2 ① A는 발산형 경계 지역으로 천발 지진과 화산 활동이 일어난다.

② B는 충돌형 수렴 경계 지역으로 맨틀 대류가 하강하는 곳이다.

④ D는 섭입형 수렴 경계 지역으로 천발~심발 지진이 발생한다.

⑤ E는 발산형 경계 지역으로 맨틀 대류가 상승하여 새로운 해양 지각이 생성된다.

③ C는 보존형 경계 지역으로 천발 지진이 발생하며, 화산 활동은 일어나지 않는다.

히말라야산맥(충돌형 수렴 경계)　　신안드레아스 단층(보존형 경계)

안데스산맥
(섭입형 수렴 경계)

→ 판의 이동 방향

동아프리카 열곡대(발산형 경계)　　대서양 중앙 해령(발산형 경계)

3 판은 맨틀 대류뿐만 아니라 판 자체에서 만들어지는 물리적인 힘에 의해서도 이동한다. A는 섭입하는 판이 잡아당기는 힘, B는 판이 미끄러지는 힘, C는 해령에서 밀어내는 힘이다.

4 ㄱ. 해구에서 침강한 해양 지각이 용융되어 형성된 물질이 가라앉으면서 차가운 플룸이 형성되므로 하강하는 플룸은 섭입대와 관련이 있다.

ㄴ. 열점은 플룸 상승류가 지표면과 만나는 지점 아래 맨틀 깊은 곳에서 마그마가 생성되는 곳이다.

오답 풀이

ㄷ. 플룸 구조론은 판의 내부에서 발생하는 화산 활동을 설명할 수 있다.

5 섭입대에서 생성된 염기성 마그마인 현무암질 마그마와 대륙 지각 하부가 용융되어 생성된 산성 마그마인 유문암질 마그마가 혼합되어 안산암질 마그마가 생성된다.

자료 분석 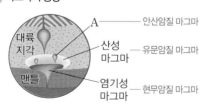 마그마의 생성

A ── 안산암질 마그마

대륙
지각

산성 마그마 ── 유문암질 마그마

맨틀

염기성 마그마 ── 현무암질 마그마

• 맨틀 물질이 부분 용융되어 생성된 염기성 마그마는 현무암질 마그마이다.

• 현무암질 마그마에 의해 온도가 높아져 대륙 지각 일부가 부분 용융되어 생성된 산성 마그마는 유문암질 마그마이다.

• 염기성 마그마인 현무암질 마그마와 산성 마그마인 유문암질 마그마가 혼합되면 중성 마그마인 안산암질 마그마가 생성된다.

6 A는 조립질이며 밝은색 광물의 부피비가 큰 화강암, B는 조립질이며 어두운색 광물의 부피비가 큰 반려암, C는 세립질이며 어두운색 광물의 부피비가 큰 현무암이다.

ㄴ. 화강암(A)은 산성암, 반려암(B)은 염기성암이므로 SiO_2 함량은 A가 B보다 많다.

오답 풀이

ㄱ. A는 화강암이다.

ㄷ. B는 조립질, C는 세립질 암석이므로 B는 지하 깊은 곳에서 천천히 냉각되어 생성되었고, C는 지표 부근에서 빠르게 냉각되어 생성되었다.

7 석회암은 퇴적물의 기원에 따라 탄산칼슘이 침전되어 생성되면 화학적 퇴적암이 되고, 석회질 생물체의 유해가 퇴적되어 생성되면 유기적 퇴적암이 된다.

8 ㄴ. (나)는 사층리로, 바람이나 물에 의해 퇴적물이 기울어진 상태로 퇴적된 구조이며, 층리의 경사 방향을 통해 퇴적물의 공급 방향을 알 수 있다.

ㄷ. (다)는 건열로, 주로 점토질로 이루어진 퇴적층이 건조한 기후에 노출되어 지층 표면이 갈라진 퇴적 구조이다. 뾰족한 부분이 아래쪽을 향하므로 이 지층은 역전되지 않았다.

오답 풀이

ㄱ. (가)는 연흔으로, 수심이 얕은 물밑에서 형성된 퇴적 구조이다.

9 ㄷ. 습곡은 횡압력을 받아 형성되므로 수렴형 경계 지역에서 잘 발견된다.

오답 풀이

ㄱ. A는 배사, B는 향사이다.

ㄴ. (가)는 정습곡, (나)는 경사 습곡이다.

10 ㄴ. B와 C층 사이와 D와 E층 사이에는 부정합이 형성되어 있으므로 B층과 C층 사이에는 오랜 시간 간격이 있다.

ㄷ. F는 관입암이므로 관입의 법칙을 적용하여 상대 연령을 결정한다.

오답 풀이

ㄱ. A, B층은 장력을 받아 정단층이 형성되었다.

자료 분석 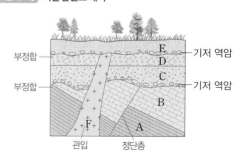 지질 단면도 해석

부정합

부정합

E ── 기저 역암
D

C ── 기저 역암

B

F

A

관입　　정단층

- A와 B층은 기울어져 있고, 단층면을 따라 상반이 아래로 내려가 있으므로 장력이 작용하여 정단층이 형성되었다.
- C층과 E층에서는 기저 역암이 발견되므로, C층 아래와 E층 아래에는 부정합이 형성되었다.
- F는 A, B, C, D를 뚫고 관입했지만 E층은 관입하지 않으므로 가장 나중에 형성된 층은 E층이다.

---

11 A, B층 퇴적 후 지각 변동을 받아 지층이 기울어지고 정단층이 형성된 다음 부정합이 형성되었다. 이후 C, D층이 퇴적되고 F의 관입이 일어났으며, 부정합이 형성되고 E층이 퇴적된 후 지표로 융기하였다. 따라서 이 지역 지층과 암석의 생성 순서는 A → B → C → D → F → E 순이다.

12 (가)는 중생대 초, (나)는 신생대 말, (다)는 고생대 말의 수륙 분포이다. 따라서 수륙 분포를 시간 순서대로 나열하면 (다)-(가)-(나) 순이다.

13 ① 한랭 전선 앞쪽에는 따뜻한 공기가 분포하고 뒤쪽에는 차가운 공기가 분포하므로 기온은 A 지역이 B 지역보다 높다.
② 한랭 전선 뒤쪽(B)에는 적운형 구름이 형성된다.
③ 전선의 기호와 풍향의 분포로 보아 이 지역에 형성된 전선은 한랭 전선이다.
⑤ 일기 기호로 보아 전선 앞쪽에서는 남서풍이 불고, 뒤쪽에서는 북서풍이 분다. 따라서 전선 통과 전후 풍향은 남서풍에서 북서풍으로 바뀐다.

④ 이 지역에 형성된 전선은 한랭 전선이므로, 전선 통과 후 기압은 대체로 높아진다.

14 ㄴ. 적외 영상에서는 구름 최상부의 고도가 높을수록 밝게 보이므로 구름의 높이는 B 지역이 가장 높다.
ㄷ. C 지역은 가장 어둡게 보이므로 구름이 형성되지 않았다. 따라서 이 지역에는 고기압이 형성되어 있다.

ㄱ. 03시에는 가시광선을 이용하여 촬영할 수 없으므로 이 영상은 적외 영상이다.

15 ㄴ. 열대 저기압의 에너지원은 수증기의 응결열(잠열)이다.

ㄱ. 열대 저기압은 전선을 동반하지 않는다.

ㄷ. 열대 저기압은 위도 약 5°~25°의 수온이 27 ℃ 이상인 열대 해역에서 발생한다.

16 ㄱ, ㄴ. 시베리아 고기압이 확장하면서 따뜻한 해수면을 만나 기단이 불안정해지면서 적운형 구름이 형성되어 서해안 지방에 많은 눈이 내리게 된다.

ㄷ. ⓒ의 구름은 불안정한 기단에 의해 생성되므로 강한 상승 기류에 의해 형성된 적운형 구름이다.

17 ①, ④, ⑤ 표층 수온은 태양 복사 에너지의 영향을 받으므로 등수온선은 위도와 거의 나란하고, 고위도로 갈수록 표층 수온은 대체로 낮아진다.
③ 대양의 동쪽에는 한류가 흐르고, 서쪽에는 난류가 흐르므로 대체로 대양의 동쪽보다 서쪽의 수온이 높다.

② 표층 수온과 염분은 밀접한 관계가 없다.

18 해수의 연직 수온 분포와 밀도 분포는 거의 반대로 나타난다. 수온은 표층에서 높고 수심이 깊어질수록 낮아지며, 밀도는 표층에서 낮고 수심이 깊어질수록 높아진다. 따라서 ②와 같은 분포를 나타낸다.

19 ㄴ. 수심 1600 m 이상에서는 극 해역에서 침강한 해수에 의해 산소가 공급되어 용존 산소량이 증가하므로, 극 해역 해수의 침강이 강화되면 이 해역에서 용존 산소량은 증가할 것이다.
ㄷ. 수심 200~800 m에는 햇빛이 거의 도달하지 않으므로 광합성을 하는 생물보다 산소 호흡을 하는 생물의 수가 더 많아 용존 산소량이 적다.

ㄱ. 수심 0~100 m에서 용존 산소량은 해양 생물의 광합성과 대기에서 공급되는 산소의 영향을 크게 받는다.

20 ✏️**모범 답안** 황해는 동해나 남해보다 강물의 유입량이 많기 때문이다.
표층 염분은 강수량이 많을수록, 강물의 유입량이 많을수록 낮아진다.

채점 기준	배점(%)
강물의 유입량 차이로 옳게 서술한 경우	100
강물의 유입량, 담수의 유입 등의 까닭을 서술하지 못한 경우	0

중학에 나오는 과학 용어 풀이

01 글로소프테리스 | Glossopteris

약 2~3억 년 전에 비교적 추운 지방에서 서식하였던 **❶**[　　　]식물

답 ❶ 양치

예1 글로소프테리스는 판게아의 남부 지방에서 서식하였던 식물이다.
예2 현재 여러 대륙에서 발견되는 글로소프테리스 화석은 대륙 이동의 증거이다.

02 메소사우루스 | Mesosaurus

약 3억 년 전 **❶**[　　　] 말에 호수나 연못에서 살았던 원시 수생 파충류

답 ❶ 고생대

예1 메소사우루스는 담수에서 서식하던 파충류이므로 바다를 헤엄쳐서 건너지 못한다.
예2 현재 여러 대륙에서 발견되는 메소사우루스 화석은 대륙 이동의 증거이다.

03 판게아 | Pangaea

고생대 말~중생대 초에 한 덩어리로 붙어 있던 거대한 대륙으로, **❶**[　　　]이라고도 한다.

판게아

답 ❶ 초대륙

예1 판게아는 '모든 땅'이라는 의미의 그리스어에서 유래되었다.
예2 베게너는 판게아가 분리되고 이동하여 현재와 같은 모습이 되었다고 주장하였다.

04 해령 | 바다 海, 재 嶺

깊은 바다 밑에 형성된 길고 좁은 해저 **❶**[　　　]

대서양 중앙 해령

답 ❶ 산맥

예1 해령에서는 새로운 해양 지각이 생성되고, 해령을 기준으로 양쪽으로 이동한다.
예2 해령은 맨틀 대류의 상승부에 위치한 발산형 경계 지역에 발달한다.

05 판 | 널빤지 板

지각과 맨틀의 상부를 이루는 단단한 암석층으로, 대륙 지각을 포함한 **❶**[　　　]과 해양 지각을 포함한 **❷**[　　　]으로 나눌 수 있다.

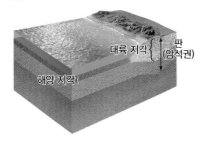

대륙 지각 판
(암석권)
해양 지각

답 **❶** 대륙판 **❷** 해양판

예1 지구 표면은 10여 개의 크고 작은 판으로 이루어져 있다.
예2 판의 이동 방향과 속력에 따라 판의 경계를 구분한다.

06 자기장 | 자석 磁, 기운 氣, 마당 場

자기력이 작용하는 공간으로, 자기장의 방향은 나침반 자침의 **❶**[　　　]극이 가리키는 방향이다.

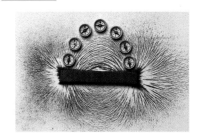

답 **❶** N

예1 자기장의 모습을 선으로 나타낸 것을 자기력선이라고 한다.
예2 지구는 커다란 자석으로 볼 수 있으며, 지구가 가지는 자기장을 지구 자기장이라고 한다.

07 지진파 | 땅 地, 벼락 震, 물결 波

지진이 발생할 때 생긴 에너지가 **❶**[　　　]의 형태로 멀리 퍼져나가는 것

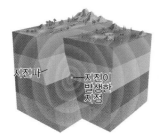

지진파
지진이 발생한 지점

답 **❶** 진동

예1 지진파는 통과하는 물질의 종류와 상태에 따라 속도가 달라지므로 지구 내부를 연구하는 데 사용된다.
예2 지진파에는 P파와 S파가 있다.

08 화산 활동 | 불 火, 뫼 山, 살 活, 움직일 動

마그마가 지표로 빠져나오면서 **❶**[　　　], 화산재 등이 분출되는 현상

답 **❶** 화산 기체

예1 판의 발산형 경계와 섭입형 수렴 경계 지역에서는 화산 활동이 활발하게 일어난다.
예2 화산 활동이 활발하게 일어나는 지역이 긴 띠 모양으로 분포하는 것을 화산대라고 한다.

09 녹는점

고체가 녹아서 **❶** [　　] 가 되는 동안 일정하게 유지되는 온도

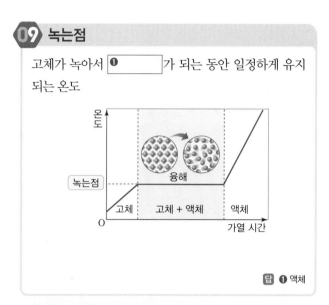

답 **❶** 액체

예1 같은 물질은 녹는점과 어는점이 같다.

예2 맨틀 물질이 상승하면 압력이 감소하여 암석의 녹는점(용융점)이 낮아진다.

10 화성암 | 불 火, 이룰 成, 바위 巖

❶ [　　] 가 지표로 흘러나오거나 지하에서 식어서 굳어진 암석

답 **❶** 마그마

예1 화성암은 색깔, 화학 성분 등에 따라 염기성암, 중성암, 산성암으로 구분할 수 있다.

예2 화성암은 산출 상태, 조직, 마그마의 냉각 속도 등에 따라 화산암과 심성암으로 구분할 수 있다.

11 심성암 | 깊을 深, 이룰 成, 바위 巖

마그마가 지하 **❶** [　　] 곳에서 서서히 식어서 만들어진 화성암으로, 반려암, 화강암 등이 있다.

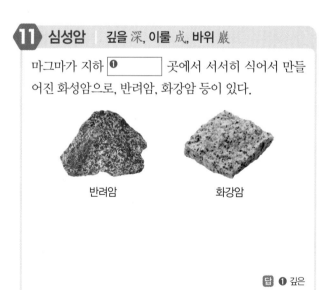

반려암　　　화강암

답 **❶** 깊은

예1 심성암은 마그마의 냉각 속도가 느려 암석을 구성하는 알갱이의 크기가 크다.

예2 우리나라의 심성암 지형은 주로 중생대에 형성된 것이다.

12 화산암 | 불 火, 뫼 山, 바위 巖

마그마가 **❶** [　　] 부근에서 빨리 식어서 만들어진 화성암으로, 현무암, 유문암 등이 있다.

현무암　　　유문암

답 **❶** 지표

예1 화산암은 마그마의 냉각 속도가 빨라 암석을 구성하는 알갱이의 크기가 작다.

예2 우리나라의 화산암 지형은 주로 신생대에 형성된 것이다.

13 퇴적암 언덕 堆, 쌓을 積, 바위 巖

❶ [　　　] 이 다져지고 굳어져서 만들어진 암석

역암　　　사암　　　셰일

이암　　　석회암　　　응회암

답 ❶ 퇴적물

예1 퇴적암은 생성 과정에 따라 쇄설성 퇴적암, 유기적 퇴적암, 화학적 퇴적암으로 구분한다.

예2 주로 자갈이 퇴적되어 굳어진 암석을 역암, 주로 모래가 퇴적되어 굳어진 암석을 사암이라고 한다.

14 풍화 바람 風, 될 化

지표의 ❶ [　　　] 이 오랜 시간에 걸쳐 잘게 부서지거나 암석의 ❷ [　　　] 이 변하는 현상

답 ❶ 암석 ❷ 성분

예1 암석이 잘게 부서져서 표면적이 증가할수록 풍화가 잘 일어난다.

예2 암석이 풍화·침식 작용을 받아 생긴 퇴적물을 쇄설성 퇴적물이라고 한다.

15 화산재 불 火, 뫼 山, 재앙 災

화산에서 분출된 ❶ [　　　] 의 부스러기로 크기가 0.25~4 mm 정도로 작은 알갱이

답 ❶ 용암

예1 화산재가 쌓여서 굳어진 암석을 응회암이라고 한다.

예2 화산재가 대기 중에 머무르면 햇빛을 차단하여 기온이 낮아진다.

16 화석 될 化, 돌 石

과거에 살았던 생물의 ❶ [　　　] 나 ❷ [　　　] 이 굳어져서 암석에 남은 것

답 ❶ 유해 ❷ 흔적

예1 화석은 퇴적암에서만 나타나는 특징이다.

예2 표준 화석을 통해 암석이 생성된 시기를 알 수 있다.

17 광합성 │ 빛 光, 합할 合, 이룰 成

식물이 빛에너지를 이용하여 ❶ [　　　]와 물을 재료로 포도당과 ❷ [　　　]를 만드는 과정

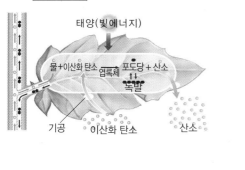

태양(빛에너지)

물+이산화 탄소 엽록체 포도당+산소
독할

기공　이산화 탄소　　산소

답 ❶ 이산화 탄소 ❷ 산소

예1 광합성 결과 포도당과 산소가 생성된다.
예2 광합성을 하는 남세균이 출현한 이후에 지구 대기에 산소의 농도가 증가하기 시작하였다.

18 오존층 │ ozone, 층 層

높이 약 20~30 km 부근에 ❶ [　　　]이 밀집되어 있는 부분

오존층에서 해로운 자외선 흡수　성층권
오존층
무해한 태양 복사 에너지

답 ❶ 오존

예1 오존층은 태양의 자외선을 흡수하여 지구의 생명체를 보호하는 역할을 한다.
예2 오존층이 형성된 이후에 지표에 도달하는 해로운 자외선이 차단되어 육상식물이 출현하게 되었다.

19 기압 │ 기운 氣, 누를 壓

단위 넓이에 수직으로 작용하는 ❶ [　　　]의 무게에 의한 압력

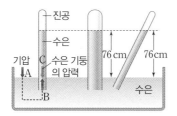

진공
수은
기압　수은 기둥의 압력
A
C
B
76cm　76cm
수은

토리첼리의 기압 측정 실험

답 ❶ 공기

예1 토리첼리는 수은을 이용하여 최초로 기압을 측정하였다.
예2 기압은 고도가 높아질수록 낮아지고, 시간과 장소에 따라 달라진다.

20 기단 │ 기운 氣, 둥글 團

한곳에 오래 머물면서 지표의 영향을 받아 ❶ [　　　]와 ❷ [　　　]가 비슷해진 커다란 공기 덩어리

시베리아 기단 한랭 건조　오호츠크해 기단 저온 다습
양쯔강 기단 온난 건조　북태평양 기단 고온 다습

우리나라 주변의 기단

답 ❶ 온도 ❷ 습도

예1 우리나라는 여름철에 고온 다습한 북태평양 기단의 영향을 받는다.
예2 기단이 발생 지역을 지나 다른 곳으로 이동하면 성질이 변한다.

과학 용어

21 한랭 전선 | 찰 寒, 찰 冷, 앞 前, 줄 線

찬 공기가 따뜻한 공기 **❶** [　　　] 로 파고들면서 생기는 전선

답 ❶ 아래

- 예1 한랭 전선 뒤에는 적운형 구름이 형성되고 전선 통과 후 좁은 지역에서 소나기가 내린다.
- 예2 한랭 전선은 전선의 이동 속도가 빠르고, 전선면의 기울기가 급하다.

22 온난 전선 | 따뜻할 溫, 따뜻할 暖, 앞 前, 줄 線

따뜻한 공기가 찬 공기 **❶** [　　　] 로 올라가면서 생기는 전선

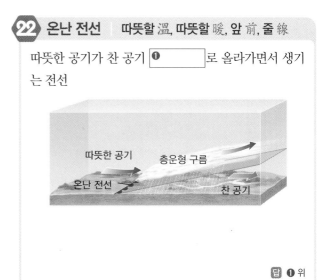

답 ❶ 위

- 예1 온난 전선 앞에는 층운형 구름이 형성되고 전선 통과 전에 넓은 지역에서 이슬비가 내린다.
- 예2 온난 전선은 전선의 이동 속도가 느리고, 전선면의 기울기가 완만하다.

23 염분 | 소금 鹽, 나눌 分

바닷물 **❶** [　　　] kg에 녹아 있는 **❷** [　　　] 의 총량을 g 수로 나타낸 것

답 ❶ 1 ❷ 염류

- 예1 전 세계 해수의 평균 염분은 약 35 psu이다.
- 예2 표층 염분은 지역이나 계절에 따라 다르게 나타난다.

24 빙하 | 얼음 氷, 강 이름 河

오랫동안 쌓인 **❶** [　　　] 이 굳어서 생긴 얼음덩어리가 낮은 곳으로 이동하는 것

답 ❶ 눈

- 예1 여러 대륙에 남아 있는 빙하의 흔적과 이동 방향은 남극 대륙을 중심으로 모인다.
- 예2 빙하가 녹아 흘러드는 해역은 표층 염분이 낮아진다.

핵심 정리 01 대륙 이동설

◎ 대륙 이동설의 증거

- **해안선 모양의 일치:** 아프리카 대륙 서해안과 남아메리카 대륙 동해안의 **❶** [　　　] 모양이 유사하다.

- **지질 구조의 연속성:** 멀리 떨어져 있는 대륙의 산맥과 퇴적층이 연속적으로 이어진다.

- **빙하의 흔적과 분포:** 여러 대륙에 남아 있는 **❷** [　　　] 의 이동 방향과 흔적을 살펴보면 한 점에서 모인다.

- **고생물 화석의 분포:** 현재 떨어져 있는 여러 대륙에서 같은 종의 고생물 화석이 발견된다.

해안선과 지질 구조 분포

빙하의 분포

고생물 화석의 분포

답 ❶ 해안선 **❷** 빙하

핵심 정리 02 해양저 확장설

◎ 해양저 확장설의 증거

- **해양 지각의 나이:** 해령에서 멀어질수록 해양 지각의 나이가 많아진다.

- **해저 퇴적물의 두께:** 해령에서 멀어질수록 해저 퇴적물의 두께가 **❶** [　　　] 진다.

- **고지자기 줄무늬 분포:** 해령을 축으로 고지자기 줄무늬가 대칭을 이룬다.

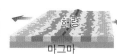
정자극기
역자극기

- **열곡과 변환 단층의 존재:** 해령에서 맨틀 물질의 상승으로 열곡이 생성되고, 해령에서 생성된 해양 지각이 양쪽으로 확장될 때 위치에 따라 속도가 다르기 때문에 변환 단층이 생성된다.

- **섭입대에서의 진원 분포:** 해구에서 대륙 쪽으로 갈수록 진원의 깊이가 점점 **❷** [　　　] 진다.

답 ❶ 두꺼워 **❷** 깊어

핵심 정리 03 판 구조론

◎ 판 구조론의 정립 과정

❶ [　　　] → 맨틀 대류설 → 해양저 확장설 → 판 구조론

◎ 판의 경계

- **수렴형 경계:** 판과 판이 가까워지는 경계로, 맨틀 대류가 하강하며, 섭입형 경계에서는 천발~심발 지진과 화산 활동이 활발하고, 충돌형 경계에서는 천발~중발 지진만 활발하다.

- **발산형 경계:** 판과 판이 멀어지는 경계로, 맨틀 대류가 상승하며, 천발 지진과 화산 활동이 활발하다.

- **보존형 경계:** 판과 판이 어긋나는 경계로, **❷** [　　　] 지진만 활발하다.

답 ❶ 대륙 이동설 **❷** 천발

핵심 정리 04 플룸 구조론

◎ 플룸 구조론

- **차가운 플룸의 형성:** 해구에서 섭입한 판의 물질이 상부 맨틀과 하부 맨틀의 경계 부근에 쌓여 있다가 가라앉아 생성되며, 지진파의 속도가 빠르다.

- **뜨거운 플룸의 형성:** 차가운 플룸이 맨틀과 **❶** [　　　] 의 경계부에 도달하면 그 영향으로 일부 맨틀 물질이 상승하여 생성되며, 지진파의 속도가 느리다.

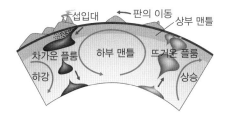
섭입대　판의 이동　상부 맨틀
차가운 플룸　하부 맨틀　뜨거운 플룸
하강　상승

◎ 열점

플룸 상승류가 지표면과 만나는 지점 아래에서 마그마가 생성되는 장소 ⑩ 하와이 열점

답 ❶ 외핵

02 이것만은 꼭! 해양저 확장설

예제 그림은 어느 해령 부근의 고지자기 분포를 나타낸 것이다.

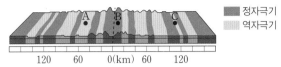

정자극기
역자극기

120 60 0(km) 60 120

이 자료에 대한 설명으로 옳지 <u>않은</u> 것은?

① 해령은 B 지점이 가장 가깝다.

② 수심은 B 지점이 C 지점보다 얕다.

✓③ 해양 지각의 나이는 A 지점이 C 지점보다 많다.

④ 해저 퇴적물의 두께는 B 지점이 C 지점보다 얇다.

⑤ A 지점의 암석이 생성될 당시와 C 지점의 암석이 생성될 당시에 지자기 북극의 방향은 같았다.

★기억해요!

□□□에서 멀어질수록 해양 지각의 나이가 많아지고, 해저 퇴적물의 두께가 두꺼워지며, 수심이 대체로 깊어진다. 정자극기와 역자극기일 때 지자기 북극의 방향은 □□이다.

답 해령, 반대

---

01 이것만은 꼭! 대륙 이동의 증거

예제 베게너가 제시한 대륙 이동의 증거로 옳지 <u>않은</u> 것은?

✓① 해령을 축으로 고지자기 줄무늬가 대칭으로 나타난다.

② 고생대 말 빙하의 흔적과 이동 방향이 남극을 중심으로 모인다.

③ 북아메리카 대륙과 유럽에 위치한 산맥의 지질 구조가 연속적이다.

④ 서로 멀리 떨어져 있는 대륙에서 같은 종류의 고생물 화석이 발견된다.

⑤ 서로 마주보고 있는 남아메리카 대륙과 아프리카 대륙의 해안선 모양이 유사하다.

★기억해요!

베게너는 고생대 말에 초대륙 □□□가 존재했으며, 약 2억 년 전부터 분리되고 이동하여 현재와 같은 수륙 분포를 이루게 되었다는 □□□□□을 주장하였다.

답 판게아, 대륙 이동설

---

04 이것만은 꼭! 플룸 구조론

예제 플룸 구조론에 대한 설명으로 옳지 <u>않은</u> 것은?

① 뜨거운 플룸보다 차가운 플룸의 밀도가 크다.

✓② 플룸 구조론은 상부 맨틀의 운동만을 설명한다.

③ 뜨거운 플룸은 맨틀과 외핵의 경계면에서 형성된다.

④ 뜨거운 플룸보다 차가운 플룸에서 지진파의 속도가 빠르다.

⑤ 하와이섬의 생성은 뜨거운 플룸의 상승으로 설명할 수 있다.

★기억해요!

뜨거운 플룸은 차가운 플룸보다 온도가 높고 밀도가 작아 지진파의 속도가 느리며, 뜨거운 플룸이 상승하여 지표면과 만나는 곳 아래에는 □□이 형성된다.

답 열점

---

03 이것만은 꼭! 판 구조론

예제 그림은 판의 경계를 간략히 나타낸 것이다.

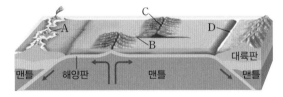

맨틀 해양판 맨틀 대륙판 맨틀

이에 대한 설명으로 옳은 것은?

✓① A 부근에서는 화산 활동이 일어난다.

② B 지역에서는 심발 지진이 발생한다.

③ C 지역에서는 오래된 해양 지각이 소멸된다.

④ D 지역에서는 맨틀 대류가 상승한다.

⑤ D에서 대륙 쪽으로 갈수록 진원의 깊이가 얕아진다.

★기억해요!

B는 보존형 경계, C는 □□ 경계, D는 수렴형 경계이다.

답 발산형

핵심정리 05 마그마의 생성

◎ **마그마의 생성 조건**

❶ [ ] 상승(❶), 압력 감소(❷), 물의 공급(❸)에 의해 마그마가 생성될 수 있다.

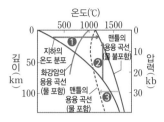

◎ **마그마의 생성 장소**

• **해령 하부:** 압력 감소에 의해 현무암질 마그마 생성

• **열점:** 압력 감소에 의해 ❷ [ ] 마그마 생성

• **섭입대 부근:** 물의 공급에 의해 용융점 하강으로 현무암질 마그마 생성, 상승한 현무암질 마그마에 의한 온도 상승으로 유문암질 마그마 생성, 현무암질 마그마와 유문암질 마그마가 혼합되어 안산암질 마그마 생성

답 ❶ 온도 ❷ 현무암질

핵심정리 06 화성암의 분류

◎ **화성암의 분류**

• **화학 조성에 따른 분류:** SiO₂ 함량에 따라 염기성암, 중성암, 산성암으로 분류

• **생성 장소에 따른 분류:** 지표 부근에서 굳어진 ❶ [ ] 과 지하 깊은 곳에서 굳어진 심성암으로 분류

• **조직에 따른 분류:** 구성 광물의 크기에 따라 세립질 조직과 조립질 조직으로 분류

구분	현무암질 마그마	안산암질 마그마	유문암질 마그마
SiO₂ 함량	52 % 이하 (염기성암)	52~63 % (중성암)	63 % 이상 (산성암)
화산암 (세립질)	현무암	안산암	유문암
심성암 (조립질)	반려암	섬록암	❷ [ ]

답 ❶ 화산암 ❷ 화강암

핵심정리 07 퇴적 구조

◎ **퇴적 구조**

• **점이 층리:** 한 지층 내에서 위로 갈수록 퇴적물 입자의 크기가 ❶ [ ] 지는 구조

• **사층리:** 층리가 나란하지 않고 기울어지거나 엇갈린 구조

• **연흔:** ❷ [ ] 모양의 흔적

• **건열:** 퇴적물 표면이 갈라진 구조

구분	점이 층리	사층리	연흔	건열
정상층				
역전층				
퇴적 환경	수심이 깊은 바다나 호수	얕은 하천이나 사막	수심이 얕은 바다나 호수	건조한 기후

답 ❶ 작아 ❷ 물결

핵심정리 08 습곡과 단층

◎ **습곡의 생성과 구조**

• **습곡:** 지층이 ❶ [ ] 을 받아 휘어진 지질 구조

• **구조:** 위로 볼록한 부분을 배사, 아래로 오목한 부분을 향사라고 한다.

배사   향사

수평면
배사축면 향사축면 배사축면
습곡의 구조

◎ **단층의 종류**

• **정단층:** 지층에 ❷ [ ] 이 작용하여 단층면을 따라 상반이 아래로 이동한 단층

• **역단층:** 지층에 횡압력이 작용하여 단층면을 따라 상반이 위로 이동한 단층

• **주향 이동 단층:** 수평 방향으로 힘이 작용하여 지층이 수평으로 이동한 단층

답 ❶ 횡압력 ❷ 장력

06 이것만은 꼭! 화성암의 분류

예제 표는 화성암의 종류를 나타낸 것이다.

구분	염기성암	중성암	산성암
화산암	현무암	안산암	유문암
심성암	반려암	섬록암	화강암

이에 대한 설명으로 옳은 것은?

① 현무암과 유문암은 화학 조성이 거의 같다.

② 현무암은 화강암보다 광물 결정의 크기가 크다.

✓③ 유문암과 화강암은 구성 광물의 종류가 비슷하다.

④ 유문암은 반려암보다 지하 깊은 곳에서 생성되었다.

⑤ 주상 절리는 주로 화강암으로, 판상 절리는 주로 현무암으로 이루어져 있다.

★기억해요!

화성암은 □□□에 따라 염기성암, 중성암, 산성암으로 분류하고, 마그마의 냉각 속도나 생성 깊이에 따라 □□□, 심성암으로 분류한다.

답 화학 조성(SiO₂ 함량), 화산암

---

05 이것만은 꼭! 마그마의 생성

예제 마그마의 생성 과정과 생성 장소에 대한 설명으로 옳은 것은?

① 열점에서는 온도 상승에 의해 마그마가 생성된다.

✓② 호상 열도나 습곡 산맥에서 분출되는 마그마는 주로 안산암질 마그마이다.

③ 해령 하부에서는 맨틀 대류가 상승하면서 온도 상승으로 마그마가 생성된다.

④ 해구에서 해양판이 섭입되면서 공급된 물에 의해 안산암질 마그마가 생성된다.

⑤ 섭입대에서 생성된 마그마가 상승하여 대륙 지각 하부를 용융하여 현무암질 마그마가 생성된다.

★기억해요!

마그마는 □□□ 상승, □□□ 감소, 물의 공급 등에 의해 생성될 수 있으며, 해령 하부, 열점, 섭입대 부근 등에서 생성된다.

답 온도, 압력

---

08 이것만은 꼭! 습곡과 단층

예제 그림은 서로 다른 지질 구조를 나타낸 것이다.

(가)   (나)

이에 대한 설명으로 옳지 <u>않은</u> 것은?

① A는 상반이다.

✓② B는 향사이다.

③ (나)는 습곡이다.

④ (가)는 장력에 의해 형성되었다.

⑤ (나)는 수렴형 경계에서 잘 발견된다.

★기억해요!

정단층은 □□□을 받아 상반이 하반에 대해 상대적으로 아래로 내려간 지질 구조이고, 습곡은 □□□을 받아 지층이 휘어진 지질 구조이다.

답 장력, 횡압력

---

07 이것만은 꼭! 퇴적 구조

예제 퇴적 구조에 대한 설명으로 옳지 <u>않은</u> 것은?

① 사층리를 통해 바람의 방향을 알 수 있다.

② 건열은 건조한 기후에 노출되어 형성되었다.

✓③ 퇴적 구조를 통해 생성 시기를 유추할 수 있다.

④ 퇴적 구조는 지층의 상하를 판단하는 데 유용하다.

⑤ 연흔은 물결의 영향을 받는 수심이 얕은 물밑에서 형성된다.

★기억해요!

□□□는 수심이 얕은 물밑이나 바람의 방향이 자주 바뀌는 곳에서 층리면이 수평면에 나란하지 않고 기울어져서 나타나는 퇴적 구조이다.

답 사층리

핵심정리 09 부정합과 절리

○ 부정합

- **부정합의 형성 과정:** 퇴적 → 융기 → 풍화·침식 → ❶[　　　] → 퇴적

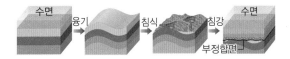

- **기저 역암:** 부정합면 위에 분포하며, 부정합 판단의 근거가 된다.

○ 절리의 종류

- **판상 절리:** 지하 깊은 곳에 있던 암석이 지표로 드러나면서 ❷[　　　] 감소로 암석이 팽창하여 판 모양으로 만들어진 절리로, 심성암에서 잘 나타난다.

- **주상 절리:** 지표로 분출한 용암이 급격히 냉각되면서 부피가 수축하여 기둥 모양으로 만들어진 절리로, 화산암에서 잘 나타난다.

답 ❶ 침강 ❷ 압력

핵심정리 10 지사학의 법칙

○ 지사학의 법칙

- **수평 퇴적의 법칙:** 퇴적물은 일반적으로 수평으로 쌓인다.

- **지층 누중의 법칙:** 먼저 퇴적된 지층이 나중에 퇴적된 지층보다 ❶[　　　]에 위치한다.

- **관입의 법칙:** 관입한 암석은 관입당한 암석보다 나중에 생성된 것이다.

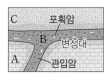
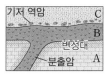

관입(A → C → B)　　　분출(A → B → C)

- **부정합의 법칙:** 부정합면을 경계로 상하 두 지층 사이에는 긴 시간 간격이 있다.

- **동물군 천이의 법칙:** ❷[　　　] 지층일수록 진화된 생물의 화석이 발견된다.

답 ❶ 아래 ❷ 새로운

핵심정리 11 절대 연령

○ 절대 연령의 측정 원리

- **절대 연령:** 지층이나 암석의 생성 시기 및 지질학적 사건의 발생 시기를 수치로 나타낸 것

- **측정 방법:** 방사성 동위 원소의 ❶[　　　]를 이용

- **반감기:** 방사성 동위 원소가 붕괴하여 모원소의 양이 처음 양의 절반으로 줄어드는 데 걸리는 시간

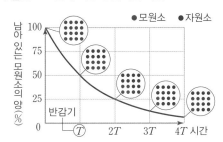

- 절대 연령 = 반감기 횟수 × 방사성 동위 원소의 반감기

답 ❶ 반감기

핵심정리 12 지질 시대의 생물과 환경

○ 선캄브리아 시대

- **환경:** 오존층이 없어 ❶[　　　]이 지표에 도달

- **생물:** 최초의 해양 생물 출현, 남세균 출현(시생 누대), 최초의 다세포 생물 출현(원생 누대)

○ 고생대

- **환경:** 오존층 형성(실루리아기), ❷[　　　] 형성(고생대 말, 페름기), 중기와 후기에 빙하기

- **생물:** 삼엽충, 완족류, 필석, 양서류, 양치식물 번성

○ 중생대

- **환경:** 판게아 분리(중생대 초, 트라이아스기 말), 온난

- **생물:** 공룡, 암모나이트, 겉씨식물 번성

○ 신생대

- **환경:** 현재와 비슷한 수륙 분포, 빙하기와 간빙기 반복

- **생물:** 화폐석, 매머드, 포유류, 속씨식물 번성

답 ❶ 자외선 ❷ 판게아

예제 **지사학의 법칙에 대한 설명으로 옳은 것은?**

① 화강암이 셰일층을 관입한 경우 화강암은 셰일층보다 먼저 생성된 것이다.

✓② 습곡이나 단층이 발견되는 지역은 지층이 생성된 이후 지각 변동을 받았다.

③ 지층의 역전이 없었다면 아래에 있는 지층은 위에 있는 지층보다 나중에 생성되었다.

④ 공룡 발자국 화석이 발견된 지층은 삼엽충 화석이 발견된 지층보다 먼저 생성된 것이다.

⑤ 지표면에 드러난 지층에서 부정합면이 1개 발견되었다면 이 지층은 최소 1회 융기하였다.

★기억해요!

지사학의 법칙에는 수평 퇴적의 법칙, ☐☐☐의 법칙, 관입의 법칙, ☐☐☐의 법칙, 동물군 천이의 법칙이 있다.

답 지층 누중, 부정합

예제 **판상 절리와 주상 절리에 대한 설명으로 옳지 않은 것은?**

① 주상 절리는 주로 화산암에서 나타난다.

② 판상 절리는 주로 심성암에서 나타난다.

✓③ 주상 절리는 온도 상승에 의해 형성되었다.

④ 판상 절리는 압력 감소에 의해 형성되었다.

⑤ 제주도에서 볼 수 있는 절리는 주상 절리이다.

★기억해요!

절리는 암석에 생긴 틈이나 균열로, 마그마나 용암의 냉각과 ☐☐에 의해 주상 절리가, 암석의 융기에 의한 압력 감소에 의해 ☐☐ 절리가 형성된다.

답 수축, 판상

예제 **지질 시대에 대한 설명으로 옳은 것은?**

① 선캄브리아 시대의 화석은 발견되지 않았다.

② 지질 시대를 구분하는 가장 큰 단위는 기이다.

③ 고생대에는 생물들이 모두 바다에서만 살았다.

④ 지구상에 생물은 오존층이 형성된 이후에 출현하였다.

✓⑤ 중생대는 신생대보다 기후가 온난하였으며, 빙하기가 없었다.

★기억해요!

지질 시대는 ☐☐, 대, 기 등으로 구분하며, 고생대 실루리아기에 ☐☐☐이 형성되어 육상 생물이 처음 출현하였다.

답 누대, 오존층

예제 **방사성 동위 원소에 대한 설명으로 옳지 않은 것은?**

① 반감기는 원소의 종류에 따라 다르다.

② 자연적으로 붕괴하여 방사선을 방출한다.

✓③ 반감기가 10번 지나면 모두 안정한 원소로 변한다.

④ 처음 양의 절반이 되는 데 걸리는 시간을 반감기라고 한다.

⑤ 외부의 온도나 압력의 변화에 관계없이 일정한 속도로 붕괴한다.

★기억해요!

방사성 동위 원소가 붕괴하여 처음 양의 절반이 되는 데 걸리는 시간을 ☐☐☐라고 하며, 방사성 동위 원소는 외부의 온도나 압력의 변화에 관계없이 일정한 속도로 붕괴한다.

답 반감기

핵심정리 13 온대 저기압과 날씨

○ 온대 저기압 주변의 날씨

• 온대 저기압의 이동: ❶ [   ]의 영향으로 서에서 동으로 이동한다.

• 온난 전선 통과 전: 층운형 구름, 약한 비(이슬비), 남동풍

• 온난 전선 통과 후: 맑음, 기온 상승, 기압 하강, 남서풍

• 한랭 전선 통과 후: 기온 하강, 기압 상승, ❷ [   ] 구름, 소나기, 북서풍

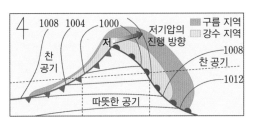

답 ❶ 편서풍 ❷ 적운형

핵심정리 14 태풍과 날씨

○ 태풍의 발생과 이동

• 태풍의 에너지원: 수증기의 응결 시 방출되는 숨은열(잠열)

• 태풍의 이동: 무역풍대에서는 ❶ [   ]쪽으로, 편서풍대에서는 북동쪽으로 포물선 궤도를 그리며 이동한다.

○ 태풍의 피해

• 위험 반원: 태풍 진행 방향의 오른쪽 지역으로, 태풍 자체의 풍향과 대기 대순환의 방향이 일치하여 풍속이 강하고 피해가 크다.

• 안전 반원: 태풍 진행 방향의 ❷ [   ] 지역으로, 태풍 자체의 풍향과 대기 대순환의 방향이 반대이므로 상대적으로 풍속이 약하다.

답 ❶ 북서 ❷ 왼쪽

핵심정리 15 해수의 수온 분포

○ 표층 수온 분포

• ❶ [   ]의 영향을 크게 받는다.

• 전 세계 표층 수온의 등수온선은 위도와 거의 나란하다.

• 대양의 가장자리에서는 한류나 난류의 영향을 받는다.

○ 해양의 층상 구조

• 혼합층: 표층에서 태양 복사 에너지를 흡수하여 가열되고 바람에 의해 혼합되어 수심에 따라 수온이 거의 일정한 층으로, 바람이 ❷ [   ]하게 불수록 두껍게 발달한다.

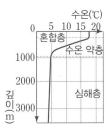

• 수온 약층: 혼합층 아래 깊이에 따라 수온이 급격하게 낮아지는 층으로, 대류가 일어나지 않고 매우 안정하다.

• 심해층: 계절이나 깊이에 따른 수온 변화가 거의 없는 층

답 ❶ 태양 복사 에너지양 ❷ 강

핵심정리 16 해수의 밀도

○ 해수의 밀도

• 해수의 밀도에 영향을 주는 요인: 수온, 염분, 수압 등

• 수온이 ❶ [   ]수록, 염분이 높을수록, 수압이 클수록 밀도가 크다.

• 수온 염분도: 가로축을 염분, 세로축을 수온으로 한 그래프에 등밀도선을 나타낸 것으로, 오른쪽 아래로 갈수록 밀도가 ❷ [   ]한다.

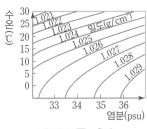

수온 염분도(T - S도)

답 ❶ 낮을 ❷ 증가

[예제] 태풍에 대한 설명으로 옳지 <u>않은</u> 것은?

① 육지에 상륙하면 세력이 급격히 약해진다.

② 편서풍대에서는 주로 북동쪽으로 진행한다.

③ 태풍의 눈 지역은 대체로 바람이 약하고 맑다.

✓④ 북태평양 고기압의 중심을 가로질러 진행한다.

⑤ 진행 방향의 오른쪽 지역은 왼쪽 지역보다 태풍에 의한 피해가 크다.

★기억해요!

태풍은 열대 해상에서 발생하여 북상하면서 포물선 궤도를 따라 이동하며, 이동 방향의 오른쪽은 [　　　] 반원, 왼쪽은 [　　　] 반원이라고 한다.

답 위험, 안전(가항)

[예제] 온대 저기압에 대한 설명으로 옳은 것은?

① 전선을 동반하지 않는다.

✓② 편서풍의 영향을 받는다.

③ 주로 열대 해상에서 발생한다.

④ 대체로 동쪽에서 서쪽으로 이동한다.

⑤ 온대 저기압이 통과하는 동안 풍향은 북서풍 → 남서풍 → 남동풍으로 변한다.

★기억해요!

온대 저기압은 찬 공기와 따뜻한 공기가 만나는 [　　　] 지방에서 발생하며, [　　　]의 영향을 받아 서쪽에서 동쪽으로 이동한다.

답 중위도, 편서풍

[예제] 그림은 수온 염분도를 나타낸 것이다.

이에 대한 설명으로 옳지 <u>않은</u> 것은?

① A는 B보다 수온이 낮다.

② A는 C보다 염분이 낮다.

③ B는 C보다 수온이 높다.

④ A, B, C 중 밀도는 C가 가장 크다.

✓⑤ B와 C의 밀도 차이는 수온보다 염분의 영향을 크게 받는다.

★기억해요!

해수의 밀도는 수온이 [　　　]을수록, 염분이 [　　　]을수록 크며, 수온 염분도에서 밀도는 오른쪽 아래로 갈수록 크다.

답 낮, 높

[예제] 해수의 수온 분포에 대한 설명으로 옳지 <u>않은</u> 것은?

① 표층 해수의 등수온선은 대체로 위도와 나란하다.

② 바람이 세게 부는 해역은 혼합층이 두껍게 나타난다.

✓③ 빙하가 녹는 해역은 수온 약층이 뚜렷하게 나타난다.

④ 표층 수온은 태양 복사 에너지의 영향을 크게 받는다.

⑤ 같은 위도에서 난류가 흐르는 해역은 한류가 흐르는 해역보다 수온이 높다.

★기억해요!

해수는 깊이에 따른 수온 분포에 따라 혼합층, [　　　], 심해층으로 구분한다.

답 수온 약층

book.chunjae.co.kr

교재 내용 문의 ························· 교재 홈페이지 ▶ 고등 ▶ 교재상담

교재 내용 외 문의 ···················· 교재 홈페이지 ▶ 고객센터 ▶ 1:1문의

발간 후 발견되는 오류 ············ 교재 홈페이지 ▶ 고등 ▶ 학습지원 ▶ 학습자료실

언제나 만점이고 싶은 친구들

Welcome!

숨 돌릴 틈 없이 찾아오는 시험과 평가.
성적과 입시 그리고 미래에 대한 걱정.
중·고등학교에서 보내는 6년이란 시간은
때때로 힘들고, 버겁게 느껴지곤 해요.

그런데 여러분, 그거 아세요?
지금 이 시기가 노력의 대가를
가장 잘 확인할 수 있는 시간이라는 걸요.

안 돼, 못하겠어, 해도 안 될 텐데—
어렵게 생각하지 말아요. 천재교육이 있잖아요.
첫 시작의 두려움을 첫 마무리의 뿌듯함으로 바꿔줄게요.

펜을 쥐고 이 책을 펼친 순간
여러분 앞에 무한한 가능성의 길이 열렸어요.

우리와 함께 꽃길을 향해 걸어가 볼까요?

#시험대비
#핵심정복

**7일 끝
중간고사
기말고사**

Chunjae
Makes
Chunjae

▼

개발총괄   김은숙
편집개발   김은송, 김용하, 박준우, 박유미
제작   황성진, 조규영

발행일   2021년 3월 15일 초판 2021년 3월 15일 1쇄
발행인   (주)천재교육
주소   서울시 금천구 가산로9길 54
신고번호   제2001-000018호
고객센터   1577-0902
교재 내용문의 (02)3282-8739

7일 끝으로 끝내자!

7 고등 지구과학 I

BOOK 2

2학기 중간·기말 대비

이 책의 구성과 활용

일차별 시험 공부

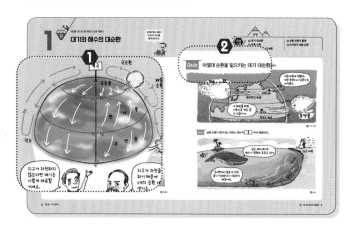

생각 열기

공부할 내용을 그림과 퀴즈로 가볍게 살펴보며 학습을 준비해 보세요.

❶ 그림으로 개념 잡기 | 학습할 개념을 그림과 만화로 재미있게 알아보세요.

❷ Quiz | 공부할 내용을 그림과 관련된 퀴즈 문제로 확인해 보세요.

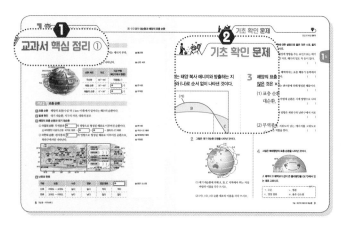

교과서 핵심 정리 + 기초 확인 문제

꼭 알아야 할 교과서 핵심 내용을 익히고 기초 확인 문제를 풀며 제대로 이해했는지 확인해 보세요.

❶ 교과서 핵심 정리 | 빈칸을 채워 보며 교과서 핵심 개념을 다시 한번 체크해 보세요.

❷ 기초 확인 문제 | 교과서 핵심 정리와 관련된 문제를 풀며 공부한 내용을 확인해 보세요.

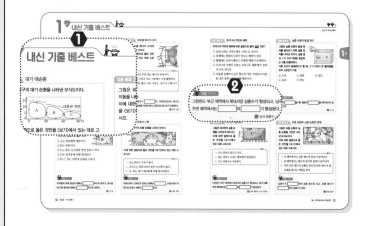

내신 기출 베스트

다양한 유형의 문제를 풀어 보며 공부한 내용을 점검해 보세요.

❶ 대표 예제 | 시험에 자주 나오는 빈출 유형 필수 문제를 풀어 보세요.

❷ 개념 가이드 | 대표 예제와 관련된 핵심 개념을 익혀 보세요.

시험 공부 마무리 테스트

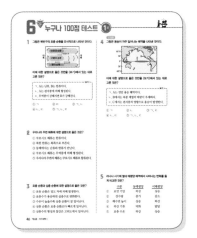

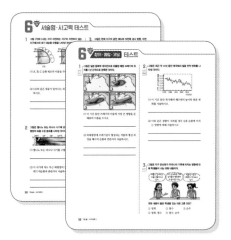

누구나 100점 테스트

5일 동안 공부한 내용을 바탕으로 기초 이해력을 점검해 보세요.

서술형 · 사고력 테스트
창의 · 융합 · 코딩 테스트

서술형 · 사고력 문제와 창의 · 융합 · 코딩 문제를 풀어 보면서 창의력과 문제 해결력을 높여 보세요.

학교시험 기본 테스트

중간 · 기말고사 예상 문제를 최종으로 풀며 실전에 대비해 보세요.

시험 직전까지 챙겨야 할 부록

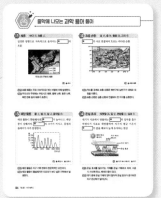

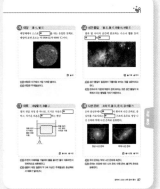

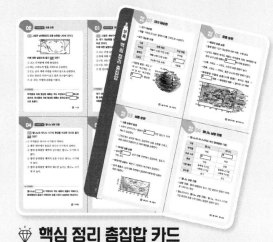

💎 중학에 나오는 과학 용어 풀이

중학교에서 배운 과학 용어로 선수 학습을 확인할 수 있어요.

💎 핵심 정리 총집합 카드

시험 직전이나 틈틈이 암기 카드를 휴대하여 활용해 보세요.

이 책의 차례

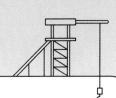

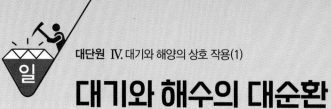

대기와 해수의 대순환

공부할 핵심 개념이 무엇인지 퀴즈를 통해 알아보자.

Quiz 대기 대순환은 ㅎ ㄷ ㄹ 순환, 페렐 순환, 극순환 3개의 순환 세포로 나눌 수 있다.

답 해들리

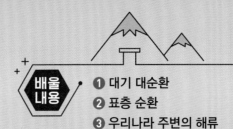

배울 내용
❶ 대기 대순환
❷ 표층 순환
❸ 우리나라 주변의 해류
❹ 심층 순환의 발생
❺ 대서양의 심층 순환

Quiz 아열대 순환을 일으키는 대기 대순환은 □ㅇ풍과 ㅍㅅ풍이다.

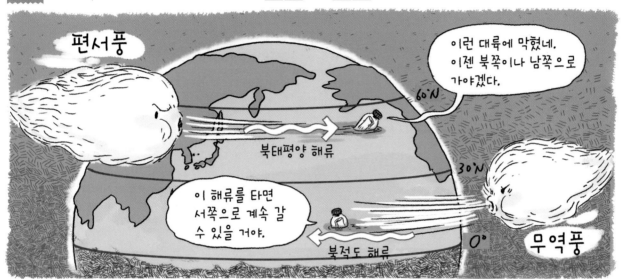

답 무역, 편서

Quiz 심층 순환이 일어나는 이유는 해수의 □ㄷ 차이 때문이다.

답 밀도

교과서 핵심 정리 ①

개념 1　대기 대순환

1 발생 원인　위도에 따른 에너지의 **❶**　이 발생하여 고위도에서는 에너지 부족, 저위도에서는 에너지 과잉이 일어나기 때문이다.

❶ 불균형

2 대기 대순환 모형　북반구와 남반구에 각각 3개의 **❷**　가 나타난다.

❷ 순환 세포

순환 세포	위도	지상 바람 (북반구에서 풍향)
극순환	60°~90°	극동풍(↙)
페렐 순환	30°~60°	**❸**　(↗)
해들리 순환	0°~30°	**❹**　(↙)

❸ 편서풍

❹ 무역풍

지구가 자전하지 않으면 적도와 극 사이에 순환 세포가 1개만 존재해 북반구에서는 북풍, 남반구에서는 남풍만 불 것이다.

개념 2　표층 순환

1 표층 순환　해양의 표층(수심 약 1 km 이내)에서 일어나는 해수의 순환이다.

2 발생 원인　대기 대순환, 지구의 자전, 대륙의 분포

3 해양의 표층 순환과 대기 대순환

① 아열대 순환: 무역풍과 **❺**　의 영향으로 형성된 해류로 이루어진 순환이다.

❺ 편서풍

　예 북태평양 아열대 순환: 북적도 해류 → **❻**　→ **❼**　→ 캘리포니아 해류

❻ 쿠로시오 해류

❼ 북태평양 해류

② 아한대 순환: 편서풍과 **❽**　의 영향으로 형성된 해류로 이루어진 순환으로, 북반구에서만 나타난다.

❽ 극동풍

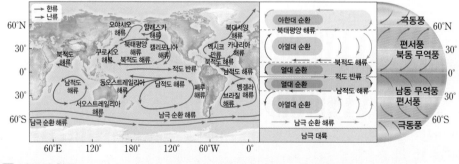

4 난류와 한류

구분	방향	수온	염분	영양 염류	**❾**
난류	저위도 → 고위도	높다	높다	적다	적다
한류	고위도 → 저위도	낮다	낮다	많다	많다

❾ 용존 산소량

1 그림은 지구에 입사하는 태양 복사 에너지와 방출하는 지구 복사 에너지를 (가)와 (나)로 순서 없이 나타낸 것이다.

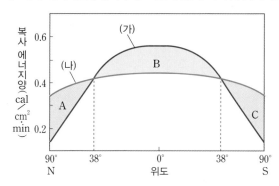

(1) (가), (나)에 해당하는 에너지를 각각 쓰시오.

(2) A, B, C 영역이 에너지 '과잉' 또는 '부족' 중 어느 것에 해당하는지 각각 쓰시오.

(3) 에너지 수송이 가장 활발하게 일어나는 위도를 쓰시오.

2 그림은 대기 대순환 모형을 나타낸 것이다.

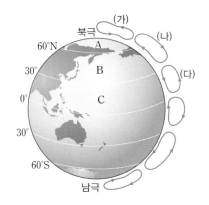

(1) 대기 대순환에 의해 A, B, C 지역에서 부는 지상 바람의 이름을 각각 쓰시오.

(2) (가), (나), (다) 순환 세포의 이름을 각각 쓰시오.

3 해양의 표층 순환에 대한 설명으로 옳은 것은 ○표, 옳지 않은 것은 ×표 하시오.

(1) 표층 순환의 형성에 영향을 주는 요인으로는 대기 대순환, 지구의 자전, 해수의 밀도 차 등이 있다.
( )

(2) 무역풍이 부는 해역에서는 표층 해류가 동쪽에서 서쪽으로 흐른다. ( )

(3) 쿠로시오 해류는 편서풍에 의해 형성된 해류이다.
( )

(4) 북태평양에서 아열대 순환은 시계 방향으로 나타난다. ( )

(5) 아한대 순환의 방향은 북반구와 남반구에서 서로 반대이다. ( )

(6) 표층 해류는 저위도의 남는 에너지를 고위도로 수송하는 역할을 한다. ( )

4 그림은 북태평양의 표층 순환을 나타낸 것이다.

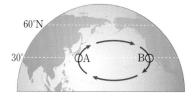

A 해역이 B 해역보다 값이 큰 물리량만을 〈보기〉에서 있는 대로 고르시오.

┌─────────────────────────────── 보기 ┐
| ㄱ. 수온 | ㄴ. 염분 |
| ㄷ. 영양 염류 | ㄹ. 용존 산소량 |
└──────────────────────────────────┘

개념 3 │ 우리나라 주변의 해류

1 난류 [❶ _____] 해류(우리나라 주변의 난류의 근원), 쓰시마 난류, 동한 난류, 황해 난류

2 한류 연해주 한류, [❷ _____] 한류

3 조경 수역 동해에서 동한 난류와 북한 한류가 만나서 형성되며, [❸ _____]에 따라 위치가 변한다.
　　💡 겨울에는 북상하고, 여름에는 남하한다.

❶ 쿠로시오

❷ 북한

❸ 계절

개념 4 │ 심층 순환

1 발생 원인 수온과 염분의 변화에 의한 [❹ _____] 차이로 발생한다.

2 심층 순환 극 주변 해역에서 냉각과 결빙으로 인한 밀도 증가로 해수가 [❺ _____] 한 후 저위도 쪽으로 이동하고, 표층으로 용승하여 **표층 순환과 연결된다.**
　　극지방에서 해수의 침강이 약화되어 심층 순환이 약해지면 표층 순환도 약해진다.

3 심층 순환의 특징과 역할

　① 표층 순환에 비해 속도가 매우 느리다.

　② [❻ _____]와 영양 염류를 심해에 공급한다.

　③ 표층 순환과 연결되어 지구 전체를 순환하며 에너지와 물질을 수송한다.

❹ 밀도

❺ 침강

❻ 용존 산소

개념 5 │ 대서양의 심층 순환

1 남극 저층수 남극 대륙 주변 [❼ _____]에서 냉각과 결빙으로 형성되며, 심층 해수 중에서 밀도가 가장 크다.

2 북대서양 심층수 그린란드 주변에서 침강하여 형성되며 남쪽으로 이동한다.

3 남극 중층수 남극 대륙 주변에서 형성되며, 표층수 아래에서 [❽ _____]으로 흐른다.

❼ 웨델해

❽ 북쪽

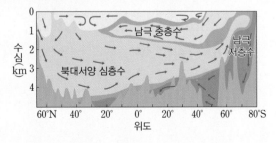

▲ 북대서양 심층 해수

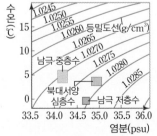

▲ 북대서양 심층 해수의 성질

기초 확인 문제

정답과 해설 **64**쪽

5 그림은 우리나라 주변의 해류를 나타낸 것이다.

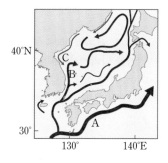

(1) 우리나라 주변 난류의 근원이 되는 해류의 기호와 이름을 쓰시오.

(2) 동해에 조경 수역을 형성하여 좋은 어장을 형성하는 두 해류의 기호와 이름을 쓰시오.

6 심층 순환의 발생 원리에 대한 설명이다. 알맞은 말을 고르시오.

해수의 밀도는 수온이 (높 , 낮)아지거나 염분이 (높 , 낮)아지면 증가하는데, 밀도가 커진 해수는 (침강 , 용승)하여 심층 순환을 형성한다. 이와 같이 심층 순환은 수온과 염분의 변화에 의해 형성되기 때문에 (염분 , 열염) 순환이라고도 한다.

7 그림은 대서양을 이루는 수괴의 성질을 수온 염분도에 나타낸 것이다.

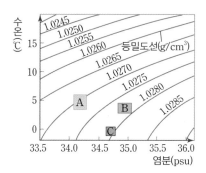

A, B, C 수괴의 ㉠수온, ㉡염분, ㉢밀도를 각각 비교하시오.

8 그림은 대서양의 주요 수괴와 이동 방향을 나타낸 것이다.

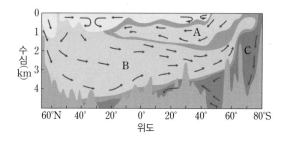

(1) A, B, C 수괴의 이름을 각각 쓰시오.

(2) A, B, C 수괴의 밀도가 큰 것부터 순서대로 기호를 나열하시오.

9 그림은 지구 전체의 해수 순환을 모식적으로 나타낸 것이다.

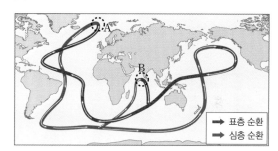

A, B 해역을 용승 해역과 침강 해역으로 구분하시오.

10 해수의 순환에 대한 설명으로 옳은 것은 ○표, 옳지 않은 것은 ×표 하시오.

(1) 표층 순환과 심층 순환은 별개로 존재한다.

( )

(2) 저위도에서 고위도로 에너지를 수송하는 역할을 한다.

( )

(3) 지구 온난화가 심화되면 해양의 순환은 더 강해진다.

( )

1일 내신 기출 베스트

대표 예제 1 · 대기 대순환

그림은 북반구의 대기 순환을 나타낸 모식도이다.

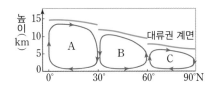

이에 대한 설명으로 옳은 것만을 〈보기〉에서 있는 대로 고르시오.

▶ 보기 ◀
ㄱ. 직접 순환은 A와 C이다.
ㄴ. B 순환에 의해 지상에는 극동풍이 분다.
ㄷ. 30°N 지역의 지상에는 고압대가 형성된다.

개념 가이드

대기 대순환에서 저위도, 중위도, 고위도의 지상에서 부는 바람의 이름은 각각 ☐ , ☐ , 극동풍이다.
🅐 무역풍, 편서풍

대표 예제 2 · 위도별 에너지 차이

그림은 위도별 에너지 수지와 이동을 나타낸 것이다.
이에 대한 설명으로 옳은 것만을 〈보기〉에서 있는 대로 고르시오.

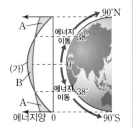

▶ 보기 ◀
ㄱ. A는 에너지 부족, B는 에너지 과잉이다.
ㄴ. 에너지의 이동은 적도 지방에서 가장 활발하다.
ㄷ. (가)가 위도별로 다른 이유는 지구가 구형이기 때문이다.

개념 가이드

고위도에서는 에너지 ☐ 이, 저위도에서는 에너지 ☐ 이 발생해 저위도에서 고위도로 에너지가 이동한다.
🅐 부족, 과잉

대표 예제 3 · 표층 순환과 대기 대순환

그림은 전 세계 표층 해류를 나타낸 것이다.
이에 대한 설명으로 옳은 것은?

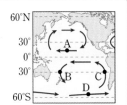

① A는 북태평양 해류이다.
② B는 한류이다.
③ C는 용존 산소량과 영양 염류가 적다.
④ D는 편서풍에 의해 형성된다.
⑤ B, C, D는 아한대 순환을 이룬다.

개념 가이드

무역풍에 의해 형성된 해류는 ☐ 쪽으로 흐르고, 편서풍에 의해 형성된 해류는 ☐ 쪽으로 흐른다.
🅐 서, 동

대표 예제 4 · 한류와 난류

그림은 북반구의 표층 순환을 나타낸 것이다.

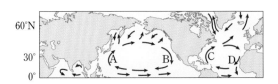

이에 대한 설명으로 옳은 것만을 〈보기〉에서 있는 대로 고르시오.

▶ 보기 ◀
ㄱ. A는 B보다 수온이 높다.
ㄴ. A와 C는 B와 D보다 용존 산소량이 많다.
ㄷ. A~D는 대기 대순환에 의해 형성되었다.

개념 가이드

저위도에서 고위도로 흐르는 해류는 ☐ , 고위도에서 저위도로 흐르는 해류는 ☐ 이다.
🅐 난류, 한류

대표 예제 5 　 우리나라 주변의 해류

우리나라 주변의 해류에 대한 설명으로 옳지 않은 것은?

① 동한 난류는 저위도에서 고위도로 흐른다.

② 동해에는 한류와 난류가 만나는 해역이 있다.

③ 황해에는 유속이 빠르고 뚜렷한 해류가 존재한다.

④ 우리나라 주변의 난류는 쿠로시오 해류에서 갈라져 나온 것이다.

⑤ 겨울철 동해안이 같은 위도의 다른 지역보다 따뜻한 것은 동한 난류의 영향 때문이다.

개념 가이드

동해에는 동한 난류와 [　　　　] 한류가 흐르고, 황해에는 [　　　　] 난류가 흐른다.

답 북한, 황해

대표 예제 6 　 심층 순환의 발생 원리

그림은 심층 순환의 발생 원리를 알아보기 위한 실험 장치를 나타낸 것이다. 실험 결과 A가 B의 아래로 침강하는 것을 관찰하였다.

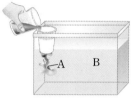

다른 조건이 동일하다고 할 때, A가 B보다 큰 물리량을 모두 고르면? (2개)

① 수온　　　② 염분　　　③ 밀도

④ 유속　　　⑤ 탁도

개념 가이드

수온이 [　　　　]을수록, 염분이 [　　　　]을수록 해수의 밀도가 크다.

답 낮, 높

대표 예제 7 　 대서양 심층 순환

그림은 대서양의 심층 순환을 나타낸 모식도이다. 이에 대한 설명으로 옳은 것만을 〈보기〉에서 있는 대로 고르시오.

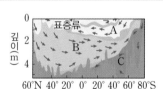

● 보기 ●

ㄱ. A는 B보다 밀도가 크다.

ㄴ. B는 북반구 고위도 해역에서 형성된다.

ㄷ. C는 북쪽으로 이동한다.

개념 가이드

그린란드 부근 해역에서 북대서양 심층수가 형성되고, 남극 대륙 주변 해역에서는 [　　　　]와 [　　　　]가 형성된다.

답 남극 중층수, 남극 저층수

대표 예제 8 　 표층 순환과 심층 순환의 관계

그림은 표층 순환과 심층 순환을 간단히 나타낸 모식도이다. 이에 대한 설명으로 옳은 것만을 〈보기〉에서 있는 대로 고르시오.

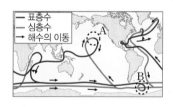

● 보기 ●

ㄱ. A 해역에서는 심층 해수의 용승이 일어난다.

ㄴ. B 해역에서는 해수의 냉각과 결빙이 일어난다.

ㄷ. 이와 같은 해수의 순환은 위도에 따른 에너지 불균형을 줄이는 역할을 한다.

개념 가이드

심층수가 [　　　　]하면 표층 해수로 되고, 표층 해수가 [　　　　]하면 심층수가 된다.

답 용승, 침강

엘니뇨와 기후 변화

공부할 핵심 개념이 무엇인지 퀴즈를 통해 알아보자.

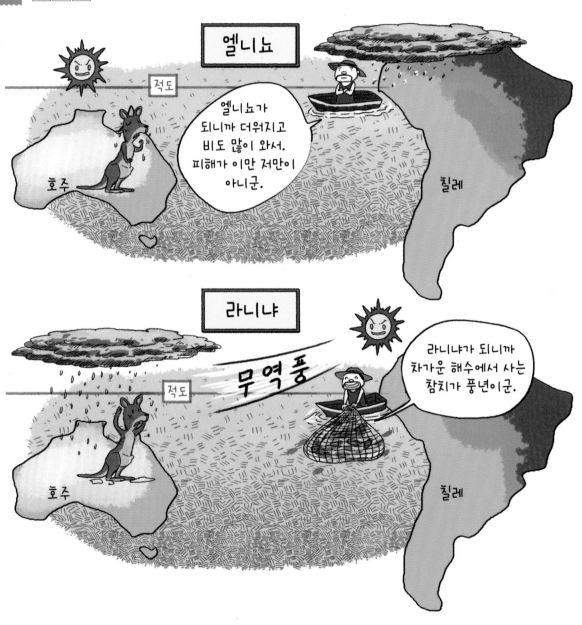

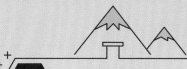

Quiz 천문학적 기후 변화 요인으로 ⬚⬚ 운동, 지구 자전축 경사각의 변화, 공전 궤도 이심률 변화 등이 있다.

🅰 세차

Quiz ⬚⬚⬚⬚는 대기 중 온실 기체에 의해 행성의 온도가 높아지는 효과이다.

🅰 온실 효과

2일 교과서 핵심 정리 ①

개념 1 용승과 침강

1 표층 해수의 이동 북반구에서는 바람 방향에 대해 오른쪽 직각 방향으로 이동한다.

2 용승 심층의 찬 해수가 표층으로 올라오는 현상

① 연안 용승: 지속적인 바람에 의해 표층 해수가 해안에서 먼 방향으로 이동할 때 용승이 일어난다. 예 북반구 대륙의 동해안에서 **❶** 풍이 지속적으로 불 때 ❶ 남

② 적도 용승: 적도에서 북동 무역풍과 남동 무역풍에 의해 용승이 일어난다.

③ 저기압 용승: 저기압 주변에서 표층 해수가 **❷** 하여 용승이 일어난다. ❷ 발산

3 침강 표층의 해수가 심층으로 가라앉는 현상

개념 2 엘니뇨와 라니냐

1 엘니뇨와 라니냐

구분	엘니뇨	라니냐
대기와 해수의 이동		
무역풍의 세기	**❸**	**❹**
표층 해수의 흐름	서쪽 → 동쪽	동쪽 → 서쪽

❸ 약하다
❹ 강하다

적도 부근 동태평양	용승	약하다	활발하다
	해수면 높이	높아진다	낮아진다
	표층 수온	**❺**	**❻**

❺ 높아진다
❻ 낮아진다

2 엘니뇨 남방 진동(엔소) 엘니뇨, 라니냐 시기에 적도 지역의 표층 수온 변화와 기압 배치가 깊은 연관성이 있어 함께 묶어서 엘니뇨 남방 진동 또는 엔소(ENSO)라고 한다.

구분	엘니뇨 시기		라니냐 시기	
	서태평양	동태평양	서태평양	동태평양
기압 배치	**❼**	**❽**	저기압	고기압
강수량	감소	증가	증가	감소
남방 진동 지수	음(−)의 값		양(+)의 값	

❼ 고기압
❽ 저기압

└(남태평양 타히티의 기압 편차−호주 북부 다윈의 기압 편차)/표준 편차

1 해수의 이동에 대한 설명이다. 빈칸에 알맞은 말을 고르시오.

(1) 해수 표면에서 바람이 일정한 방향으로 지속적으로 불 때 북반구에서 표층 해수는 (왼쪽 , 오른쪽) 직각 방향으로 이동한다.

(2) 우리나라 동해안에서 남풍이 지속적으로 불면 (용승 , 침강)이 일어난다.

2 용승 해역에 대한 설명으로 옳지 <u>않은</u> 것은?

① 주변보다 수온이 낮다.
② 수온 약층의 깊이가 얕아진다.
③ 심해에서 영양 염류가 공급된다.
④ 적도 해역에서는 편서풍에 의해 용승이 일어난다.
⑤ 태풍에 의해 표층 해수가 발산하면 용승이 일어난다.

3 엘니뇨가 발생했을 때 나타나는 현상으로 옳은 것은 O표, 옳지 <u>않은</u> 것은 ×표 하시오.

(1) 적도 부근 동태평양의 표층 수온이 평소보다 높다. ( )

(2) 적도 부근 동태평양에서 용승이 활발해진다. ( )

(3) 무역풍의 세기가 약화된다. ( )

(4) 남적도 해류와 북적도 해류의 세기가 강해진다. ( )

(5) 적도 부근 동태평양 해역의 강수량이 증가한다. ( )

4 엘니뇨와 남방 진동에 대한 설명이다. 빈칸에 알맞은 말을 쓰시오.

(1) 적도 부근 동태평양의 표층 수온이 평년보다 높은 상태로 유지되는 현상을 ( )라고 한다.

(2) 열대 태평양의 동서 방향에서 나타나는 거대한 대기 순환을 ( )이라고 한다.

(3) 열대 태평양의 동서 기압 배치가 수년에 걸쳐 바뀌는 현상을 ( )이라고 한다.

5 그림 (가)와 (나)는 엘니뇨와 라니냐 시기의 표층 수온 분포를 순서 없이 나타낸 것이다.

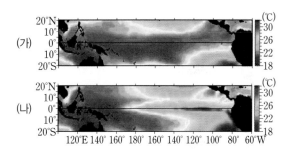

(가), (나) 중 엘니뇨 시기의 표층 수온 분포를 나타낸 것을 고르시오.

6 다음은 엘니뇨의 발생 과정을 설명한 것이다. 빈칸에 들어갈 알맞은 말을 고르시오.

무역풍이 (약화 , 강화)되면 서쪽으로 흐르는 적도 해류가 (약 , 강)해지고, 상승 기류가 일어나는 해역이 (동쪽 , 서쪽)으로 이동하여 적도 부근 동태평양 지역의 강수량이 (증가 , 감소)한다.

개념3 기후 변화 요인

1 천문학적 요인(지구 외적인 요인) 태양 활동, 세차 운동(지구 자전축 경사 방향의 변화), 지구 자전축 경사각의 변화, 지구 공전 궤도 이심률의 변화 등

세차 운동 주기 약 26000년	자전축 경사 방향이 반대가 되면 원일점과 근일점에서의 **❶** [ ]이 반대가 된다 └─약 13000년 전 또는 후	**❶** 계절
자전축 경사각의 변화 주기 약 41000년	자전축 경사각이 커지면 계절에 따른 태양의 남중 고도 차이가 커져 기온의 연교차가 **❷** [ ]한다	**❷** 증가
공전 궤도 이심률의 변화	공전 궤도 이심률이 커지면 원일점과 근일점 사이의 거리가 멀어진다 예 이심률이 커질 때 기온의 연교차: 북반구 감소, 남반구 증가	

2 지구 내적인 요인 빙하 형성(반사율 증가 → 기온 **❸** [   ]), 화산재 방출(햇빛 차단 → 기온 하강), 수륙 분포의 변화(기후 및 해류 분포 변화) 등

❸ 하강

3 인위적 요인 온실 기체(**❹** [   ], 메테인 등) 배출 → 지구 온난화

❹ 이산화 탄소

개념4 지구의 열수지

1 지구 복사 평형 지구 전체, 대기, 지표에서 각각 에너지의 흡수량과 방출량이 같아 복사 평형 상태를 이룬다.

구분	흡수량	방출량
지구 전체(70)	100−30	4+66
대기(154)	**❺** [ ]	66+88
지표(133)	45+88	133

❺ 25+129

2 온실 효과 지표가 방출한 에너지의 대부분을 대기가 흡수하고, 일부를 지표로 재방출하여 지표 온도를 높이는 현상이다.

개념5 지구 온난화

1 지구 온난화의 주요 원인 인간 활동에 의해 대기 중 **❻** [   ]의 농도 증가

❻ 온실 기체

2 지구 온난화의 영향

① 평균 기온 상승, 해수의 온도 상승

② 빙하 면적 **❼** [   ], 해수의 열팽창 → 해수면 높이 **❽** [   ], 육지 면적 감소

❼ 감소

③ 강수량 증가, 이상 기후(폭풍, 홍수, 가뭄 등) 발생 횟수 증가

❽ 상승

7 그림은 지구 공전 궤도 이심률의 변화를 나타낸 것이다.

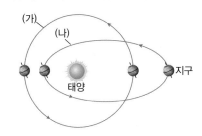

공전 궤도 이심률의 변화에 따른 기후 변화에 대한 설명으로 옳은 것은 ○표, 옳지 <u>않은</u> 것은 ×표 하시오.

(1) 우리나라에서 기온의 연교차는 (가)가 (나)보다 크다. ( )

(2) (나)에서 근일점을 지날 때 북반구는 여름이다. ( )

(3) (가)가 (나)보다 이심률이 크다. ( )

8 다음은 자전축 경사각에 따른 기후 변화에 대한 설명이다. 알맞은 말을 고르시오.

> 다른 요인이 같다면, 지구 자전축의 경사각이 클수록 기온의 연교차는 더 (커진다 , 작아진다).

9 기후 변화의 지구 내적 요인과 인위적인 요인 중에서 지구의 평균 기온을 상승시키는 요인을 모두 고르면? (3개)

① 가축 사육 증가
② 빙하 면적의 감소
③ 화석 연료의 사용 증가
④ 신재생 에너지의 비율 증가
⑤ 화산 폭발로 인한 화산재 방출

10 그림은 지구의 열수지를 나타낸 것이다. 알맞은 값을 구하시오.

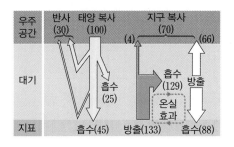

(1) 지표와 대기에서 반사되는 양

(2) 지표에서 방출되는 에너지 중에서 대기에 흡수되는 양

(3) 대기가 태양과 지표로부터 흡수하는 에너지의 합

11 온실 효과와 지구 온난화에 대한 설명으로 옳은 것은 ○표, 옳지 <u>않은</u> 것은 ×표 하시오.

(1) 온실 기체는 가시광선을 잘 통과시키고 적외선을 잘 흡수한다. ( )

(2) 온실 기체의 농도가 증가하는 시기와 온실 효과가 커지는 시기는 대략 일치한다. ( )

(3) 지구 온난화의 주된 요인은 인간에 의한 화석 연료 사용량의 증가이다. ( )

(4) 지구 온난화가 지속되면 육지 면적이 증가한다. ( )

대표 예제 1 용승과 침강

그림은 북반구 어느 해안 지역의 연직 수온 분포를 나타낸 것이다. 이에 대한 설명으로 옳은 것은?

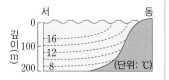

① 북풍이 지속적으로 불고 있다.
② 해수의 침강 현상이 나타난다.
③ 표층 해수가 서에서 동으로 이동한다.
④ 표층 수온은 연안이 먼 바다보다 높다.
⑤ 해안 지역의 기온이 평소보다 높아졌다.

개념 가이드

북반구에서 바람이 지속적으로 불 때 표층 해수는 바람이 부는 방향의 [   ]쪽 [   ] 방향으로 이동한다.

답 오른, 직각

대표 예제 2 엘니뇨와 라니냐

그림 (가)와 (나)는 엘니뇨와 라니냐 시기의 열대 태평양 해역의 표층 수온 분포를 순서 없이 나타낸 것이다.

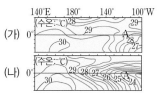

이에 대한 설명으로 옳은 것만을 〈보기〉에서 있는 대로 고르시오.

> **보기**
>
> ㄱ. 무역풍의 세기는 (가) 시기에 약했다.
> ㄴ. (가)는 엘니뇨, (나)는 라니냐 시기이다.
> ㄷ. A 해역의 난수층 두께는 (나) 시기에 감소한다.

개념 가이드

엘니뇨 시기에 무역풍의 세기가 [   ]해지고 동태평양의 표층 수온이 [   ]진다.

답 약, 높아

대표 예제 3 엘니뇨와 대기 순환

평상시와 비교하여 엘니뇨 시기에 열대 태평양 지역에 나타나는 변화로 옳은 것은?

① 동태평양 연안의 용승이 강해진다.
② 동태평양 지역에 가뭄이 발생한다.
③ 서태평양 지역의 상승 기류가 강화된다.
④ 서태평양 지역의 평균 기압이 감소한다.
⑤ 상승 기류가 나타나는 곳이 동쪽으로 이동한다.

개념 가이드

평상시에는 열대 동태평양 해역에 [   ]기압, 서태평양 해역에 [   ]기압이 형성된다.

답 고, 저

대표 예제 4 엘니뇨와 라니냐

그림은 적도 부근 동태평양 해역의 표층 수온 편차(관측값-평균값)를 나타낸 것이다. 이에 대한 설명으로 옳은 것만을 〈보기〉에서 있는 대로 고르시오.

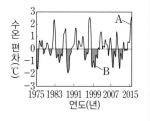

> **보기**
>
> ㄱ. A는 라니냐, B는 엘니뇨 시기이다.
> ㄴ. 동태평양의 강수량 편차는 A 시기에 (+)이다.
> ㄷ. 인도네시아에서 가뭄 피해는 A 시기가 B 시기보다 빈번하다.

개념 가이드

엘니뇨 시기에는 적도 부근 동태평양 해역에 [   ]기류가 발달하고, 강수량이 [   ]한다.

답 상승, 증가

2일

대표 예제 5   기후 변화의 요인

지구 기후 변화에 대한 설명으로 옳은 것은?

① 수륙 분포의 변화는 기후 변화의 지구 외적 요인이다.

② 공전 궤도 이심률의 변화는 기후 변화의 지구 내적 요인이다.

③ 화산재는 대기 투과율을 변화시켜 지구의 기온을 상승시킨다.

④ 산업화 이후 기후 변화의 주된 요인은 인간 활동에 의한 것이다.

⑤ 밀란코비치는 지구 내적인 요인을 이용하여 빙하기가 나타나는 이유를 설명하였다.

개념 가이드

기후 변화 요인 중 화산 폭발은 지구 [   ]적 요인이고, 세차 운동은 지구 [   ]적 요인이다.

답 내, 외

대표 예제 6   기후 변화의 천문학적인 요인

그림은 현재와 미래의 지구 자전축 변화를 나타낸 것이다.

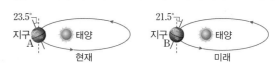

이에 대한 설명으로 옳은 것만을 〈보기〉에서 있는 대로 고르시오.

━ 보기 ━

ㄱ. 현재 A 위치에서 북반구는 겨울이다.

ㄴ. 미래에는 원일점 부근에서 북반구가 여름이 된다.

ㄷ. 자전축 경사각만 고려하면, 현재보다 미래에 북반구의 기온의 연교차가 크다.

개념 가이드

공전 궤도에서 지구가 태양에 가장 가까운 지점을 [   ], 가장 먼 지점을 [   ]이라고 한다.

답 근일점, 원일점

대표 예제 7   온실 효과

그림은 대기가 있을 때와 없을 때의 지구 복사 평형을 나타낸 것이다. 이에 대한 설명으로 옳은 것만을 〈보기〉에서 있는 대로 고르시오.

(가)   (나)

━ 보기 ━

ㄱ. (가)는 (나)보다 복사 평형 온도가 높다.

ㄴ. (가)의 A는 가시광선이다.

ㄷ. (가)의 대기에서 온실 기체의 양이 증가하면 복사 평형 온도는 높아질 것이다.

개념 가이드

온실 효과는 [   ] 기체가 지표 복사를 흡수하고 지표로 재방출하여 복사 평형 온도가 [   ]지는 현상이다.

답 온실, 높아

대표 예제 8   지구 온난화

그림은 지구 온난화에 따른 환경 변화를 나타낸 것이다.

㉠~㉢에 들어갈 말을 옳게 짝지은 것은?

	㉠	㉡	㉢		㉠	㉡	㉢
①	감소	증가	상승	②	증가	증가	상승
③	감소	감소	하강	④	증가	감소	하강
⑤	감소	감소	상승				

개념 가이드

지구 온난화의 영향으로 해수면이 [   ]하고 육지와 빙하의 면적이 [   ]한다.

답 상승, 감소

3일

별의 물리량과 진화

공부할 핵심 개념이
무엇인지 퀴즈를
통해 알아보자.

Quiz 표면 온도가 ㄴ 은 별은 붉은색을 띠고, 표면 온도가 ㄴ 은 별은 파란색을 띤다.

답 낮, 높

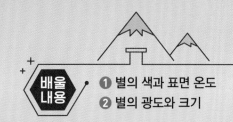
Quiz 별의 광도는 반지름의 ㅈㄱ과 표면 온도의 ㄴㅈㄱ에 비례한다.

Big

반지름

Small

표면 온도가 높을수록,
반지름이 클수록
별이 더 밝아.

HOT ←〰〰〰 표면 온도 〰〰〰→ WARM

답 제곱, 네제곱

Quiz 별의 진화 경로는 별의 ㅈㄹ에 따라 정해진다.

이런...우린 서로 질량이
달라서 같은 길을
갈 수 없게 되었어.

질량에 따라 달라지는 길

질량이
큰 성운

질량이
작은 성운

잘 가~

주계열성 → 초거성 → 초신성 → 중성자별 / 블랙홀

주계열성 → 적색 거성 → 행성상 성운 → 백색 왜성

답 질량

3일 교과서 핵심 정리 ①

개념 1 별의 색과 표면 온도

1 흑체 복사와 색지수

① 흑체 복사: 별이 최대 에너지를 방출하는 파장(λ_{max})은 **❶** 에 반비례한다.

$$\lambda_{max} = \frac{a}{T} \, (\lambda_{max}: \text{최대 에너지를 방출하는 파장}, T: \text{표면 온도})$$

② 색지수: 색지수(B−V) 값이 작을수록 표면 온도가 **❷** 은 별이다.

2 분광형과 표면 온도

① 별의 스펙트럼과 흡수선의 종류: O형 별은 이온화된 헬륨 흡수선이 강하고, A형 별은 **❸** 흡수선이 강하며, 표면 온도가 낮은 별은 분자 흡수선이 강하다.

② **❹** : 스펙트럼에 나타난 흡수선의 종류와 세기를 기준으로 표면 온도가 높은 것부터 순서대로 O, B, A, F, G, K, M형으로 분류한다.

분광형	O	B	A	F	G	K	M
색깔	파란색	청백색	흰색	황백색	노란색	주황색	붉은색
표면 온도	높다 ◄─────────────────────► 낮다						

❶ 표면 온도

❷ 높

❸ 중성 수소

❹ 분광형

개념 2 별의 광도와 크기

1 광도 별이 단위 시간 동안 방출하는 에너지양으로, **❺** 을 알 수 있다.

$$L = 4\pi R^2 \cdot \sigma T^4 \, (L: \text{광도}, R: \text{반지름}, T: \text{표면 온도})$$

2 별의 반지름 별의 광도와 **❻** 를 알면 반지름을 알 수 있다.

별의 반지름은 광도의 제곱근에 비례하고, 표면 온도의 제곱에 반비례한다.

❺ 절대 등급

❻ 표면 온도

개념 3 H-R도와 별의 종류

1 H-R도 세로축을 밝기(광도, 절대 등급), 가로축을 표면 온도(분광형, **❼**)로 하여 별의 분포를 나타낸 도표이다.

2 주계열성 H-R도의 왼쪽 위에서 오른쪽 아래로 이어지는 대각선의 띠 영역에 분포한다. 왼쪽 위로 갈수록 질량, 광도, 반지름이 크다.

3 적색 거성 H-R도에서 **❽** 의 오른쪽 위에 분포한다.

4 초거성 H-R도에서 적색 거성보다 위에 분포한다.

5 백색 왜성 H-R도에서 왼쪽 아래에 분포한다.

❼ 색지수

❽ 주계열성

1 그림은 두 별 A와 B의 파장에 따른 에너지 세기를 나타낸 것이다.

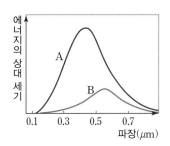

두 별의 표면 온도와 밝기를 비교하여 빈칸에 부등호를 쓰시오.

(1) 표면 온도: A (   ) B

(2) 밝기: A (   ) B

2 스펙트럼의 종류에 대한 설명이다. 빈칸에 알맞은 말을 쓰시오.

(1) 흑체에서는 (   ) 스펙트럼이 나타난다.

(2) 별에서 나온 빛이 별의 대기를 지나면서 일부 흡수되어 (   ) 스펙트럼이 형성된다.

3 표는 별 (가), (나), (다)의 반지름과 표면 온도를 비교한 것이다. 빈칸에 알맞은 말을 쓰시오.

별	(가)	(나)	(다)
반지름	R	R	$2R$
표면 온도	T	$2T$	$2T$

(1) 별의 광도는 (나)가 (가)보다 (   )배 크다.

(2) 별의 광도는 (다)가 (나)보다 (   )배 크다.

4 표는 별 (가)와 (나)의 물리량을 나타낸 것이다.

별	B등급	V등급	분광형
(가)	3	2	K
(나)	3	1	

(1) 별 (가)의 색지수를 구하시오.

(2) 별 (나)의 분광형으로 가장 적절한 것은?
  ① O ② A ③ F ④ G ⑤ M

5 H-R도에 대한 설명으로 옳은 것은?

① 가로축에는 절대 등급을 나타낸다.
② 세로축 위로 갈수록 광도가 작아진다.
③ 백색 왜성은 왼쪽 위 영역에 분포한다.
④ 주계열성은 왼쪽 위에서 오른쪽 아래 대각선으로 나타난다.
⑤ 주계열성 중 오른쪽 아래 영역의 별은 파란색을 띤다.

6 별의 종류와 특징에 대한 설명이다. 빈칸에 알맞은 말을 고르시오.

(1) (백색 왜성 , 적색 거성)은 H-R도에서 왼쪽 아래에 분포한다.

(2) H-R도에서 왼쪽 위에 위치한 주계열성일수록 광도가 (작 , 크)고, 표면 온도가 (낮 , 높)으며, 질량이 (작 , 크)다.

(3) 적색 거성은 표면 온도가 비교적 (낮 , 높)지만, 반지름이 (작아 , 커)서 광도가 (작 , 크)다.

(4) 초거성은 적색 거성보다 H-R도에서 (위 , 아래)에 분포한다.

3 **교과서 핵심 정리 ②**

개념 **3** 별의 진화

1 별의 탄생

① 온도가 낮고 밀도가 큰 성운에서 성간 물질이 중력 수축하여 원시별이 된다.

② 원시별이 **❶** 에 의해 반지름은 감소, 밀도는 증가, 온도는 상승한다. ❶ 중력 수축

③ 중심부 온도가 약 1000만 K에 도달하면 수소 핵융합 반응이 시작된다.

2 주계열 단계

① 중심부에서 **❷** 핵융합 반응이 일어나는 단계이다. ❷ 수소

② 중력과 기체 압력 차로 발생한 힘이 평형을 이루는 **❸** 상태를 유지한다. ❸ 정역학 평형

③ 별의 일생 중 대부분의 시간을 차지한다.

④ 질량이 클수록 광도와 반지름이 **❹** 고 진화 속도가 빨라 수명이 짧으며, ❹ 크

H-R도에서 왼쪽 위에 위치한다.

3 거성 단계

① 주계열성의 중심핵에서 수소 핵융합 반응이 끝나면 중심부가 수축하고 별의 겉 부

분이 팽창하여 거성으로 진화한다.

② 중심부에서는 **❺** 핵융합 반응이 일어나고, 중심부를 둘러싼 수소 껍질은 ❺ 헬륨

가열되어 수소 핵융합 반응이 일어난다.

③ 별의 바깥층은 팽창하여 반지름과 **❻** 가 증가하고, 표면 온도는 낮아져 붉 ❻ 광도

게 보인다.

4 별의 최종 단계

① 질량이 태양 정도인 별: 거성 단계가 끝나면 별은 팽창과 수축을 반복하면서 별의

외곽층 물질이 우주 공간으로 방출되어 행성상 성운이 되고, 중심부는 수축하여

밀도가 크고 표면 온도가 높은 **❼** 이 된다. ❼ 백색 왜성

② 질량이 태양보다 매우 큰 별: 초거성 단계를 거쳐 **❽** 폭발을 일으킨 후 중심 ❽ 초신성

부는 극심하게 수축하여 밀도가 매우 큰 중성자별이 되고, 질량이 더 큰 별은 밀도

가 훨씬 큰 **❾** 이 된다. ❾ 블랙홀

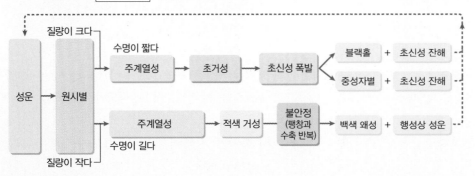

7 별의 진화 과정에 대한 설명이다. 빈칸에 알맞은 말을 쓰시오.

(1) 태양과 질량이 비슷한 별의 진화 과정은 주계열성 → (   ) → 행성상 성운 → (   )이다.

(2) 태양보다 질량이 매우 큰 별의 진화 과정은 주계열성 → (   ) → (   ) 폭발 → (   ) 또는 (   )이다.

8 별의 탄생 과정에 대한 설명으로 옳은 것은?

① 성운은 수축할수록 밀도가 감소한다.
② 성운은 외부의 힘에 의해 서서히 수축한다.
③ 성운의 초기 질량이 클수록 빠르게 진화한다.
④ 별은 일생 중 원시별 단계에서 가장 오래 머무른다.
⑤ 원시별의 중심부에서는 수소 핵융합 반응이 일어난다.

9 그림은 원시별 A와 B가 주계열성으로 진화하는 과정을 H-R도에 나타낸 것이다.

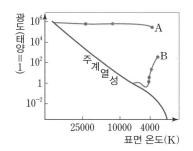

(1) A, B 중 질량이 더 큰 별을 고르시오.

(2) A, B 중 주계열성이 된 후 수명이 더 긴 별을 고르시오.

10 그림은 H-R도에 별들을 종류에 따라 (가), (나), (다)로 분류하여 나타낸 것이다.

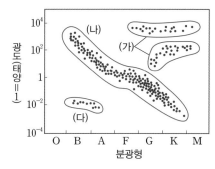

(가), (나), (다) 별을 진화가 일어난 순서대로 기호를 나열하시오.

11 별의 진화 최종 단계에 해당하는 천체에 대한 설명이다. 천체의 종류를 쓰시오.

(1) 태양 정도의 질량을 가진 별이 적색 거성 단계를 지난 후 별의 바깥층이 우주 공간으로 방출되면서 형성된 둥근 고리 모양의 성운이다.

(2) 핵융합 반응이 완전히 종료된 별에서 수축된 중심부가 노출된 천체로, 표면 온도가 매우 높아 흰색에 가깝다.

(3) 초신성 폭발 후 중심부에 남은 천체로, 중력이 매우 커서 빛조차 탈출할 수 없는 천체이다.

대표 예제 **1** 별의 색과 표면 온도

그림은 거리가 같은 두 별 (가)와 (나)의 파장별 에너지 분포와 B, V필터를 통과하는 파장 영역을 나타낸 것이다. 이에 대한 설명으로 옳은 것은?

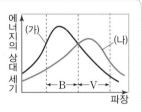

① B등급은 (가)가 (나)보다 크다.

② V등급은 (가)가 (나)보다 크다.

③ 별의 표면 온도는 (가)가 (나)보다 낮다.

④ 눈으로 볼 때 (나)가 (가)보다 더 푸르게 보인다.

⑤ 최대 세기의 에너지를 방출하는 파장은 (가)가 (나)보다 길다.

개념 가이드

표면 온도가 높은 별일수록 파장이 [   ] 빛을 상대적으로 강하게 방출하고, 색지수는 [   ] 진다.

답 짧은, 작아

대표 예제 **2** 흡수선의 세기와 분광형

그림은 별의 분광형에 따른 흡수선의 종류와 세기를 나타낸 것이다. 이에 대한 설명으로 옳은 것만을 〈보기〉에서 있는 대로 고르시오.

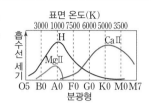

보기

ㄱ. 붉은색 별에서는 수소 흡수선이 매우 강하다.

ㄴ. G0형 별에서는 이온화된 칼슘의 흡수선이 가장 강하다.

ㄷ. 수소와 이온화된 마그네슘 흡수선이 모두 강하게 나타나는 별은 표면 온도가 약 6000 K이다.

개념 가이드

별의 구성 성분은 거의 같지만 스펙트럼에서 [   ] 의 세기와 종류가 다른 이유는 [   ] 가 다르기 때문이다.

답 흡수선, 표면 온도

대표 예제 **3** 별의 광도와 크기

표는 별 A~C의 절대 등급과 색깔을 나타낸 것이다.

별 A~C에 대한 설명으로 옳은 것만을 〈보기〉에서 있는 대로 고르시오.

별	절대 등급	색깔
A	−5	적색
B	15	백색
C	9	적색

보기

ㄱ. A는 C보다 반지름이 크다.

ㄴ. 광도가 가장 큰 별은 B이다.

ㄷ. 표면 온도가 가장 높은 별은 B이다.

개념 가이드

별의 광도는 표면 온도가 [   ] 수록, 반지름이 [   ] 수록 크다.

답 높을, 클

대표 예제 **4** 별의 종류와 특징

그림은 H-R도에 별의 집단 A~D를 나타낸 것이다. 이에 대한 설명으로 옳은 것은?

① A는 B보다 밝다.

② B는 D보다 표면 온도가 높다.

③ 밀도가 가장 큰 집단은 A이다.

④ 반지름이 가장 큰 집단은 C이다.

⑤ 태양은 A → B → C → D 순으로 진화한다.

개념 가이드

H-R도에서 위쪽으로 갈수록 광도가 [   ] 고, 왼쪽으로 갈수록 표면 온도가 [   ] 다.

답 크, 높

대표 예제 5 **주계열성의 특징**

그림은 별의 진화 과정 중 어느 단계에서의 내부 구조를 나타낸 것이다. 이에 대한 설명으로 옳은 것은?

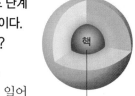

핵

수소 핵융합 반응

① 원시별 단계에 해당한다.
② 중심부에서 중력 수축이 일어난다.
③ 별의 겉 부분이 팽창하면서 붉은색으로 보인다.
④ 별은 일생 중 대부분의 시간을 이 단계에 머문다.
⑤ 질량이 매우 큰 별에서 진화 마지막 단계의 모습이다.

개념 가이드

주계열성은 중심부에서 [   ] 핵융합 반응이 일어나고, [   ] 평형 상태을 이루고 있다.

답 수소, 정역학

대표 예제 6 **별의 진화 과정**

그림은 별의 진화 과정 일부를 나타낸 것이다.

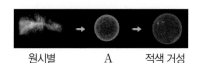

원시별   A   적색 거성

이에 대한 설명으로 옳은 것만을 〈보기〉에서 있는 대로 고르시오.

▶ 보기 ◀

ㄱ. A는 주계열성이다.
ㄴ. 중심부 온도는 A가 원시별보다 높다.
ㄷ. 적색 거성은 A보다 표면 온도가 낮다.

개념 가이드

주계열성이 적색 거성으로 진화하면서 중심부는 [   ] 하고 바깥층은 [   ] 한다.

답 수축, 팽창

대표 예제 7 H-R도와 별의 진화 과정

그림은 태양 정도의 질량을 가진 별의 탄생부터 종말까지의 과정을 H-R도에 나타낸 것이다. 이에 대한 설명으로 옳은 것만을 〈보기〉에서 있는 대로 고르시오.

광도

ⓒ
ⓛ
ⓐ
주계열
ⓔ

O B A F G K M
분광형

▶ 보기 ◀

ㄱ. ⓐ은 적색 거성 단계이다.
ㄴ. ⓛ → ⓒ 과정에서 별의 크기가 증가한다.
ㄷ. 가장 오래 머무는 과정은 ⓒ → ⓔ 단계이다.

개념 가이드

태양 정도의 질량을 가진 주계열성은 [   ] 단계를 거쳐 최종적으로 [   ] 이 된다.

답 적색 거성, 백색 왜성

대표 예제 8 **별의 진화 경로**

그림은 주계열성 이후의 진화 경로를 질량에 따라 구분하여 나타낸 것이다.

주계열성 ──A→ 적색 거성 ──→ 백색 왜성
        ──B→ 초거성 ──C→ 중성자별, 블랙홀

이에 대한 설명으로 옳지 <u>않은</u> 것은?

① A 과정에서 별의 광도가 증가한다.
② B 과정에서 별의 표면 온도가 증가한다.
③ A는 B보다 질량이 작은 별의 진화 경로이다.
④ C 과정에서 초신성 폭발이 일어난다.
⑤ C 과정을 지난 후 중심부 밀도가 증가한다.

개념 가이드

질량이 매우 큰 별은 [   ] 폭발 후, 중성자별 또는 [   ] 이 된다.

답 초신성, 블랙홀

4일

별의 에너지원과 외계 생명체 탐사

공부할 핵심 개념이 무엇인지 퀴즈를 통해 알아보자.

Quiz 외계 행성계의 탐사 방법에는 식 현상, 시선 속도, 미세 ㅈ ㄹ ㄹ ㅈ 효과 등을 이용한다.

답 중력 렌즈

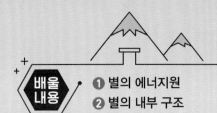

배울 내용
❶ 별의 에너지원
❷ 별의 내부 구조
❸ 외계 행성계의 탐사 방법
❹ 생명 가능 지대

Quiz 주계열성의 에너지원은 ㅅㅅㅎㅇㅎ 반응이다.

답 수소 핵융합

Quiz ㅇㅊ 상태의 물이 존재하는 행성에 생명체 존재 가능성이 가장 크다.

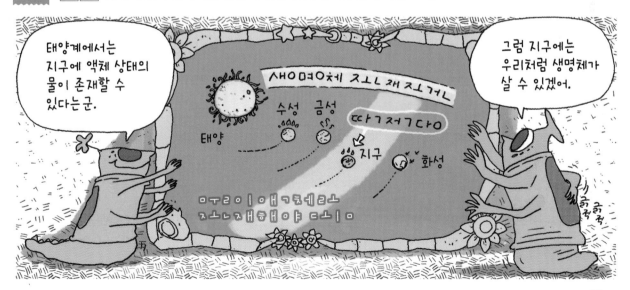

답 액체

4 교과서 핵심 정리 ①

개념 1 별의 에너지원

1 원시별의 에너지원 [❶   ] 에너지   ❶ 중력 수축

2 주계열성의 에너지원 [❷   ]에 의한 에너지   ❷ 수소 핵융합 반응

① 수소 핵융합 반응: 수소 원자핵(양성자) [❸   ]개가 결합하여 헬륨 원자핵 1개   ❸ 4
로 변하는 반응으로, 결손된 질량이 에너지로 전환된다.

양성자   양성자 중성자

4¹H   ⁴He   +   에너지

② 수소 핵융합 반응의 종류

- [❹   ] 반응(p-p 반응): 주로 질량이 태양 질량의 약 2배 이하이고, 중심부   ❹ 양성자·양성자
  온도가 약 1800만 K보다 낮은 별에서 우세하게 일어난다.

- 탄소·질소·산소 순환 반응(CNO 순환 반응): 주로 질량이 태양 질량의 약 2배
  이상 크고, 중심부 온도가 약 1800만 K보다 높은 별에서 우세하게 일어난다.
  └ 촉매로 이용

개념 2 별의 내부 구조

1 정역학 평형 주계열성은 [❺   ]과 기체의 압력 차로 발생한 힘이 평형을 이루어   ❺ 중력
일정한 크기를 유지하고 있다.

2 주계열성의 내부 구조

① 태양 질량의 2배 이하인 별: 중심핵, 복
사층, [❻   ]

② 태양 질량의 2배 이상인 별: [❼   ]
(중심핵), 복사층

     ❻ 대류층
     ❼ 대류핵

대류층   복사층   대류핵   중심핵   복사층

▲ 태양 질량의 2배 이하   ▲ 태양 질량의 2배 이상

3 거성의 내부 구조

① 질량이 태양 정도인 별: 헬륨 핵융합 반
응에 의해 중심부에 [❽   ] 핵이
생성된다.   ❽ 탄소

② 질량이 매우 큰 별: 초거성으로 진화하
여 핵융합 반응이 연속적으로 일어나
헬륨, 탄소, 네온, 산소, 규소가 생성되
고 마지막으로 [❾   ] 핵이 생성된다.   ❾ 철

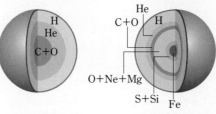

H, He, C+O   He, C+O, H, O+Ne+Mg, S+Si, Fe

▲ 질량이 태양 정도인   ▲ 질량이 매우 큰
별의 내부 구조   별의 내부 구조

1 원시별과 주계열성의 주요 에너지원을 쓰시오.

(1) 원시별: (　　　　　　　) 에너지

(2) 주계열성: (　　　　　　　)에 의한 에너지

2 다음 설명에 해당하는 수소 핵융합 반응의 종류를 쓰시오.

> 수소 원자핵 6개가 여러 반응 단계를 거치는 동안 헬륨 원자핵 1개를 생성하고 2개의 수소 원자핵을 방출하면서 에너지를 생성하는 핵융합 반응이다.

3 질량이 $3M$인 주계열성 (가)와 M인 주계열성 (나)의 물리량을 비교한 것으로 옳지 <u>않은</u> 것은? (단, M은 태양 질량이다.)

	(가)	(나)
① 광도	크다	작다
② 수명	짧다	길다
③ 반지름	크다	작다
④ 표면 온도	높다	낮다
⑤ 우세한 핵융합 반응	p-p 반응	CNO 순환 반응

4 그림은 주계열성의 내부에 작용하는 힘을 나타낸 것이다.

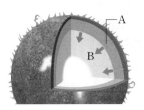

A, B에 해당하는 힘을 각각 쓰시오.

5 그림 (가)와 (나)는 각각 태양 질량 정도의 별과 질량이 매우 큰 별의 거성 마지막 단계의 내부 구조를 나타낸 것이다.

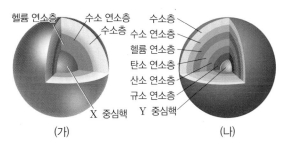

(가)　　　　　　　　　(나)

(1) X와 Y에 해당하는 원소를 쓰시오.

(2) (가)의 중심핵이 더 진화하여 마지막에 형성되는 천체의 이름을 쓰시오.

6 그림은 태양 질량 정도의 주계열성의 내부 구조를 에너지 전달 방식에 따라 나눈 것이다.

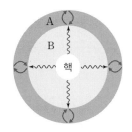

(1) A층에서 일어나는 에너지 전달 방식을 쓰시오.

(2) B층에서 일어나는 에너지 전달 방식을 쓰시오.

4일 교과서 핵심 정리 ②

개념3 외계 행성계 탐사 방법

1 시선 속도 변화 이용 행성과 중심별이 공통 질량 중심 주위를 같은 주기로 공전함에 따라 중심별의 스펙트럼에 파장 변화가 생긴다.

① 조건: 행성의 **❶**〔　　　〕이 시선 방향에 나란해야 한다.

② 중심별이 지구로 접근할 때는 **❷**〔　　　〕 편이, 멀어질 때는 **❸**〔　　　〕 편이가 나타난다.

③ 행성의 질량이 클수록 시선 속도 변화가 크다.

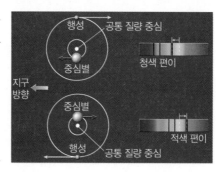

❶ 공전 궤도면

❷ 청색

❸ 적색

2 식 현상 이용 행성이 중심별 주위를 공전함에 따라 중심별의 **❹**〔　　　〕 변화가 나타난다.

① 조건: 행성의 공전 궤도면이 **❺**〔　　　〕 방향에 나란해야 한다.

② 행성의 반지름이 클수록 중심별의 밝기 변화가 크다.

③ 식이 발생하는 주기는 행성의 **❻**〔　　　〕와 같다.

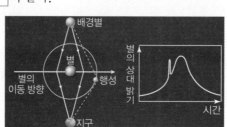

❹ 밝기

❺ 시선

❻ 공전 주기

3 미세 중력 렌즈 효과 이용 같은 방향에 있는 두 별 중 멀리 있는 배경별의 별빛이 앞쪽 별의 **❼**〔　　　〕에 의해 굴절되어 밝기가 밝아지고, 앞쪽 별에 행성이 존재하면 행성에 의해 추가로 밝기 변화가 나타난다. ─행성의 공전 궤도면과 관측자의 시선 방향이 나란하지 않아도 이용할 수 있다.

❼ 중력

개념4 생명체 존재 조건

1 행성에 생명체가 존재하기 위한 조건 액체 상태의 물, 적당한 두께의 대기와 자기장, 중심별의 적절한 질량 등

2 생명 가능 지대 별 주변에서 액체 상태의 **❽**〔　　　〕이 존재할 수 있는 영역이다.

① 중심별의 광도(질량)가 클수록 생명 가능 지대까지의 거리는 **❾**〔　　　〕지며, 폭은 넓어진다.

② 현재 태양계에서는 지구만 포함된다.

❽ 물

❾ 멀어

정답과 해설 **70쪽**

4일

7 다음은 외계 행성계의 탐사 방법을 나열한 것이다. 각 설명에 해당하는 탐사 방법을 골라 기호를 쓰시오.

> (가) 식 현상 이용
> (나) 시선 속도 변화 이용
> (다) 미세 중력 렌즈 효과 이용

(1) 행성이 중심별을 가릴 때 밝기 변화를 관측한다.

(2) 행성과 중심별이 공통 질량 중심을 중심으로 서로 공전할 때 중심별의 스펙트럼에서 나타나는 도플러 효과를 관측한다.

8 그림은 시선 속도 관측을 통한 외계 행성계의 탐사 방법을 나타낸 것이다.

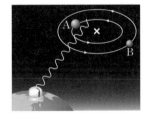

(1) A, B 중 관측해야 할 대상을 고르시오.

(2) A가 지구로 접근하는 시기에 지구에서 관측되는 별빛 스펙트럼의 파장 변화를 쓰시오.

9 식 현상을 이용한 외계 행성계의 탐사 방법에 대한 설명으로 옳은 것은 ○표, 옳지 <u>않은</u> 것은 ×표 하시오.

(1) 시선 방향과 행성의 공전 궤도면이 수직이어야 한다. ( )

(2) 식 현상이 일어날 때 중심별의 밝기가 감소한다. ( )

(3) 행성의 반지름과 공전 주기를 알 수 있다. ( )

10 미세 중력 렌즈 효과를 이용한 외계 행성 탐사 방법에 대한 설명으로 옳은 것은 ○표, 옳지 <u>않은</u> 것은 ×표 하시오.

(1) 앞쪽 별의 행성에 의해 배경별의 밝기가 더욱 어두워진다. ( )

(2) 배경별의 밝기 변화는 일정한 주기로 나타난다. ( )

(3) 행성의 공전 궤도면이 시선 방향과 수직일 때에도 이용할 수 있다. ( )

(4) 질량이 큰 행성일수록 미세 중력 렌즈 효과가 크게 나타난다. ( )

11 행성에 생명체가 탄생하여 진화하기에 유리한 조건으로 옳은 것은?

① 중심별의 수명이 길다.
② 공전 궤도가 긴 타원형이다.
③ 고체 상태의 물이 존재한다.
④ 자전 주기가 공전 주기와 같다.
⑤ 매우 두꺼운 대기를 가지고 있다.

12 생명 가능 지대에 대한 설명이다. 빈칸에 알맞은 말을 쓰시오.

(1) 태양계에서 생명 가능 지대에 속하는 행성은 ( )이다.

(2) 생명 가능 지대에서는 물이 ( ) 상태로 존재한다.

(3) 중심별의 질량이 클수록 중심별로부터 생명 가능 지대까지의 거리가 ( ).

대표 예제 1 수소 핵융합 반응

그림은 별의 내부에서 일어나는 핵융합 반응을 나타낸 것이다.
이에 대한 설명으로 옳지 않은 것은?

① 적색 거성의 중심부에서 일어난다.

② 수소 핵융합 반응을 나타낸 것이다.

③ p-p 반응과 CNO 순환 반응이 있다.

④ 손실된 질량만큼 에너지로 전환된다.

⑤ 수소 원자핵 4개의 질량의 합은 헬륨 원자핵 1개의 질량보다 크다.

개념 가이드

주계열성의 중심부에서는 4개의 [   ] 원자핵이 결합하여 1개의 [   ] 원자핵이 되는 핵융합 반응이 일어난다.

🅐 답 수소, 헬륨

대표 예제 2 별의 내부 구조

그림 (가)와 (나)는 내부 구조가 서로 다른 주계열성을 나타낸 것이다.
이에 대한 설명으로 옳은 것은?

(가)   (나)

① 질량은 (가)가 (나)보다 크다.

② 표면 온도는 (가)가 (나)보다 낮다.

③ 태양은 (가)와 같은 내부 구조를 가진다.

④ 별의 진화 속도는 (가)가 (나)보다 느리다.

⑤ CNO 순환 반응은 (가)보다 (나)에서 우세하다.

개념 가이드

질량이 태양 질량의 2배보다 큰 주계열성의 중심부에서는 [   ] 반응이 우세하며, 중심부에 [   ]이 존재한다.

🅐 답 CNO 순환, 대류핵

대표 예제 3 거성의 핵융합 반응과 내부 구조

그림은 어느 별의 내부에서 일어나는 핵융합 반응과 주요 구성 물질을 나타낸 것이다. 이에 대한 설명으로 옳은 것만을 〈보기〉에서 있는 대로 고르시오.

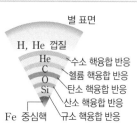

별 표면
H, He 껍질
He — 수소 핵융합 반응
C — 헬륨 핵융합 반응
O — 탄소 핵융합 반응
Si — 산소 핵융합 반응
Fe 중심핵 — 규소 핵융합 반응

─── 보기 ───

ㄱ. 질량이 태양보다 매우 큰 별이다.

ㄴ. 초신성 폭발을 한 후 백색 왜성이 남게 된다.

ㄷ. 중심부로 갈수록 핵융합 반응에 필요한 온도가 높다.

개념 가이드

질량이 매우 [   ] 별은 초거성 단계에서 [   ] 핵융합 반응을 통해 철이 만들어질 수 있다.

🅐 답 큰, 규소

대표 예제 4 별의 내부 구조

그림은 거성 초기 단계에 있는 질량이 태양 정도인 별에서 수소 핵융합 반응이 일어나고 있을 때의 내부 구조를 나타낸 것이다.
이에 대한 설명으로 옳은 것은?

수소 핵융합 반응
중심핵 He
A(중심부)
B(바깥층)

① A는 팽창한다.

② 별 전체의 지름이 감소한다.

③ 주계열성일 때보다 밝기가 감소한다.

④ A의 온도는 주계열성일 때보다 증가한다.

⑤ B는 기체 압력 차에 의한 힘보다 중력이 크다.

개념 가이드

별의 중심부에서 핵융합 반응이 중단되면 [   ]이 기체 압력 차로 발생한 힘보다 커서 [   ]이 일어난다.

🅐 답 중력, 수축

대표 예제 5 외계 행성계 탐사 방법

그림은 외계 행성계에서 중심별 주위를 공전하는 행성에 의한 중심별의 밝기 변화를 나타낸 것이다. 이에 대한 설명으로 옳은 것만을 〈보기〉에서 있는 대로 고르시오.

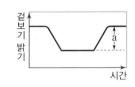

─────● 보기 ●─────

ㄱ. 행성의 지름이 클수록 a가 커진다.

ㄴ. 행성이 중심별의 뒤로 갈 때 중심별의 밝기가 극소가 된다.

ㄷ. 행성의 공전 궤도면이 시선 방향에 수직일 때 이용할 수 있다.

개념 가이드

행성이 중심별보다 앞에 있어 [   ]이 일어나는 동안 중심별의 밝기가 [   ]한다.

답 식 현상, 감소

대표 예제 6 외계 행성계 탐사 방법

그림은 중심별 주위를 공전하는 외계 행성을 나타낸 것이다.

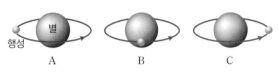

이에 대한 설명으로 옳은 것만을 〈보기〉에서 있는 대로 고르시오.

─────● 보기 ●─────

ㄱ. A 시기에 중심별은 적색 편이가 나타난다.

ㄴ. B 시기에 중심별의 밝기는 극소가 된다.

ㄷ. C 시기에 중심별은 지구에서 멀어진다.

개념 가이드

행성이 지구에 접근할 때 중심별은 지구와 [   ]지면서 [   ] 편이가 나타난다.

답 멀어, 적색

대표 예제 7 외계 행성계 탐사 방법

그림은 미세 중력 렌즈 효과에 의해 발생한 배경별의 밝기 변화를 나타낸 것이다. 이에 대한 설명으로 옳은 것만을 〈보기〉에서 있는 대로 고르시오.

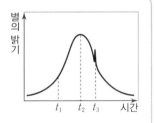

─────● 보기 ●─────

ㄱ. 앞쪽의 중심별에는 행성이 존재한다.

ㄴ. 이와 같은 현상은 주기적으로 반복된다.

ㄷ. t_3 시기에는 앞쪽의 중심별의 미세 중력 렌즈 효과에 의해 배경별의 밝기가 증가하였다.

개념 가이드

중심별은 행성보다 [   ]이 크므로 미세 중력 렌즈 효과에 의한 배경별의 밝기 증가 폭이 더 [   ].

답 질량, 크다

대표 예제 8 생명 가능 지대

그림은 중심별로부터 행성 A~C의 거리와 질량에 따른 생명 가능 지대의 분포를 나타낸 것이다. 이에 대한 설명으로 옳은 것은?

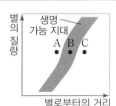

① A에는 물이 고체로 존재한다.

② 중심별이 태양이라면 지구는 B에 해당한다.

③ A~C 중 C의 복사 평형 온도가 가장 높다.

④ 중심별이 밝을수록 생명 가능 지대의 폭이 좁다.

⑤ 중심별의 밝기가 증가하면 A는 생명 가능 지대에 속할 수 있다.

개념 가이드

중심별에서 멀수록 행성의 복사 평형 온도는 [   ]지며, 생명 가능 지대보다 멀면 물이 [   ] 상태로 존재한다.

답 낮아, 고체

외부 은하와 우주 팽창

 공부할 핵심 개념이 무엇인지 퀴즈를 통해 알아보자.

Quiz 허블의 은하 분류 체계에 따라 분류할 때 우리 은하는 □ □ ㄴ ㅅ 은하에 속한다.

타원 은하

불규칙 은하

나선 은하

은하 연구의 대가인 허블
입니다. 모양에 따라 은하를
세 가지로 나눌 수 있겠습니다.
자세한 특징은 후배 연구자들
에게 맡깁니다.

답 막대 나선

배울 내용

❶ 허블의 은하 분류
❷ 특이 은하
❸ 허블 법칙과 우주 팽창
❹ 빅뱅 우주론과 급팽창 이론
❺ 우주의 구성 요소와 우주의 미래

Quiz 우주 배경 복사는 ⬜ ⬜ 우주론의 증거이다.

답 빅뱅

Quiz 우주의 구성 요소 중 가장 많은 양을 차지하는 것은 ⬜ ⬜ ⬜ ⬜ ⬜ 이다.

답 암흑 에너지

개념 1   허블의 은하 분류

1 허블의 은하 분류 기준   외부 은하를 ❶[   ]에 따라 분류하였다.

2 허블의 은하 분류

타원 은하	• 타원 모양의 은하로, ❷[ ] 정도에 따라 E0~E7로 세분한다 • 성간 물질이 거의 없으며, 늙고 붉은 별이 많다
나선 은하	• 은하 중심부에서 나선팔이 뻗어 나온 은하로, 은하핵을 가로지르는 막대 구조의 유무로 ❸[ ] 나선 은하와 막대 나선 은하로 구분한다 • 나선팔이 감긴 정도에 따라 S(B)a, S(B)b, S(B)c로 세분한다 • 나선팔에는 젊고 파란 별들이 많고, 팽대부에는 늙고 붉은 별들이 많다
불규칙 은하	• 일정한 모양을 가지고 있지 않은 은하 • ❹[ ]이 많고, 젊은 별들로 이루어져 있다

❶ 모양(형태)

❷ 납작한

❸ 정상

❹ 성간 물질

개념 2   특이 은하

1 세이퍼트은하   일반 은하에 비해 중심핵이 유난히 밝은 은하로, 스펙트럼에서 넓은 ❺[   ]이 나타나며, 대부분 나선 은하로 관측된다.

❺ 방출선

2 전파 은하   강한 ❻[   ]를 방출하는 은하로, 핵, 로브, 제트 구조를 가지며, 가시광선에서는 주로 타원 은하의 형태로 관측된다.

❻ 전파

3 퀘이사   거리가 매우 멀어 ❼[   ]가 아주 크게 나타나며 별처럼 관측된다. 가시광선과 전파 모두 강하게 방출되고, 스펙트럼에 넓은 방출선이 나타난다.

❼ 적색 편이

4 특이 은하의 공통점   특이 은하의 중심에는 블랙홀이 있는 것으로 추정된다.

개념 3   허블 법칙과 우주 팽창

1 외부 은하의 적색 편이   외부 은하는 대부분 ❽[   ]가 나타나며, 흡수선의 파장 변화량($\Delta\lambda$)을 측정하면 후퇴 속도(v)를 알 수 있다.

$$v = \frac{\Delta\lambda}{\lambda_0} \times c \ (\lambda_0: \text{원래 파장}, \ c: \text{빛의 속도})$$

❽ 적색 편이

2 허블 법칙   은하의 후퇴 속도(v)는 은하까지의 ❾[   ](r)에 비례한다. ➡ $v = H \cdot r$ (H: 허블 상수)

❾ 거리

3 우주의 나이   우주가 등속으로 팽창해왔다고 가정하면 우주의 나이는 ❿[   ]의 역수와 같다.

❿ 허블 상수

4 우주의 크기   광속으로 후퇴하는 은하까지의 거리로 생각할 수 있다.

1 외부 은하의 모양에 따른 분류와 특징에 대한 설명으로 옳은 것은 ○표, 옳지 않은 것은 ×표 하시오.

(1) 타원 은하는 납작한 정도에 따라 세분한다.
( )

(2) 나선 은하는 은하 원반, 팽대부, 나선팔로 이루어진다.
( )

(3) 불규칙 은하는 주로 나이가 많은 붉은색 별들로 이루어져 있다.
( )

2 그림은 외부 은하를 나타낸 것이다.

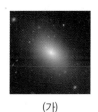  

(가)　　　　　(나)　　　　　(다)

(가), (나), (다) 은하를 허블의 은하 분류 기준에 따라 각각 분류하시오.

3 다음에서 설명하는 특이 은하의 종류를 쓰시오.

(1) 주로 나선 은하로 관측되며, 일반 은하에 비해 은하핵이 유난히 밝고, 스펙트럼에서는 넓은 방출선이 나타난다.

(2) 주로 타원 은하로 관측되며, 보통 은하의 수만 배에 이르는 강한 전파를 방출한다.

(3) 마치 별처럼 보이지만 적색 편이가 매우 크고, 스펙트럼에서는 강한 방출선이 나타난다.

4 그림은 어느 특이 은하의 스펙트럼을 나타낸 것이다.

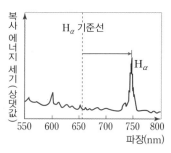

이 은하의 종류를 쓰시오.

5 허블 법칙과 우주 팽창에 대한 설명으로 옳은 것은 ○표, 옳지 않은 것은 ×표 하시오.

(1) 멀리 있는 외부 은하일수록 적색 편이가 크게 나타난다.
( )

(2) 허블 법칙은 우리 은하를 중심으로 했을 때만 성립한다.
( )

(3) 등속 팽창을 한다고 가정할 때 우주의 나이는 허블 상수의 역수와 같다.
( )

6 그림은 외부 은하의 거리와 후퇴 속도의 관계를 나타낸 것이다.

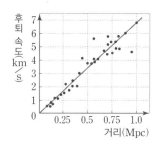

(1) 거리가 500 Mpc인 은하의 후퇴 속도(km/s)를 구하시오.

(2) 허블 상수(km/s/Mpc)를 계산하시오.

개념4 빅뱅 우주론과 급팽창 이론

1 빅뱅 우주론 우주는 고온·고밀도의 한 점에서 팽창하였으며, 우주가 팽창함에 따라 밀도와 온도가 감소하였다.

① 빅뱅 우주론의 증거: 우주 배경 복사 (**❶**　　　 K), 수소와 헬륨의 질량 비(약 **❷**　　　)

② 빅뱅 우주론의 한계: 우주의 **❸**　　　 문제, 편평성 문제, 자기 홀극 문제

2 급팽창 이론 빅뱅 직후 매우 짧은 시간 동안 우주가 급격한 팽창을 하였다고 주장한 이론이다. ─빅뱅 우주론이 해결하지 못한 몇 가지 문제점을 해결하였다.

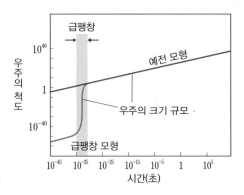

❶ 2.7

❷ 3:1

❸ 지평선

개념5 우주의 구성 요소와 우주의 미래

1 암흑 물질 빛을 내지 않아서 직접 관측할 수 없는 미지의 물질

2 암흑 물질의 존재 확인　**❹**　　　적인 방법으로 확인할 수 있다.

① 은하 중심에서 멀어져도 나선 은하의 회전 속도가 거의 일정하다.

② 은하단이 일으키는 중력 렌즈 효과가 빛으로 예측한 질량에 의한 것보다 크다.

❹ 중력

3 암흑 에너지와 우주의 가속 팽창

① 암흑 에너지: **❺**　　　과 반대 방향으로 작용하여 우주의 팽창을 가속시키는 역할을 하는 미지의 에너지

② Ia형 초신성의 관측과 우주의 가속 팽창: Ia형 초신성의 겉보기 등급과 적색 편이량의 관측 결과 우주가 **❻**　　　 팽창하고 있음을 확인하였다.

❺ 중력

❻ 가속

4 표준 우주 모형

① 빅뱅 이후 우주는 급팽창하였고 서서히 **❼**　　　 팽창을 하다가 현재는 가속 팽창을 하고 있다.

② 현재 우주는 평탄하지만, 팽창 속도가 점점 빨라지고 있다.

❼ 감속

5 우주 구성 요소　**❽**　　　(약 68 %), 암흑 물질(약 27 %), 보통 물질(약 5 %)

❽ 암흑 에너지

6 우주의 미래 우주의 밀도에 따라 우주의 미래가 결정된다.

① 열린 우주: 우주의 밀도＜임계 밀도, 우주 곡률＜0, 영원히 팽창

② **❾**　　　 우주: 우주의 밀도＝임계 밀도, 우주 곡률＝0, 팽창 속도 감소

③ 닫힌 우주: 우주의 밀도＞임계 밀도, 우주 곡률＞0, 수축

❾ 평탄

5일

7 빅뱅(대폭발) 우주론과 정상 우주론의 특징을 비교한 것으로 옳은 것은?

	구분	빅뱅 우주론	정상 우주론
①	물질의 생성	없음	없음
②	우주의 질량	증가	증가
③	우주의 온도	감소	일정
④	우주의 크기	증가	감소
⑤	우주의 물질 밀도	감소	증가

8 빅뱅 우주론의 증거로 옳은 것은 O표, 옳지 <u>않은</u> 것은 ×표 하시오.

(1) 우리 은하의 주변부 회전 속도가 빠르다. (　　　)

(2) 약 2.7 K에 해당하는 우주 배경 복사가 관측된다.
　　　　　　　　　　　　　　　　　　(　　　)

(3) Ia형 초신성은 후퇴 속도를 이용해 계산한 거리에서의 겉보기 밝기보다 어둡게 관측된다. (　　　)

(4) 우주에 존재하는 수소와 헬륨의 질량비가 약 3:1이다. (　　　)

9 다음 빈칸에 알맞은 말을 쓰시오.

(1) 우주가 고온·고밀도의 상태로부터 팽창하여 형성되었다는 이론을 (　　　　　) 우주론이라고 한다.

(2) (　　　　　) 이론에 따르면 우주는 탄생 직후에 빛보다 빠른 속도로 급격하게 팽창하였다.

(3) 우주에서 처음 원자가 형성될 때 퍼진 빛으로, 흑체 복사와 매우 가까운 복사를 (　　　　　)라고 한다.

10 우주의 변화에 대한 사실의 발견을 이끌어 낸 관측을 〈보기〉에서 골라 기호를 쓰시오.

> ─────────────── 보기 ───
> ㄱ. Ia형 초신성 관측
> ㄴ. COBE 위성 전파 관측
> ㄷ. 우리 은하의 회전 속도 관측

(1) 은하 주변에는 빛으로 관측되지 않는 암흑 물질이 많이 존재한다. (　　　)

(2) 우주의 팽창 속도는 점차 빨라지고 있다. (　　　)

11 그림은 최근 우주 구성 요소의 비율을 나타낸 것이다.

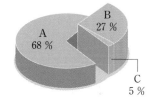

(1) 우주의 가속 팽창을 일으키는 원인이 되는 구성 요소의 기호를 쓰시오.

(2) 은하, 성간 물질 등의 물질에 해당하는 구성 요소의 기호를 쓰시오.

(3) 눈에 보이지는 않지만 중력적인 방법으로 존재가 확인되는 구성 요소의 기호를 쓰시오.

12 다음은 현재 우주에 대한 설명이다. 빈칸에 알맞은 말을 고르시오.

> 현재 우주는 (열린 , 평탄) 우주이며, 팽창 속도는 (감소 , 증가)하고 있다.

대표 예제 1 허블의 은하 분류

다음은 어느 외부 은하의 특징을 설명한 것이다.

- 우리 은하와 같은 형태의 은하이다.
- 팽대부, 나선팔, 은하 원반으로 이루어져 있다.

이 은하의 종류로 옳은 것은?

① 타원 은하 ② 렌즈형 은하

③ 불규칙 은하 ④ 정상 나선 은하

⑤ 막대 나선 은하

개념 가이드

우리 은하는 은하핵을 가로지르는 [   ] 모양의 구조를 가진 [   ] 은하에 속한다.

답 막대, 막대 나선

대표 예제 2 특이 은하

그림은 어느 특이 은하를 가시광선과 전파를 이용하여 관측한 모습이다. 이에 대한 설명으로 옳은 것만을 〈보기〉에서 있는 대로 고르시오.

가시광선   전파

▸ 보기 ◂

ㄱ. 세이퍼트은하이다.

ㄴ. 형태에 따라 구분하면 타원 은하에 속한다.

ㄷ. 중심핵에서 로브로 이어지는 강한 제트가 관측된다.

개념 가이드

특이 은하에는 [   ] 은하, 세이퍼트은하, [   ] 등이 있다.

답 전파, 퀘이사

대표 예제 3 퀘이사

그림은 퀘이사의 모습을 나타낸 것이다.

이에 대한 설명으로 옳은 것은?

① 대부분 타원 은하의 형태를 하고 있다.

② 매우 먼 거리에서 빠른 속도로 후퇴한다.

③ 스펙트럼은 별의 스펙트럼과 매우 유사하다.

④ 스펙트럼에서 적색 편이가 매우 작게 측정된다.

⑤ 우리 은하 내에 존재하는 과거의 은하 흔적이다.

개념 가이드

퀘이사의 스펙트럼에서는 [   ] 편이가 매우 크게 나타나고, 강한 [   ] 선이 나타난다.

답 적색, 방출

대표 예제 4 허블 법칙과 우주 팽창

그림은 외부 은하 A, B의 스펙트럼을 비교 스펙트럼과 함께 나타낸 것이다. 은하 A, B에 대한 설명으로 옳은 것은?

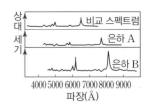

① A는 청색 편이가 나타난다.

② B는 원래보다 파장이 길어졌다.

③ A는 B보다 후퇴 속도가 빠르다.

④ A는 B보다 우리 은하에서 더 멀리 있다.

⑤ B에서 관측하면 A는 청색 편이가 나타난다.

개념 가이드

[   ] 법칙에 따르면 외부 은하까지의 거리가 멀수록 후퇴 속도가 [   ].

답 허블, 빠르다

대표 예제 5 우주 배경 복사

우주 배경 복사에 대한 설명으로 옳은 것은?

① 적외선으로 관측된다.

② 헬륨 원자핵이 형성될 때 방출된 빛이다.

③ 우주 배경 복사 생성 당시 온도는 약 2.7 K이었다.

④ 우주가 불투명해지면서 우주 배경 복사가 형성되었다.

⑤ 우주 배경 복사는 형성 당시보다 파장이 매우 길어졌다.

개념 가이드

우주 배경 복사는 [   ]가 형성될 때 우주에 전체를 채운 빛으로 현재는 약 7.3 cm의 [   ]로 관측된다.

답 원자, 전파

대표 예제 6 빅뱅 우주론과 급팽창 이론

그림은 서로 다른 우주론에 따른 모형을 나타낸 것이다. 이에 대한 설명으로 옳은 것은?

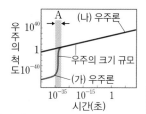

① (가)는 빅뱅 우주론이다.

② A 시기에 급팽창이 일어났다.

③ 우주 배경 복사는 (가) 우주론의 증거이다.

④ (나) 우주론으로 우주의 편평성 문제를 설명할 수 있다.

⑤ A 시기 이후에는 우주 전체가 정보를 교환할 수 있게 되었다.

개념 가이드

빅뱅 직후 극히 짧은 시간 동안 우주가 급격히 [   ]하였다는 주장을 [   ] 우주론(이론)이라고 한다.

답 팽창, 급팽창

대표 예제 7 우주의 팽창과 암흑 에너지

그림은 우주의 팽창 속도가 변해온 과정을 나타낸 것이다. 이에 대한 설명으로 옳은 것만을 〈보기〉에서 있는 대로 고르시오.

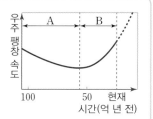

──── 보기 ────

ㄱ. 현재 우주는 가속 팽창을 하고 있다.

ㄴ. A 시기에는 우주의 크기가 작아졌다.

ㄷ. B 시기에는 암흑 에너지보다 암흑 물질의 영향이 더 크다.

개념 가이드

암흑 [   ]의 밀도가 암흑 [   ]의 밀도보다 큰 시기에는 우주가 감속 팽창을 한다.

답 물질, 에너지

대표 예제 8 우주의 가속 팽창

그림은 Ia형 초신성의 관측 결과를 나타낸 것이다. 이에 대한 설명으로 옳은 것만을 〈보기〉에서 있는 대로 고른 것은?

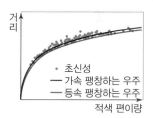

──── 보기 ────

ㄱ. 현재 우주는 가속 팽창 우주에 더 가깝다.

ㄴ. 암흑 물질의 존재를 가정하여 설명할 수 있다.

ㄷ. Ia형 초신성은 등속 팽창하는 우주로 예상한 것보다 더 어둡게 관측되었다.

개념 가이드

우주의 [   ] 팽창은 [   ]형 초신성의 관측 결과로 확인되었다.

답 가속, Ia

누구나 100점 테스트 1회

1 그림은 북반구의 표층 순환을 모식적으로 나타낸 것이다.

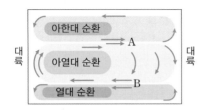

이에 대한 설명으로 옳은 것만을 〈보기〉에서 있는 대로 고른 것은?

> ───── 보기 ─────
> ㄱ. A는 난류, B는 한류이다.
> ㄴ. A는 편서풍에 의해 형성된다.
> ㄷ. 무역풍이 강해지면 B가 강해진다.

① ㄱ   ② ㄷ   ③ ㄱ, ㄴ
④ ㄴ, ㄷ   ⑤ ㄱ, ㄴ, ㄷ

2 우리나라 주변 해류에 대한 설명으로 옳은 것은?

① 쿠로시오 해류는 한류이다.
② 북한 한류는 북쪽으로 흐른다.
③ 동해에서는 난류와 한류가 만난다.
④ 쿠로시오 해류는 무역풍에 의해 형성된다.
⑤ 우리나라 주변의 해류는 쿠로시오 해류로 합류된다.

3 표층 순환과 심층 순환에 대한 설명으로 옳은 것은?

① 표층 순환은 밀도 차에 의해 발생한다.
② 표층수가 용승하면 심층수로 변화한다.
③ 수온이 높을수록 심층 순환이 잘 일어난다.
④ 심층 순환은 표층 순환보다 빠르게 일어난다.
⑤ 심층수의 형성과 침강은 고위도에서 일어난다.

신경향

4 그림은 용승이 자주 일어나는 해역을 나타낸 것이다.

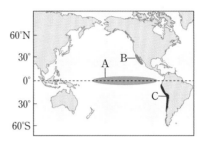

이에 대한 설명으로 옳은 것만을 〈보기〉에서 있는 대로 고른 것은?

> ───── 보기 ─────
> ㄱ. A는 연안 용승 해역이다.
> ㄴ. B에서는 북풍 계열의 바람이 우세하다.
> ㄷ. C에서는 편서풍의 영향으로 용승이 발생한다.

① ㄱ   ② ㄴ   ③ ㄱ, ㄷ
④ ㄴ, ㄷ   ⑤ ㄱ, ㄴ, ㄷ

5 라니냐 시기에 열대 태평양 해역에서 나타나는 변화를 옳게 비교한 것은?

구분	동태평양	서태평양
① 표면 기압	하강	상승
② 강수량	증가	감소
③ 해수면 높이	상승	하강
④ 하강 기류	약화	발달
⑤ 표층 수온	하강	상승

6 기후 변화의 외적 요인에 대한 설명으로 옳은 것은?

① 태양 활동이 활발하면 일사량이 감소한다.

② 현재 지구는 근일점에서 북반구가 여름철이다.

③ 세차 운동에 의해 지구와 태양 사이의 거리가 변한다.

④ 지구 자전축 경사각이 커지면 기온의 연교차가 작아진다.

⑤ 지구의 공전 궤도 이심률이 커지면 근일점 거리가 가까워진다.

7 그림은 복사 평형 상태에 있는 지구의 열수지를 나타낸 것이다.

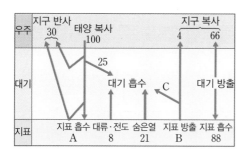

이에 대한 설명으로 옳은 것만을 〈보기〉에서 있는 대로 고른 것은?

┌─────────────────────── 보기 ───┐
│ ㄱ. A는 대부분 적외선이다.   │
│ ㄴ. 대기 중 이산화 탄소의 양이 증가하면 B는 증   │
│   가할 것이다.   │
│ ㄷ. C는 129이다.   │
└──────────────────────────────┘

① ㄱ   ② ㄴ   ③ ㄱ, ㄷ

④ ㄴ, ㄷ   ⑤ ㄱ, ㄴ, ㄷ

신경향

8 표는 별 (가), (나), (다)의 분광형을 나타낸 것이다.

별	(가)	(나)	(다)
분광형	K0	A2	G5

표면 온도가 낮은 별부터 순서대로 나열하시오.

9 별의 물리량에 대한 설명으로 옳은 것만을 〈보기〉에서 있는 대로 고른 것은?

┌─────────────────────── 보기 ───┐
│ ㄱ. 태양의 분광형은 A형이다.   │
│ ㄴ. 별은 표면 온도에 따라 색지수가 달라진다.   │
│ ㄷ. 별의 크기가 같다면 별의 표면 온도가 높을수   │
│   록 광도가 크다.   │
└──────────────────────────────┘

① ㄱ   ② ㄷ   ③ ㄱ, ㄴ

④ ㄴ, ㄷ   ⑤ ㄱ, ㄴ, ㄷ

10 그림은 (가), (나) 두 별의 표면 온도와 반지름을 비교한 것이다.

이에 대한 설명으로 옳은 것은?

① 광도는 (가)가 (나)보다 크다.

② (가)는 (나)보다 더 붉게 보인다.

③ (가)는 (나)보다 색지수가 더 크다.

④ (나)는 (가)보다 표면적이 16배 크다.

⑤ 별의 단위 면적에서 방출되는 에너지의 양은 (나)가 (가)보다 많다.

1 그림은 시리우스 A, 시리우스 B, 태양을 H-R도에 나타낸 것이다.
이에 대한 설명으로 옳은 것만을 〈보기〉에서 있는 대로 고른 것은?

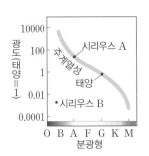

──● 보기 ●──
ㄱ. 시리우스 A는 백색 왜성에 속한다.
ㄴ. 시리우스 A는 태양보다 표면 온도가 높다.
ㄷ. 시리우스 B는 태양보다 광도가 크다.

① ㄱ　　② ㄴ　　③ ㄱ, ㄷ
④ ㄴ, ㄷ　　⑤ ㄱ, ㄴ, ㄷ

신경향
2 그림은 질량이 서로 다른 두 별 (가)와 (나)의 진화 마지막 단계에서 남은 천체를 나타낸 것이다.

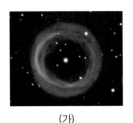 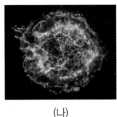
(가)　　　　　(나)

이에 대한 설명으로 옳은 것만을 〈보기〉에서 있는 대로 고른 것은?

──● 보기 ●──
ㄱ. (가)의 중심에는 백색 왜성이 존재한다.
ㄴ. (가)는 초신성 잔해, (나)는 행성상 성운이다.
ㄷ. 주계열성일 때의 질량은 (가)가 (나)보다 작다.

① ㄱ　　② ㄴ　　③ ㄱ, ㄷ
④ ㄴ, ㄷ　　⑤ ㄱ, ㄴ, ㄷ

3 태양의 진화에 대한 설명으로 옳은 것은?

① 원시별 단계에서 에너지원은 중력 수축 에너지이다.
② 주계열 단계에서 헬륨 핵융합 반응이 일어난다.
③ 주계열 단계에서 탄소·질소·산소 순환 반응이 양성자·양성자 반응보다 우세하게 일어난다.
④ 적색 거성 단계에서 탄소, 네온, 규소 핵융합 반응이 차례로 진행된다.
⑤ 백색 왜성이 되었을 때 핵융합 반응이 가장 활발하게 일어난다.

4 별의 내부 구조에 대한 설명으로 옳은 것은?

① 주계열성은 정역학 평형을 이루고 있다.
② 태양은 가장 바깥층에 복사층이 분포한다.
③ 중심부에서 핵융합 반응이 종료되면 중심핵은 빠르게 팽창한다.
④ 중력이 기체 압력 차에 의해 발생한 힘보다 우세할 때 팽창이 일어난다.
⑤ 질량이 태양 질량의 5배인 주계열성은 중심부가 복사층으로 이루어져 있다.

신경향
5 그림은 중심별과 외계 행성의 상대적 위치를 나타낸 것이다.
빈칸에 알맞은 말을 고르시오.

──● 보기 ●──
중심별은 ㉠(후퇴 , 접근)하고 있으며, 스펙트럼에서는 ㉡(적색 , 청색) 편이가 나타난다.

정답과 해설 77쪽

6 그림은 주계열성 A, B 주변의 생명 가능 지대를 나타낸 것이다.

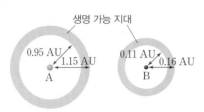

생명 가능 지대

이에 대한 설명으로 옳은 것만을 〈보기〉에서 있는 대로 고른 것은?

> ─ 보기
> ㄱ. A는 B보다 광도가 크다.
> ㄴ. A는 B보다 질량이 크다.
> ㄷ. 생명 가능 지대의 폭은 A보다 B가 넓다.

① ㄱ   ② ㄷ   ③ ㄱ, ㄴ
④ ㄴ, ㄷ   ⑤ ㄱ, ㄴ, ㄷ

7 나선 은하의 팽대부와 은하 원반의 특징을 비교한 내용으로 옳은 것은?

구분	팽대부	은하 원반
① 젊은 별의 비율	많다	적다
② 늙은 별의 비율	적다	많다
③ 성간 물질의 양	많다	적다
④ 푸른 별의 비율	적다	많다
⑤ 별의 탄생 비율	많다	적다

8 퀘이사에 대한 설명으로 옳은 것은?
① 특이한 활동을 하는 별이다.
② 강한 수소 흡수선이 나타난다.
③ 청색 편이가 매우 크게 측정된다.
④ 거리가 매우 빨리 멀어지고 있다.
⑤ 은하 충돌로 인해 별이 모두 합쳐진 천체이다.

9 그림은 우리 은하에서 관측한 외부 은하 A~E의 후퇴 속도를 나타낸 것이다.

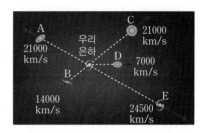

이에 대한 설명으로 옳은 것만을 〈보기〉에서 있는 대로 고른 것은?

> ─ 보기
> ㄱ. 우리 은하로부터의 거리는 E가 B보다 멀다.
> ㄴ. D에서 보면 A와 B는 후퇴, C와 E는 접근한다.
> ㄷ. 우리 은하에서 관측했을 때 A와 C의 적색 편이는 같다.

① ㄱ   ② ㄴ   ③ ㄱ, ㄷ
④ ㄴ, ㄷ   ⑤ ㄱ, ㄴ, ㄷ

10 그림은 빅뱅 이후 시간에 따른 우주의 크기 변화를 모식적으로 나타낸 것이다. 이에 대한 설명으로 옳은 것만을 〈보기〉에서 있는 대로 고른 것은?

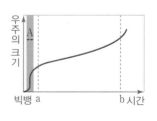

> ─ 보기
> ㄱ. A 시기에는 급팽창이 일어났다.
> ㄴ. a 시기에는 가속 팽창, b 시기에는 감속 팽창한다.
> ㄷ. 암흑 물질의 밀도는 a 시기보다 b 시기에 더 컸다.

① ㄱ   ② ㄷ   ③ ㄱ, ㄴ
④ ㄴ, ㄷ   ⑤ ㄱ, ㄴ, ㄷ

1 그림 (가)와 (나)는 각각 자전하는 지구와 자전하지 않는 지구에서의 대기 대순환 모형을 나타낸 것이다.

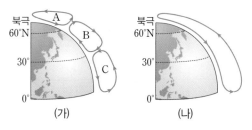

(1) A, B, C 순환 세포의 이름을 각각 쓰시오.

_____

(2) (나)와 같은 대류가 일어나는 과정을 간단히 서술하시오.

_____

_____

2 그림은 엘니뇨 또는 라니냐 시기에 관측한 적도 부근 태평양의 표층 수온 분포를 나타낸 것이다.

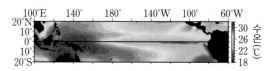

(1) 엘니뇨 또는 라니냐 시기를 구별하시오.

_____

(2) 이 시기에 적도 부근 태평양의 동서 기압 배치를 대기 대순환과 관련지어 서술하시오.

_____

_____

3 그림은 현재 지구의 공전 궤도와 자전축 경사 방향, 자전축 경사각을 나타낸 것이다.

(1) 다른 요인의 변화 없이 이심률이 현재보다 작아지면 북반구 겨울철 기온은 현재와 비교하여 어떻게 달라지는지 태양과의 거리와 연관지어 서술하시오.

_____

_____

(2) 다른 요인의 변화 없이 자전축 경사각이 현재보다 커지면 북반구 여름철 기온은 현재와 비교하여 어떻게 달라지는지 태양의 남중 고도와 연관지어 서술하시오.

_____

_____

(3) 다른 요인의 변화 없이 자전축 경사 방향이 현재와 반대가 되면 북반구 겨울철 기온은 현재와 비교하여 어떻게 달라지는지 공전 궤도상의 위치에 따른 계절 변화 및 태양과의 거리와 연관지어 서술하시오.

_____

_____

4 그림은 별의 서로 다른 진화 경로를 나타낸 것이다.

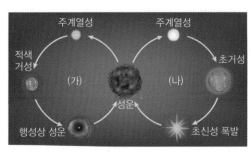

(1) (가)에서 행성상 성운을 방출한 후 중심핵이 수축하여 형성되는 별의 종류를 쓰시오.

_____

(2) (가), (나)와 같이 진화 경로가 다른 까닭을 간단히 서술하시오.

_____

5 그림은 태양의 진화로 인해 나타나는 태양계의 생명 가능 지대 변화를 예상하여 나타낸 것이다.

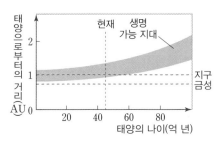

생명 가능 지대의 변화와 태양의 광도 변화를 유추하여 서술하시오.

_____

_____

6 그림 (가), (나), (다)는 서로 다른 종류의 외부 은하를 나타낸 것이다.

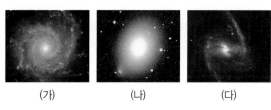

(가)   (나)   (다)

(1) 외부 은하를 형태에 따라 분류할 때 우리 은하와 같은 종류의 은하를 골라 기호와 이름을 쓰시오.

_____

(2) (가)의 은하 원반에 주로 분포하는 별의 특징을 (나)에 주로 분포하는 별의 특징과 비교하여 서술하시오.

_____

_____

(3) 위 (2)와 같은 별의 특징이 나타나는 까닭을 성간 물질과 관련지어 서술하시오.

_____

_____

1 참의·융합 그림은 일본 동북부 대지진으로 유출된 해양 쓰레기의 위치를 1년 간격으로 관측한 것이다.

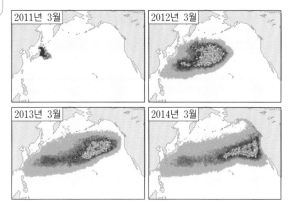

(1) 이 기간 동안 쓰레기의 이동에 가장 큰 영향을 준 해류의 이름을 쓰시오.

_____

(2) 북태평양에 쓰레기섬이 형성되는 까닭과 형성 과정을 해수의 순환과 연관지어 서술하시오.

_____

_____

2 융합·코딩 그림은 최근 약 38년 동안 북극해의 얼음 면적 변화를 나타낸 것이다.

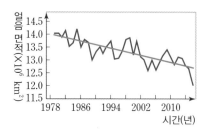

(1) 이 기간 동안 북극해의 해수면의 높이와 염분 변화를 서술하시오.

_____

(2) 이와 같은 경향이 지속될 경우 심층 순환에 미치는 영향에 대해 서술하시오.

_____

_____

3 참의 그림은 지구 온난화가 우리나라 기후에 미치는 영향에 대해 학생들이 나눈 대화 내용이다.

대화 내용이 옳은 학생을 있는 대로 고른 것은?

① 영희   ② 철수   ③ 순주
④ 영희, 철수   ⑤ 철수, 순주

4 그림은 배경별과 지구 사이로 중심별과 질량이 서로 다른
창의 행성 2개가 지나는 모습이다.

이와 같은 상황에서 미세 중력 렌즈 효과가 관측되었을
때 배경별의 밝기 변화로 가장 적절한 것은?

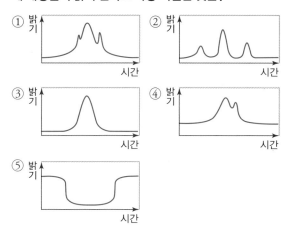

5 다음은 우주론의 발전 과정에서 발표된 주요 이론을 순서
코딩 없이 나열한 것이다.

> (가) 빅뱅 우주론　　(나) 허블 법칙
>
> (다) 표준 우주 모형　(라) 가속 팽창 우주론

이 이론들이 수정, 발전된 시간 순으로 나열하시오.

6 다음은 퀘이사에 대해 철수와 영희가 나눈 SNS 대화 내
창의 용입니다.
융합

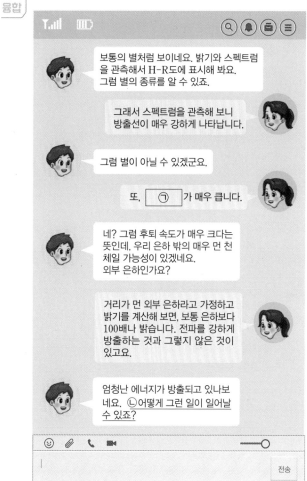

보통의 별처럼 보이네요. 밝기와 스펙트럼을 관측해서 H-R도에 표시해 봐요. 그럼 별의 종류를 알 수 있죠.

그래서 스펙트럼을 관측해 보니 방출선이 매우 강하게 나타납니다.

그럼 별이 아닐 수 있겠군요.

또, ⊙ 가 매우 큽니다.

네? 그럼 후퇴 속도가 매우 크다는 뜻인데, 우리 은하 밖의 매우 먼 천체일 가능성이 있겠네요. 외부 은하인가요?

거리가 먼 외부 은하라고 가정하고 밝기를 계산해 보면, 보통 은하보다 100배나 밝습니다. 전파를 강하게 방출하는 것과 그렇지 않은 것이 있고요.

엄청난 에너지가 방출되고 있나보네요. ⓛ어떻게 그런 일이 일어날 수 있죠?

(1) ⊙에 들어갈 말을 쓰시오.

(2) ⓛ에 대한 답으로서 현재 널리 인정되는 내용을
간단히 서술하시오.

1 그림은 북반구의 표층 순환과 대기 대순환을 모식적으로 나타낸 것이다. 이에 대한 설명으로 옳은 것만을 〈보기〉에서 있는 대로 고른 것은?

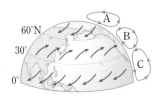

> ● 보기 ●
> ㄱ. A~C 중 직접 순환은 B이다.
> ㄴ. 중위도 지상에서는 무역풍이 분다.
> ㄷ. 60°N 지역에는 저압대가 형성된다.

① ㄱ ② ㄷ ③ ㄱ, ㄴ
④ ㄴ, ㄷ ⑤ ㄱ, ㄴ, ㄷ

2 그림은 북아메리카 대륙 주변의 해류를 나타낸 것이다. B가 A보다 큰 값을 가지는 것만을 〈보기〉에서 있는 대로 고른 것은?

> ● 보기 ●
> ㄱ. 수온
> ㄴ. 염분
> ㄷ. 용존 산소량

① ㄱ ② ㄷ ③ ㄱ, ㄴ
④ ㄴ, ㄷ ⑤ ㄱ, ㄴ, ㄷ

3 엘니뇨 발생 시 나타나는 현상으로 옳지 <u>않은</u> 것은?

① 무역풍이 약해진다.
② 열대 동태평양 해역의 용승이 약화된다.
③ 열대 서태평양 해역의 강수량이 증가한다.
④ 열대 동태평양 해역의 표층 수온이 평소보다 높아진다.
⑤ 워커 순환의 저기압 중심 위치가 동쪽으로 이동한다.

4 그림은 대서양의 주요 수괴를 수온 염분도에 나타낸 것이다.

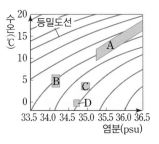

이에 대한 설명으로 옳은 것만을 〈보기〉에서 있는 대로 고른 것은?

> ● 보기 ●
> ㄱ. A는 수온과 염분의 분포 범위가 가장 좁다.
> ㄴ. B는 C보다 염분과 밀도가 크다.
> ㄷ. D는 남극 저층수에 해당한다.

① ㄱ ② ㄷ ③ ㄱ, ㄴ
④ ㄴ, ㄷ ⑤ ㄱ, ㄴ, ㄷ

5 그림 (가)와 (나)는 각각 현재와 13000년 후 지구 공전 궤도와 자전축의 방향을 나타낸 것이다.

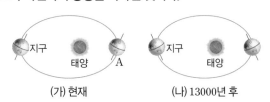

(가) 현재   (나) 13000년 후

이에 대한 설명으로 옳은 것만을 〈보기〉에서 있는 대로 고른 것은? (단, 다른 환경 변화는 없다고 가정한다.)

> ● 보기 ●
> ㄱ. A 위치에서 우리나라는 여름철이다.
> ㄴ. 우리나라의 겨울철 평균 기온은 (가) 시기가 (나) 시기보다 높다.
> ㄷ. (나) 시기에는 근일점 부근에서 북반구가 여름철이다.

① ㄱ ② ㄴ ③ ㄱ, ㄷ
④ ㄴ, ㄷ ⑤ ㄱ, ㄴ, ㄷ

6 그림은 한반도와 지구 전체의 이산화 탄소 농도 변화를 나타낸 것이다.

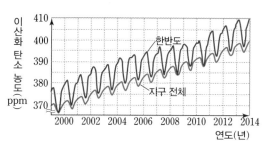

이에 대한 설명으로 옳은 것만을 〈보기〉에서 있는 대로 고른 것은?

─ 보기 ─
ㄱ. 지구 전체적으로 온난화가 진행되고 있다.
ㄴ. 계절에 따라 이산화 탄소 농도가 변화한다.
ㄷ. 한반도는 이산화 탄소 농도의 연간 변동 폭이 지구 전체에 비해 작다.

① ㄱ   ② ㄷ   ③ ㄱ, ㄴ
④ ㄴ, ㄷ   ⑤ ㄱ, ㄴ, ㄷ

7 그림은 거리가 비슷한 A, B 두 별을 관측한 사진이다.

이에 대한 설명으로 옳은 것만을 〈보기〉에서 있는 대로 고른 것은?

─ 보기 ─
ㄱ. A는 B보다 색지수가 작다.
ㄴ. A는 B보다 표면 온도가 높다.
ㄷ. A는 B보다 최대 에너지를 방출하는 파장이 길다.

① ㄱ   ② ㄷ   ③ ㄱ, ㄴ
④ ㄴ, ㄷ   ⑤ ㄱ, ㄴ, ㄷ

8 스펙트럼의 종류와 특징에 대한 설명으로 옳은 것은?

① 흑체에서는 방출 스펙트럼이 나타난다.
② 밝은 선이 나타나는 것은 연속 스펙트럼이다.
③ 별의 스펙트럼에서는 흡수선이 많이 나타난다.
④ 저온의 기체에서는 방출 스펙트럼이 나타난다.
⑤ 고온 저밀도의 기체에서 흡수 스펙트럼이 나타난다.

9 H-R도에 대한 설명으로 옳은 것은?

① 세로축에서 위쪽으로 갈수록 광도가 감소한다.
② 세로축에서 위쪽으로 갈수록 절대 등급이 증가한다.
③ 가로축에서 오른쪽으로 갈수록 색지수가 증가한다.
④ 가로축에서 오른쪽으로 갈수록 표면 온도가 증가한다.
⑤ 주계열성에서 오른쪽 아래로 갈수록 질량이 증가한다.

10 그림은 태양의 진화 경로를 H-R도에 나타낸 것이다.

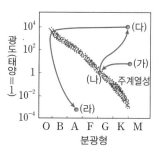

이에 대한 설명으로 옳은 것은?

① (가)는 중력 수축으로 인해 밀도가 감소한다.
② (나)는 가장 오랜 시간을 보내는 시기이다.
③ (다)는 (나)보다 표면 온도가 높다.
④ (라)는 헬륨 핵융합 반응을 하는 시기이다.
⑤ (다)에서 (라)로 진화하는 동안 초신성 폭발을 한다.

11 별의 진화 과정에서 주계열 단계와 거성 단계에 대한 설명으로 옳은 것은?

① 주계열성은 시간이 지날수록 헬륨 비율이 감소한다.

② 거성 단계에서는 수소 핵융합 반응이 일어나지 않는다.

③ 주계열성에서 거성으로 진화하는 동안 별이 역학적으로 매우 안정해진다.

④ 주계열성에서 거성으로 진화할 때 별 외곽부가 팽창하면서 광도가 증가한다.

⑤ 주계열성에서 거성으로 진화할 때 중심부가 수축하였다가 별 전체가 폭발한다.

12 그림은 H-R도에 주계열성 (가)~(다)를 나타낸 것이다.

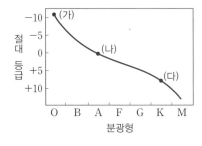

이에 대한 설명으로 옳은 것은?

① (가)는 CNO 순환 반응이 우세하게 일어난다.

② (가)는 최종 단계에서 백색 왜성으로 진화한다.

③ (나)는 헬륨 핵융합 반응을 통해 에너지를 생성한다.

④ (다)는 (나)보다 표면 온도가 높고 반지름이 크다.

⑤ (가)~(다) 중 진화 속도는 (다)가 가장 빠르다.

13 태양은 주계열 단계에서 수소 핵융합 반응, 거성 단계에서 수소 핵융합 반응과 헬륨 핵융합 반응이 일어난다. 태양의 진화 과정에서 핵융합 반응을 통해 생성되는 물질을 있는 대로 고른 것은?

① 탄소　　　② 헬륨　　　③ 수소, 헬륨

④ 헬륨, 탄소　　⑤ 헬륨, 네온, 철

14 그림은 주계열성에서 거성으로 진화하는 단계에 있는 별의 내부 구조와 작용하는 힘을 나타낸 것이다.

이 별의 중심부와 바깥층에서 각각 힘의 크기를 비교하여 서술하시오.

_____

_____

15 그림은 외계 행성 탐사에 활용되는 방법 중 한 가지의 원리를 나타낸 것이다.

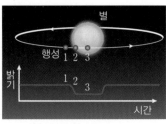

무엇을 이용한 탐사 방법인지 쓰시오.

16 그림은 허블의 은하 분류 체계를 나타낸 것이다.

타원 은하 정상 나선 은하 막대 나선 은하 불규칙 은하

이에 대한 설명으로 옳은 것만을 〈보기〉에서 있는 대로 고른 것은?

> ─ 보기 ─
> ㄱ. 우리 은하는 불규칙 은하에 속한다.
> ㄴ. 타원 은하에서 나선 은하로 진화한다.
> ㄷ. 가시광선으로 관측했을 때 은하를 형태에 따라 분류한 것이다.

① ㄱ 　② ㄷ 　③ ㄱ, ㄴ
④ ㄴ, ㄷ 　⑤ ㄱ, ㄴ, ㄷ

17 다음은 특이 은하의 특징을 설명한 것이다.

> (가) 중심에 핵이 있고 양쪽에 로브가 있으며, 로브와 핵은 제트로 연결되어 있다.
> (나) 주로 나선 은하의 형태로 관측되고, 보통의 은하들에 비해 핵이 아주 밝으며, 스펙트럼에서 넓은 방출선이 나타난다.

(가)와 (나)에서 설명하는 특이 은하의 종류를 옳게 짝지은 것은?

	(가)	(나)
①	전파 은하	퀘이사
②	전파 은하	세이퍼트은하
③	퀘이사	전파 은하
④	퀘이사	세이퍼트은하
⑤	세이퍼트은하	전파 은하

신경향

18 그림은 매우 멀리 있는 은하 A, B, C의 스펙트럼을 관측하여 흡수선 적색 편이량을 화살표로 나타낸 것이다.

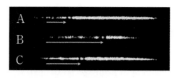

이에 대한 설명으로 옳은 것만을 〈보기〉에서 있는 대로 고른 것은?

> ─ 보기 ─
> ㄱ. 세 은하 모두 우리 은하에서 멀어지고 있다.
> ㄴ. 후퇴 속도가 가장 빠른 은하는 A이다.
> ㄷ. 지구에서 은하까지의 거리는 C가 가장 멀다.

① ㄱ 　② ㄴ 　③ ㄱ, ㄷ
④ ㄴ, ㄷ 　⑤ ㄱ, ㄴ, ㄷ

19 그림은 플랑크 위성이 관측한 우주 배경 복사 분포를 나타낸 것이다.
이에 대한 설명으로 옳은 것만을 〈보기〉에서 있는 대로 고른 것은?

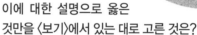

> ─ 보기 ─
> ㄱ. 정상 우주론의 증거이다.
> ㄴ. 현재 우주의 온도는 약 3000 K이다.
> ㄷ. 우주에서 처음 원자가 형성될 당시 퍼진 빛이다.

① ㄱ 　② ㄷ 　③ ㄱ, ㄴ
④ ㄴ, ㄷ 　⑤ ㄱ, ㄴ, ㄷ

20 다음은 빅뱅 이후에 나타난 변화를 시간 순서에 관계없이 나열한 것이다.

> (가) 우주 전체에서 양성자와 중성자가 결합하여 헬륨 원자핵이 형성되었다.
> (나) 전자와 원자핵이 결합하여 우주가 맑게 개이고 우주 배경 복사가 공간을 가득 채웠다.
> (다) 우주가 짧은 시간에 급격하게 팽창하였다.

시간 순으로 옳게 나열하시오.

1 그림은 북태평양의 표층 순환을 나타낸 것이다.
A, B 해류를 발생시키는 대기 대순환의 바람을 옳게 짝지은 것은?

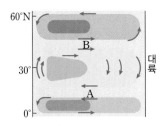

	A	B		A	B
①	편서풍	무역풍	②	편서풍	극동풍
③	무역풍	편서풍	④	무역풍	극동풍
⑤	극동풍	편서풍			

2 그림은 우리나라 부근의 표층 해류를 나타낸 것이다. 이에 대한 설명으로 옳은 것만을 〈보기〉에서 있는 대로 고른 것은?

> ●보기
> ㄱ. A와 B 해류는 주변에 열에너지를 공급한다.
> ㄴ. 조경 수역의 위치는 계절과 관계없이 일정하다.
> ㄷ. A~C 중 용존 산소량이 가장 많은 해류는 C이다.

① ㄱ   ② ㄴ   ③ ㄱ, ㄷ
④ ㄴ, ㄷ   ⑤ ㄱ, ㄴ, ㄷ

3 심층 해류에 대한 설명으로 옳은 것만을 〈보기〉에서 있는 대로 고른 것은?

> ●보기
> ㄱ. 표층 해류에 비해 유속이 느리다.
> ㄴ. 수온과 염분 변화에 의한 밀도 차이로 발생한다.
> ㄷ. 일정한 방향으로 바람이 지속적으로 부는 지역에서 잘 형성된다.

① ㄱ   ② ㄷ   ③ ㄱ, ㄴ
④ ㄴ, ㄷ   ⑤ ㄱ, ㄴ, ㄷ

4 그림은 며칠 동안 같은 방향으로 지속적인 바람이 분 경우 울산 근해의 표층 수온 분포를 나타낸 것이다. 이에 대한 설명으로 옳은 것은?

① 남풍 계열의 바람이 불었다.
② 표층 해수는 서쪽으로 이동하고 있다.
③ 울산 앞바다에서 침강이 일어나고 있다.
④ 영양 염류와 용존 산소량은 감소하였다.
⑤ 따뜻한 해류의 영향으로 인해 표층 수온이 상승하였다.

신경향
5 그림은 남방 진동 지수[(타히티의 해면 기압－다윈의 해면 기압)/표준 편차]를 측정하는 두 지역의 위치를 나타낸 것이다.

이에 대한 설명으로 옳은 것만을 〈보기〉에서 있는 대로 고른 것은?

> ●보기
> ㄱ. 평상시에 남방 진동 지수는 양(＋)의 값을 갖는다.
> ㄴ. 엘니뇨 시기에 타히티의 해면 기압은 다윈의 해면 기압보다 높다.
> ㄷ. 남방 진동 지수가 큰 시기에 적도 부근 동태평양 연안에서는 침강이 활발하다.

① ㄱ   ② ㄴ   ③ ㄱ, ㄷ
④ ㄴ, ㄷ   ⑤ ㄱ, ㄴ, ㄷ

정답과 해설 83쪽

6 그림은 지구 자전축 경사 방향의 변화를 나타낸 것이다.

26000년 전   자전 방향   13000년 전   현재

이에 대한 설명으로 옳은 것만을 〈보기〉에서 있는 대로 고른 것은?

──────── 보기 ────────
ㄱ. 세차 운동이라고 한다.
ㄴ. 지구 자전축은 약 26000년을 주기로 회전한다.
ㄷ. 약 13000년 후 근일점의 계절은 현재와 반대이다.

① ㄱ   ② ㄴ   ③ ㄱ, ㄷ
④ ㄴ, ㄷ   ⑤ ㄱ, ㄴ, ㄷ

7 그림은 복사 평형 상태에 있는 지구의 열수지를 나타낸 것이다.

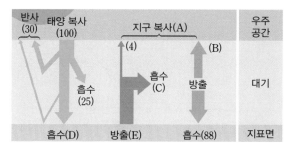

A~E의 값으로 옳지 **않은** 것은?

① A=70   ② B=66   ③ C=29
④ D=45   ⑤ E=133

8 표면 온도가 태양의 2배이고, 반지름은 태양의 $\frac{1}{2}$배인 별의 광도는 태양의 몇 배인지 계산하시오.

9 그림은 별의 분광형과 일부 원소들의 흡수선의 상대적 세기를 나타낸 것이다.

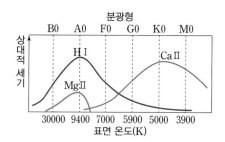

이에 대한 설명으로 옳은 것만을 〈보기〉에서 있는 대로 고른 것은?

──────── 보기 ────────
ㄱ. K형 별은 B형 별보다 표면 온도가 낮다.
ㄴ. 태양의 스펙트럼에서는 CaⅡ 흡수선이 가장 강하게 나타난다.
ㄷ. 별의 표면 온도에 따라 강한 흡수선을 나타내는 원소가 달라진다.

① ㄱ   ② ㄴ   ③ ㄱ, ㄷ
④ ㄴ, ㄷ   ⑤ ㄱ, ㄴ, ㄷ

10 그림은 H-R도에 별 A, B, C와 주계열성의 위치를 나타낸 것이다.

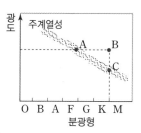

이에 대한 설명으로 옳은 것만을 〈보기〉에서 있는 대로 고른 것은?

──────── 보기 ────────
ㄱ. 밀도는 B가 C보다 크다.
ㄴ. 반지름은 A가 C보다 크다.
ㄷ. 표면 온도는 A가 B보다 높다.

① ㄱ   ② ㄴ   ③ ㄱ, ㄷ
④ ㄴ, ㄷ   ⑤ ㄱ, ㄴ, ㄷ

7일 학교시험 기본 테스트 **2**회

11 그림은 질량이 서로 다른 별 A, B의 진화 경로의 일부를 나타낸 것이다.

A가 B보다 더 큰 값을 갖는 물리량만을 〈보기〉에서 있는 대로 고른 것은?

┌─────────────────── 보기 ─┐
ㄱ. 주계열성의 밝기
ㄴ. 주계열성에 머무는 기간
ㄷ. 최종 진화 단계에서 중심부에 남는 천체의 밀도
└──────────────────────────┘

① ㄱ   ② ㄴ   ③ ㄱ, ㄷ
④ ㄴ, ㄷ   ⑤ ㄱ, ㄴ, ㄷ

12 주계열성의 특징에 대한 설명으로 옳지 <u>않은</u> 것은?

① 질량이 클수록 수명이 짧다.
② 질량에 따라 내부 구조가 다르다.
③ 수소 핵융합 반응으로 에너지를 생성한다.
④ 별의 일생에서 가장 오랜 기간 동안 머문다.
⑤ 광도가 큰 주계열성일수록 표면 온도가 낮다.

13 그림은 원시별에서 주계열성으로 진화하는 과정을 H-R도에 나타낸 것이다. 별 A가 주계열성으로 진화하는 동안 반지름, 중심부 온도, 색지수 변화에 대해 서술하시오.

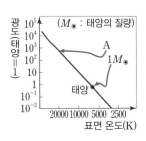

14 그림 (가)와 (나)는 질량이 큰 주계열성과 질량이 작은 주계열성의 내부 구조를 순서 없이 나타낸 것이다.

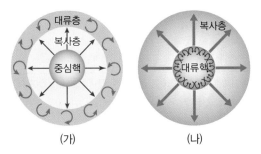

이에 대한 설명으로 옳은 것은?

① (가)는 (나)보다 질량이 크다.
② (가)는 (나)보다 표면 온도가 높다.
③ (가)는 (나)보다 중심핵에서 에너지 생성이 더 활발하다.
④ 태양은 (가)와 같은 내부 구조를 가진다.
⑤ (나)의 표면에서 쌀알 무늬와 같은 구조가 나타난다.

15 그림은 두 종류의 수소 핵융합 반응이 일어나는 온도와 에너지 생성률을 비교한 것이다.

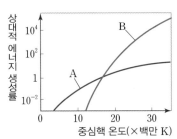

이에 대한 설명으로 옳은 것만을 〈보기〉에서 있는 대로 고른 것은?

┌─────────────────── 보기 ─┐
ㄱ. A는 양성자·양성자 반응이다.
ㄴ. B를 통해 탄소가 생성된다.
ㄷ. 태양의 내부에서는 A보다 B가 우세하게 일어난다.
└──────────────────────────┘

① ㄱ   ② ㄴ   ③ ㄱ, ㄷ
④ ㄴ, ㄷ   ⑤ ㄱ, ㄴ, ㄷ

60 7일 끝 • 지구과학 I

16 행성에 생명체가 존재할 수 있는 조건으로 적당하지 <u>않은</u> 것은?

① 액체 상태의 물이 존재해야 한다.
② 중심별의 수명이 충분히 길어야 한다.
③ 자전 주기와 공전 주기가 같아야 한다.
④ 대기가 존재하여 자외선을 차단해야 한다.
⑤ 공전 궤도 이심률이 작아 중심별과의 거리가 대체로 일정해야 한다.

신경향

17 그림은 현재까지 발견된 외계 행성의 물리량을 탐사 방법에 따라 구분하여 나타낸 것이다.

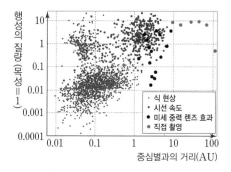

이에 대한 설명으로 옳은 것만을 〈보기〉에서 있는 대로 고른 것은?

――――――――――――――――――― 보기 ――

ㄱ. 미세 중력 렌즈 효과를 이용하여 발견한 외계 행성의 수가 가장 많다.
ㄴ. 식 현상을 이용하여 발견한 외계 행성은 대부분 공전 궤도 반지름이 1 AU보다 작다.
ㄷ. 직접 촬영한 외계 행성은 다른 방법으로 발견한 외계 행성보다 질량과 공전 궤도 반지름이 크다.

① ㄱ　　　　② ㄴ　　　　③ ㄱ, ㄷ
④ ㄴ, ㄷ　　　⑤ ㄱ, ㄴ, ㄷ

18 다음 설명에 해당하는 은하의 종류를 쓰시오.

　나선팔을 가지고 있지 않으며, 성간 물질이 적고 표면 온도가 낮다. 또한 나이가 많은 별들의 비율이 상대적으로 높다.

19 빅뱅 우주론의 증거로 옳은 것은?

① 우주 배경 복사가 관측된다.
② 현재 관측 가능한 우주는 편평하다.
③ 외부 은하에서 적색 편이가 나타난다.
④ 우주에서 자기 홀극이 많이 발견된다.
⑤ 우주 지평선의 정반대 방향에서 오는 우주 배경 복사가 균일하다.

신경향

20 그림은 가속 팽창 우주 모형에서 암흑 물질과 암흑 에너지의 밀도 변화를 순서 없이 나타낸 것이다. A와 B는 각각 암흑 물질과 암흑 에너지 중 하나이다.

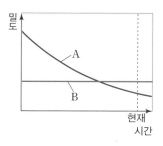

이에 대한 설명으로 옳은 것만을 〈보기〉에서 있는 대로 고른 것은?

――――――――――――――――――― 보기 ――

ㄱ. A는 암흑 물질, B는 암흑 에너지이다.
ㄴ. 암흑 에너지는 우주가 팽창함에 따라 밀도가 점차 감소한다.
ㄷ. 현재 우주가 가속 팽창하는 것은 B의 영향이다.

① ㄱ　　　　② ㄴ　　　　③ ㄱ, ㄷ
④ ㄴ, ㄷ　　　⑤ ㄱ, ㄴ, ㄷ

Memo

1일 기초 확인 문제

9쪽, 11쪽

• 1. 대기와 해수의 대순환

1 (1) (가) 태양 복사 에너지, (나) 지구 복사 에너지 (2) A: 부족, B: 과 잉, C: 부족 (3) 약 38° **2** (1) A: 극동풍, B: 편서풍, C: 무역풍 (2) (가) 극순환, (나) 페렐 순환, (다) 해들리 순환 **3** (1) × (2) ○ (3) × (4) ○ (5) × (6) ○ **4** ㄱ, ㄴ **5** (1) A, 쿠로시오 해류 (2) B, 동한 난류와 C, 북한 한류 **6** 낮, 높, 침강, 열염 **7** ㉠ C<B<A, ㉡ A<C<B, ㉢ A<B<C **8** (1) A: 남극 중층수, B: 북대서양 심층수, C: 남극 저층수 (2) C - B - A **9** A: 침강 해역, B: 용승 해역 **10** (1) × (2) ○ (3) ×

1 (1) 지구는 둥글기 때문에 단위 면적당 입사하는 태양 복사 에너지양은 고위도로 갈수록 감소한다. 지구 복사 에너지 도 고위도로 갈수록 감소하지만, 위도에 따른 복사 에너지 양 차이는 태양 복사 에너지보다 적다. 따라서 (가)는 태양 복사 에너지이고, (나)는 지구 복사 에너지이다.
(2) 저위도 지역은 태양 복사 에너지 흡수량이 지구 복사 에 너지 방출량보다 많으므로 에너지 과잉 현상이 나타나고, 고위도 지역은 태양 복사 에너지 흡수량이 지구 복사 에너 지 방출량보다 적으므로 에너지 부족 현상이 나타난다.
(3) 에너지 수송이 가장 활발한 위도는 태양 복사 에너지양 과 지구 복사 에너지양이 같은 위도 약 38° 지역이다.

2 위도 0°~30° 지역에는 해들리 순환에 의해 지상에 무역풍 이 불고, 위도 30°~60° 지역에는 페렐 순환에 의해 지상에 편서풍이 불며, 위도 60°~90° 지역에는 극순환에 의해 지 상에 극동풍이 분다.

3 (1) 표층 순환은 대기 대순환, 지구의 자전, 대륙 분포의 영 향을 받아 형성된다.
(3) 쿠로시오 해류는 대기 대순환에 의해 형성된 해류가 아 니다.
(5) 아한대 순환은 남반구에서는 나타나지 않는다.

4 A 해역에는 난류인 쿠로시오 해류가 흐르고, B 해역에는 한류인 캘리포니아 해류가 흐른다. 난류는 한류보다 수온 과 염분이 높고 영양 염류와 용존 산소량이 적다.

5 A는 쿠로시오 해류, B는 동한 난류, C는 북한 한류이다.
(1) 우리나라 주변의 난류에는 동한 난류, 황해 난류, 쓰시 마 난류가 있으며, 이 난류의 근원은 쿠로시오 해류이다.
(2) 우리나라의 동해에는 동한 난류와 북한 한류가 만나는 곳에 조경 수역이 형성되어 좋은 어장이 발달한다.

7 수온 염분도에서 수온은 위로 갈수록 높고, 염분은 오른쪽 으로 갈수록 높으며, 밀도는 오른쪽 아래로 갈수록 크다.

8 (1) 대서양의 심층 순환을 이루는 수괴는 북대서양 심층수, 남극 중층수, 남극 저층수이다. 북대서양 심층수는 그린란드 부근에서 침강하여 남쪽으로 흐르고, 남극 저층수와 남극 중층수는 남극 대륙 부근에서 침강하여 북쪽으로 흐른다.
(2) 밀도가 큰 수괴일수록 아래로 가라앉아 흐른다.

9 A 해역에서는 밀도가 커진 해수가 침강하여 북대서양 심 층수를 형성하고, B 해역에서는 남극 저층수가 밀도가 작 아져 용승한다.

10 (1) 표층 순환과 심층 순환은 컨베이어 벨트처럼 서로 연결 되어 전 지구의 해양을 흐르는 거대한 순환을 이룬다.
(3) 지구 온난화가 심화되면 극지방에서 침강이 약화되므 로 심층 순환이 약해지고, 이로 인해 표층 순환도 약해지므 로 해양의 순환은 약해진다.

1일 내신 기출 베스트

12~13쪽

• 1. 대기와 해수의 대순환

1 ㄱ, ㄷ **2** ㄱ, ㄷ **3** ④ **4** ㄱ **5** ③ **6** ②, ③ **7** ㄴ, ㄷ **8** ㄱ, ㄴ, ㄷ

1 A는 해들리 순환, B는 페렐 순환, C는 극순환이다.
ㄱ. 직접 순환은 고온에서 상승하고 저온에서 하강하는 열 대류의 원리로 발생한 순환이고, 간접 순환은 직접 순환 사 이에서 만들어진 순환이다. A와 C는 지표의 가열과 냉각 으로 형성된 직접 순환이고, B는 A와 C에 의해 형성된 간 접 순환이다.
ㄷ. 30°N 지역에는 하강 기류가 발달하므로 지상에는 고 압대가 형성된다.

오답 풀이
ㄴ. B 순환에 의해 지상에서는 편서풍이 분다.

2 ㄱ. A에서는 방출하는 지구 복사 에너지양이 흡수하는 태양 복사 에너지양보다 많아 에너지 부족이 나타나고, B에서는 흡수하는 태양 복사 에너지양이 방출하는 지구 복사 에너지양보다 많아 에너지 과잉이 나타난다.

ㄷ. (가)는 지구가 흡수하는 태양 복사 에너지양으로, 위도에 따라 흡수량이 다른 까닭은 지구가 구형이기 때문이다.

ㄴ. 에너지 이동은 태양 복사 에너지양과 지구 복사 에너지양이 같은 위도 약 38° 지역에서 가장 활발하다.

자료 분석 ➕ 위도에 따른 열수지

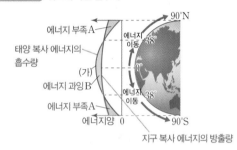

• 위도 약 38°~90° 지역: 태양 복사 에너지의 흡수량＜지구 복사 에너지의 방출량 ➡ 에너지 부족
• 위도 0°~약 38° 지역: 태양 복사 에너지의 흡수량＞지구 복사 에너지의 방출량 ➡ 에너지 과잉
• 저위도의 과잉 에너지는 대기와 해수의 순환에 의해 고위도로 수송되며, 위도 약 38° 부근에서 에너지 이동량이 가장 많다.

3 ④ D는 남극 순환 해류로, 편서풍에 의해 형성되어 남극 대륙 주변을 순환하는 해류이다.

선택지 바로 보기

① A는 북태평양 해류이다. (×)
→ A는 북동 무역풍에 의해 형성되어 서쪽으로 흐르는 북적도 해류이다.
② B는 한류이다. (×)
→ B는 저위도에서 고위도로 흐르는 난류인 동오스트레일리아 해류이다.
③ C는 용존 산소량과 영양 염류가 적다. (×)
→ C는 고위도에서 저위도로 흐르는 한류인 페루 해류이다. 한류는 수온과 염분이 낮고, 용존 산소량과 영양 염류가 많다.
④ D는 편서풍에 의해 형성된다. (○)
⑤ B, C, D는 아한대 순환을 이룬다. (×)
→ 남적도 해류 → B → D → C는 남태평양에서 아열대 순환을 이룬다.

4 ㄱ. A는 난류인 쿠로시오 해류이고, B는 한류인 캘리포니아 해류이다. 난류는 한류보다 수온이 높다.

ㄴ. A와 C는 저위도에서 고위도로 흐르는 난류이고, B와 D는 고위도에서 저위도로 흐르는 한류이다. 난류는 한류보다 용존 산소량이

적다.
ㄷ. A~D는 대양의 동쪽과 서쪽 해역에서 남북으로 흐르는 해류로, 대기 대순환에 의해 형성된 해류가 대륙에 의해 가로막혀 남북으로 흐르게 된 것이다.

5 ① 동한 난류는 쿠로시오 해류에서 갈라져서 우리나라의 동해안을 따라 저위도에서 고위도로 흐르는 난류이다.
② 동해에는 북한 한류와 동한 난류가 만나 조경 수역을 형성한다.
④ 우리나라 주변의 난류인 황해 난류, 동한 난류, 쓰시마 난류는 모두 쿠로시오 해류에서 갈라진 해류이다.
⑤ 겨울철에 같은 위도의 다른 지역보다 동해안의 기온이 높은 까닭은 동한 난류가 흐르기 때문이다.

③ 황해에는 유속이 약한 황해 난류가 흐른다.

6 심층 순환은 수온과 염분 변화에 따른 밀도 차이에 의해 발생한다. 수온이 낮고 염분이 높은 해수는 밀도가 커서 침강하여 심층수를 형성하므로, 다른 조건이 동일하다고 할 때 A는 B보다 수온이 낮거나, 염분이 높거나, 밀도가 크다.

7 ㄴ. B는 그린란드 해역에서 침강하여 형성된 북대서양 심층수이다.
ㄷ. C는 남극 대륙 주변 해역에서 침강하여 형성된 남극 저층수로, 밀도가 커서 아래로 가라앉아 북쪽으로 흐른다.

ㄱ. 해수의 밀도가 클수록 아래로 가라앉아 흐르므로 밀도는 A＜B＜C이다. 따라서 A는 B보다 밀도가 작다.

자료 분석 ➕ 대서양 심층 순환

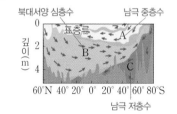

• 남극 중층수: 약 60°S 해역에서 침강하여 수심 1000 m 부근에서 20°N 부근까지 이동한다.
• 남극 저층수: 남극 대륙 주변 웨델해에서 결빙에 의해 밀도가 증가한 해수가 침강하여 해저를 따라 북쪽으로 이동한다.
• 북대서양 심층수: 그린란드 해역에서 냉각된 해수가 침강하여 수심 약 1500~4000 m 사이에서 남반구의 고위도까지 이동한다.

8 ㄱ. A 해역은 남극 대륙 주변에서 침강하여 형성된 남극

중층수가 북쪽으로 이동하다가 용승하는 해역이다.

ㄴ. B 해역은 수온이 낮아 해수가 냉각되고 결빙되어 밀도가 커져 침강이 일어나는 곳으로, 남극 저층수가 형성된다.

ㄷ. 심층 순환은 표층 순환과 연결되어 전 세계를 순환하면서 저위도의 남는 에너지를 고위도로 수송하여 위도에 따른 에너지 불균형을 감소시킨다.

2일 기초 확인 문제

17쪽, 19쪽

•2. 엘니뇨와 기후 변화

1 (1) 오른쪽 (2) 용승 **2** ④ **3** (1) ○ (2) × (3) ○ (4) × (5) ○ **4** (1) 엘니뇨 (2) 워커 순환 (3) 남방 진동 **5** (가) **6** 약화, 약, 동쪽, 증가 **7** (1) ○ (2) × (3) × **8** 커진다 **9** ①, ②, ③ **10** (1) 30 (2) 129 (3) 154 **11** (1) ○ (2) ○ (3) ○ (4) ×

1 해수 표면에서 지속적으로 부는 바람에 의해 북반구에서는 표층 해수가 오른쪽 직각 방향으로 이동하므로 우리나라 동해안에서 남풍이 지속적으로 불면 표층 해수가 해안에서 먼 동쪽으로 이동하여 용승이 발생한다.

2 적도 해역에서는 북동 무역풍에 의해 해수가 북서쪽으로, 남동 무역풍에 의해 해수가 남서쪽으로 이동하여 용승이 일어난다.

3 엘니뇨 시기에는 무역풍이 약해지고, 이에 따라 적도 해류가 약해진다. 따라서 적도 부근 동태평양 해역은 용승이 약해지고 표층 수온이 높아진다. 그 결과 적도 부근의 동태평양 해역은 상승 기류가 강해지고 강수량이 증가한다.

5 적도 부근 동태평양의 표층 수온이 높아진 (가)는 엘니뇨 시기, 표층 수온이 낮아진 (나)는 라니냐 시기이다.

6 무역풍이 약해지면 무역풍에 의해 발생하는 적도 해류도 약해져 동쪽에서 서쪽으로 이동하는 해수의 흐름이 약해지므로, 적도 부근 서태평양의 따뜻한 해수가 상대적으로 동쪽으로 이동하게 된다.

7 (1) (나)에서 근일점일 때 북반구는 겨울, 원일점일 때 북반구는 여름이며, (가)일 때 근일점은 멀어지고 원일점은 가까워져 북반구 겨울은 추워지고 여름은 더워진다. 따라서

우리나라에서 기온의 연교차는 (가)가 (나)보다 크다.

(2) 북반구의 자전축이 태양을 향해 기울어져 있을 때가 북반구의 여름이다. 근일점은 태양과 지구가 가장 가까운 위치를 말한다. 따라서 (나)에서 근일점을 지날 때 북반구는 겨울이다.

(3) 공전 궤도 이심률이 클수록 근일점과 원일점 사이의 거리가 멀다. 따라서 (가)는 (나)보다 이심률이 작다.

8 자전축 경사각이 커질수록 여름철과 겨울철 태양의 남중 고도 차이가 커지므로 계절의 변화가 뚜렷해지고 기온의 연교차가 커진다.

9 빙하는 반사율이 크므로 빙하 면적이 감소하면 반사율이 감소하고 지표의 에너지 흡수량이 증가하여 기온이 상승한다. 화산재의 방출은 햇빛을 차단하여 지구의 기온을 하강시키는 역할을 한다.

10 (3) 대기는 태양으로부터 25단위, 지표로부터 129단위를 흡수하므로 총 154단위를 흡수한다.

11 (1) 주요 온실 기체인 수증기와 이산화 탄소는 적외선인 지구 복사 에너지를 선택적으로 흡수한다.

(2) 온실 기체의 농도 변화와 지구의 평균 기온 변화는 대체로 비례한다.

(4) 지구 온난화로 인해 기온이 상승하면 해수면이 상승하고, 이에 따라 육지 면적이 감소한다.

2일 내신 기출 베스트

20~21쪽

•2. 엘니뇨와 기후 변화

1 ① **2** ㄱ, ㄴ, ㄷ **3** ⑤ **4** ㄴ, ㄷ **5** ④ **6** ㄱ **7** ㄱ, ㄷ **8** ⑤

1 ① 북반구에서는 바람 방향에 대해 오른쪽 직각 방향으로 해수가 이동하므로 북풍이 지속적으로 불고 있다.

선택지 바로 보기

① 북풍이 지속적으로 불고 있다. (○)

② 해수의 침강 현상이 나타난다. (×)
→ 수온이 낮은 해수가 연안 지역에서 용승하고 있다.

③ 표층 해수가 서에서 동으로 이동한다. (×)
→ 용승이 일어나고 있는 것으로 보아 표층 해수는 해안에서 먼 바다로, 즉 동에서 서로 이동하고 있다.

④ 표층 수온은 연안이 먼 바다보다 높다. (×)
→ 연안 지역은 먼 바다보다 표층 수온이 낮다.
⑤ 해안 지역의 기온이 평소보다 높아졌다. (×)
→ 연안 지역의 수온이 낮아졌으므로 해안 지역의 기온은 평상시보다 낮아졌다.

2 ㄱ, ㄴ. 동태평양의 수온이 높은 (가)가 엘니뇨 시기이고, 수온이 낮은 (나)가 라니냐 시기이다. 따라서 무역풍의 세기는 엘니뇨 시기인 (가) 시기에 약했다.
ㄷ. A 해역에서 따뜻한 해수층의 두께는 용승이 강해지는 (나) 시기에 감소한다.

자료 분석 ➕ 엘니뇨와 라니냐

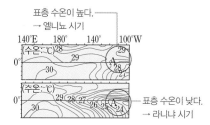

• 엘니뇨 시기: 무역풍 약화, 적도 부근 동태평양 해역의 표층 수온 상승, 용승 약화, 강수량 증가
• 라니냐 시기: 무역풍 강화, 적도 부근 동태평양 해역의 표층 수온 하강, 용승 강화, 강수량 감소

3 ⑤ 평상시에는 열대 태평양의 서쪽 해역에 저기압이 형성되어 상승 기류가 나타나지만, 엘니뇨 시기에는 열대 동태평양의 표층 수온이 상승하면서 동쪽 해역에 저기압이 형성되므로 상승 기류가 나타나는 곳은 동쪽으로 이동한다.

선택지 바로 보기

① 동태평양 연안의 용승이 강해진다. (×)
→ 동태평양에서 활발하던 용승은 엘니뇨 시기에 약화된다.
② 동태평양 지역에 가뭄이 발생한다. (×)
→ 동태평양 지역에는 저기압이 발달하므로 강수량이 증가해 홍수가 발생한다.
③ 서태평양 지역의 상승 기류가 강화된다. (×)
→ 서태평양 지역에는 고기압이 발달하므로 하강 기류가 나타난다.
④ 서태평양 지역의 평균 기압이 감소한다. (×)
→ 서태평양 지역은 표층 수온이 낮아지므로 평균 기압이 증가하여 고기압이 발달한다.
⑤ 상승 기류가 나타나는 곳이 동쪽으로 이동한다. (○)

4 ㄴ. 엘니뇨 시기에는 적도 부근 동태평양 해역의 강수량이 증가하므로 동태평양의 강수량 편차는 A 시기에 (+)가 된다.
ㄷ. 인도네시아는 서태평양 지역에 위치하므로 엘니뇨 시기에 고기압이 발달해 가뭄이 발생한다. 따라서 인도네시아에서 가뭄 피해는 A 시기가 B 시기보다 빈번하다.

오답 풀이

ㄱ. 적도 부근 동태평양의 표층 수온이 높아질수록 수온 편차가 크므로, 수온 편차가 (+)로 나타나는 A 시기에는 엘니뇨가 발생하였고, 수온 편차가 (−)로 나타나는 B 시기에는 라니냐가 발생하였다.

5 기후 변화의 요인은 지구 외적 요인(천문학적 요인), 지구 내적 요인, 인위적인 요인으로 나눌 수 있다.
④ 산업화 이후에는 화석 연료의 사용량이 증가하면서 지구 온난화가 일어나고 있다. 따라서 산업화 이후의 기후 변화는 주로 인위적인 요인에 의한 것이다.

선택지 바로 보기

① 수륙 분포의 변화는 기후 변화의 지구 외적 요인이다. (×)
→ 내적 요인
② 공전 궤도 이심률의 변화는 기후 변화의 지구 내적 요인이다. (×)
→ 외적 요인
③ 화산재는 대기 투과율을 변화시켜 지구의 기온을 상승시킨다. (×)
→ 화산재는 태양빛을 차단하여 반사율을 감소시키므로 지구의 기온을 하강시킨다.
④ 산업화 이후 기후 변화의 주된 요인은 인간 활동에 의한 것이다. (○)
⑤ 밀란코비치는 지구 내적인 요인을 이용하여 빙하기가 나타나는 이유를 설명하였다. (×)
→ 지구 외적인 요인

6 ㄱ. 자전축이 태양을 향해 기울어져 있는 시기가 여름이다. 따라서 현재 A 위치에서 북반구는 겨울이다.

오답 풀이

ㄴ. 미래에 북반구는 근일점에서 여름, 원일점에서 겨울이 된다.
ㄷ. 자전축 경사각이 클수록 겨울과 여름에 태양의 남중 고도 차이가 커지므로 기온의 연교차가 커진다. 따라서 자전축 경사각만 고려하면 자전축 경사각이 큰 현재가 미래보다 북반구 기온의 연교차가 크다.

자료 분석 ➕ 기후 변화의 천문학적 요인

• 현재는 근일점에서 북반구 겨울, 남반구 여름이고, 원일점에서 북반구 여름, 남반구 겨울이다.
• 미래에는 근일점에서 북반구 여름, 남반구 겨울이고, 원일점에서 북반구 겨울, 남반구 여름이다.
• 현재보다 미래에 지구 자전축 경사각이 작아지므로 여름철 태양의 남중 고도는 낮아지고, 겨울철 태양의 남중 고도는 높아지므로 자전축 경사각만 고려했을 때, 기온의 연교차는 현재보다 미래에 감소한다.

- 현재는 근일점에서 북반구 겨울, 원일점에서 북반구 여름이고, 미래에는 근일점에서 북반구 여름, 원일점에서 북반구 겨울이므로 지구 자전축 경사 방향만을 고려했을 때, 북반구에서 기온의 연교차는 현재보다 미래에 증가한다.

---

7 ㄱ. 대기가 있을 때는 대기에 의해 온실 효과가 일어나므로 대기가 없을 때보다 복사 평형 온도가 높다.

ㄷ. 대기 중의 온실 기체는 지표에서 방출되는 적외선 형태의 에너지를 흡수하였다가 재방출하여 지구의 복사 평형 온도를 높이는 역할을 하므로, 대기에서 온실 기체의 양이 증가하면 온실 효과가 커져 복사 평형 온도가 높아질 것이다.

오답 풀이

ㄴ. 대기에서 지표로 재방출되는 에너지는 적외선이다.

8 지구 온난화가 일어나 기온이 상승하면 대륙 빙하가 녹아 빙하의 면적이 감소하고, 이에 따른 지표면 반사량도 감소한다. 또한 해수의 온도 상승으로 해수가 열팽창하고, 빙하가 녹은 물의 유입으로 해수면이 상승한다.

3일 기초 확인 문제   25쪽, 27쪽

● 3. 별의 물리량과 진화

1 (1) > (2) >   **2** (1) 연속 (2) 흡수   **3** (1) 16 (2) 4   **4** (1) 1 (2) ⑤   **5** ④   **6** (1) 백색 왜성 (2) 크, 높, 크 (3) 낮, 커, 크 (4) 위   **7** (1) 적색 거성, 백색 왜성 (2) (적색) 초거성, 초신성, 중성자별, 블랙홀   **8** ③   **9** (1) A (2) B   **10** (나)−(가)−(다)   **11** (1) 행성상 성운 (2) 백색 왜성 (3) 블랙홀

1 (1) 최대 세기 에너지를 방출하는 파장이 짧을수록 표면 온도가 높은 별이므로, 표면 온도는 A가 B보다 높다.
(2) 별의 밝기나 광도는 그래프 아래의 면적으로 비교한다. 따라서 별의 밝기는 그래프 아래쪽 면적이 넓은 A가 B보다 밝다.

2 별빛 스펙트럼은 연속 스펙트럼에 중간 중간 흡수선이 나타나는 흡수 스펙트럼이 관측된다.

3 별의 광도(L)는 $L = 4\pi R^2 \cdot \sigma T^4$ (R: 별의 반지름, T: 별의 표면 온도)이므로, 반지름의 제곱에 비례하고, 표면 온도의 네제곱에 비례한다.
(1) (가)와 (나)는 반지름이 같고, 표면 온도는 (나)가 (가)보

다 2배 높으므로 별의 광도는 (나)가 (가)보다 16배 크다.
(2) (나)와 (다)는 표면 온도는 같고, 반지름은 (나)보다 (다)가 2배 크므로 별의 광도는 (다)가 (나)보다 4배 크다.

4 (1) 색지수(B−V)는 B등급에서 V등급을 뺀 값이므로 (3−2)=1이다.
(2) 색지수가 작을수록 표면 온도가 높다. (나)는 색지수가 2이므로 색지수가 1인 (가)보다 표면 온도가 낮다. 따라서 K형보다 더 저온의 분광형인 M형이다.

5 H−R도의 가로축은 표면 온도, 색지수, 분광형으로 나타낼 수 있고, 세로축은 광도, 절대 등급으로 나타낼 수 있다. 백색 왜성은 H−R도의 왼쪽 아래 영역에 분포한다.

6 (1), (3) 적색 거성은 H−R도에서 주계열성의 오른쪽 위쪽에 분포하고, 초거성은 적색 거성보다 위에 분포한다.

7 질량이 매우 큰 별은 주계열 단계가 끝나면 초거성으로 진화하고 초신성 폭발을 일으킨다.

8 성운은 자체 중력으로 수축하면서 밀도와 온도가 증가한다. 성운의 질량이 클수록 중력 수축이 활발하여 빠르게 진화한다.

9 질량이 큰 원시별은 광도가 크고 표면 온도가 높은 주계열성으로 진화한다. 질량이 큰 주계열성일수록 진화 속도가 빠르고 수명이 짧다.

10 (가)는 적색 거성과 초거성, (나)는 주계열성, (다)는 백색 왜성이다. 별은 일반적으로 주계열성 → 적색 거성 → 백색 왜성 또는 주계열성 → 초거성 → 중성자별이나 블랙홀 순으로 진화한다.

11 별은 진화 최종 단계에서 중심부는 수축하여 고밀도 천체(백색 왜성, 중성자별, 블랙홀)가 되고, 외곽부는 팽창이나 폭발하여 성운(행성상 성운, 초신성 잔해)이 된다.

3일 내신 기출 베스트   28~29쪽

● 3. 별의 물리량과 진화

1 ②   **2** ㄴ   **3** ㄱ, ㄷ   **4** ①   **5** ④   **6** ㄱ, ㄴ, ㄷ   **7** ㄴ   **8** ②

1 ② V필터로 관측한 에너지 상대 세기는 (가)가 (나)보다 작으므로, V등급은 (가)가 (나)보다 크다.

선택지 바로 보기

① B등급은 (가)가 (나)보다 크다. (×)
→ B필터로 관측한 에너지 상대 세기는 (가)가 (나)보다 크므로, B등급은 (가)가 (나)보다 작다.

② V등급은 (가)가 (나)보다 크다. (○)

③ 별의 표면 온도는 (가)가 (나)보다 낮다. (×)
→ 별의 표면 온도가 높을수록 최대 세기를 방출하는 에너지 파장이 짧으므로, 표면 온도는 (가)가 (나)보다 높다.

④ 눈으로 볼 때 (나)가 (가)보다 더 푸르게 보인다. (×)
→ 표면 온도가 높은 별일수록 푸르게 보이므로 눈으로 볼 때 (가)가 (나)보다 푸르게 보인다.

⑤ 최대 세기의 에너지를 방출하는 파장은 (가)가 (나)보다 길다. (×)
→ 최대 세기를 방출하는 파장은 (가)가 (나)보다 짧다.

2 ㄴ. G0형 별의 스펙트럼에서는 이온화된 칼슘($CaII$)의 흡수선이 강하게 나타나고, 수소(H) 흡수선이 약하게 나타난다.

오답 풀이

ㄱ. 붉은색 별은 M형 별이므로 이온화된 칼슘($CaII$) 흡수선이 강하게 나타난다.

ㄷ. 수소(H) 흡수선과 이온화된 마그네슘($MgII$)의 흡수선이 강하게 나타나는 별은 분광형이 A0형이고, 표면 온도는 약 10000 K이다.

3 ㄱ. 별의 반지름은 광도의 제곱근에 비례하고, 표면 온도의 제곱에 반비례한다. 즉, 광도가 클수록, 표면 온도가 낮을수록 반지름이 크다. A와 C는 색깔이 같으므로 표면 온도가 같고, 절대 등급은 A가 C보다 작으므로 반지름은 A가 C보다 크다.

ㄷ. 별은 표면 온도가 높을수록 파란색을 띠고, 표면 온도가 낮을수록 붉은색을 띤다. 따라서 표면 온도가 가장 높은 별은 B이다.

오답 풀이

ㄴ. 절대 등급이 작을수록 광도가 큰 별이므로, 광도가 가장 큰 별은 A이다.

자료 분석 ➕ 별의 물리량 비교

별	절대 등급	색깔
A	−5	적색
B	15	백색
C	9	적색

• A는 절대 등급이 작고 적색을 띠므로 H-R도에서 적색 거성에 해당한다.
• B는 절대 등급이 크고 백색을 띠므로 H-R도에서 백색 왜성에 해당한다.

• C는 절대 등급이 크고 적색을 띠므로 H-R도에서 오른쪽 아래에 위치한 주계열성에 해당한다.

4 A는 초거성, B는 적색 거성, C는 주계열성, D는 백색 왜성이다.

① H-R도에서 세로축 위로 갈수록 밝으므로, A는 B보다 밝다.

선택지 바로 보기

① A는 B보다 밝다. (○)

② B는 D보다 표면 온도가 높다. (×)
→ H-R도에서 가로축 왼쪽으로 갈수록 표면 온도가 높으므로, B는 D보다 표면 온도가 낮다.

③ 밀도가 가장 큰 집단은 A이다. (×)
→ H-R도에서 왼쪽 아래로 갈수록 밀도가 증가하므로, 밀도가 가장 큰 집단은 D이다.

④ 반지름이 가장 큰 집단은 C이다. (×)
→ H-R도에서 오른쪽 위로 갈수록 반지름이 증가하므로, 반지름이 가장 큰 집단은 A이다.

⑤ 별은 A → B → C → D 순으로 진화한다. (×)
→ 질량이 태양과 비슷한 별은 주계열성(C) → 적색 거성(B) → 백색 왜성(D) 순으로 진화한다.

자료 분석 ➕ H-R도와 별의 종류

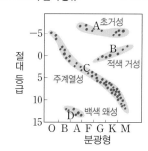

• H-R도에서 가로축은 표면 온도, 색지수, 분광형으로 나타낸다.
• H-R도에서 세로축은 절대 등급, 광도로 나타낸다.
• H-R도에서 오른쪽으로 갈수록 표면 온도가 낮아진다.
• H-R도에서 위로 갈수록 광도가 커지고 밝기가 밝아진다.
• H-R도에서 오른쪽 위로 갈수록 반지름이 증가하고, 밀도가 감소한다.

5 주계열 단계는 원시별 다음 단계로, 주계열성이 진화하면 적색 거성 → 백색 왜성이나 초거성 → 중성자별 또는 블랙홀로 진화한다.

④ 별은 주계열 단계에서 일생의 90 % 이상을 머무른다.

선택지 바로 보기

① 원시별 단계에 해당한다. (×)
→ 주계열 단계

② 중심부에서 중력 수축이 일어난다. (×)
→ 수소 핵융합 반응

③ 별의 겉 부분이 팽창하면서 붉은색으로 보인다. (×)
→ 주계열 단계에서는 정역학 평형 상태를 이루고 있어 별의 크기가 일정하게 유지된다. 별의 겉 부분이 팽창하면서 붉은색으로 보이는 별은 거성 단계이다.

④ 별은 일생 중 대부분의 시간을 이 단계에 머문다. (○)

⑤ 질량이 매우 큰 별에서 진화 마지막 단계의 모습이다. (×)
→ 질량이 매우 큰 별에서 진화 마지막 단계는 중성자별이나 블랙홀로, 핵에서 수소 핵융합 반응이 일어나지 않는다.

6 ㄱ. 원시별은 주계열성(A)을 지나 적색 거성으로 진화한다.
ㄴ. 원시별에서는 중력 수축에 의해 중심부 온도가 상승하고, 중심부 온도가 1000만 K에 도달하면 수소 핵융합 반응이 일어나는 주계열성이 된다. 따라서 중심부 온도는 A가 원시별보다 높다.
ㄷ. 주계열성이 적색 거성으로 진화할 때 별의 크기가 커지면서 광도는 급격히 증가하고 표면 온도는 낮아진다. 따라서 적색 거성은 A보다 표면 온도가 낮다.

7 ㄴ. 주계열성(ⓛ)에서 적색 거성(ⓒ)으로 진화하는 동안 광도는 증가하고 표면 온도는 낮아지므로 반지름은 커진다. 따라서 ⓛ → ⓒ 과정에서 별의 크기는 증가한다.

오답 풀이
ㄱ. ⑦은 원시별, ⓛ은 주계열성, ⓒ은 적색 거성, ⓔ은 백색 왜성이다.
ㄷ. 별이 일생 중 가장 오래 머무는 과정은 주계열 단계이다. 따라서 ⓛ 단계이다.

자료 분석 ➕ 별의 진화

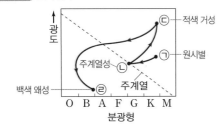

• 질량이 태양 정도인 별은 원시별 → 주계열성 → 적색 거성 → 백색 왜성으로 진화한다.
• ⑦ → ⓛ 과정에서 중력 수축 에너지에 의해 중심부 온도가 상승한다.
• ⓛ → ⓒ 과정에서 중심부에서는 중력 수축에 의해 온도가 상승하고, 핵을 둘러싼 수소 껍질에서는 수소 핵융합 반응이 일어나 이때 발생한 에너지에 의해 별의 바깥층이 팽창하면서 별의 크기가 증가한다.
• ⓒ → ⓔ 과정에서 중심부는 계속 수축하고, 별의 바깥층은 수축과 팽창을 반복하는 맥동 변광성 단계를 거친 후 별의 바깥층 물질

이 우주 공간으로 방출되어 행성상 성운이 되고, 중심부는 수축하여 밀도가 큰 백색 왜성이 된다.

8 ① A는 질량이 태양 정도인 주계열성이 적색 거성으로 진화하는 과정으로, 이 과정에서 별의 광도가 증가한다.
③ A는 질량이 태양 정도인 주계열성의 진화 과정이고, B는 질량이 태양보다 큰 주계열성의 진화 과정이다.
④ 초거성의 중심부에서 핵융합 반응이 멈추면 별은 빠르게 중력 수축하다가 결국 폭발하는데, 이것을 초신성 폭발이라고 한다.
⑤ 초거성 단계가 지나면 초신성 폭발이 일어나 겉 부분은 우주 공간으로 방출되고, 중심부는 극심하게 수축하여 밀도가 매우 큰 중성자별이나 밀도가 더 큰 블랙홀이 된다.

오답 풀이
② B는 질량이 태양보다 큰 주계열성이 초거성으로 진화하는 과정으로, 이 과정에서 별의 광도와 반지름은 증가하지만 표면 온도는 감소한다.

4일 기초 확인 문제 33쪽, 35쪽

• 4. 별의 에너지원과 외계 생명체 탐사

1 (1) 중력 수축 (2) 수소 핵융합 반응 **2** 양성자·양성자 반응 (p-p 반응) **3** ⑤ **4** A: 기체 압력 차로 발생한 힘, B: 중력
5 (1) X: 탄소, Y: 철 (2) 백색 왜성 **6** (1) 대류 (2) 복사 **7** (1) (가) (2) (나) **8** (1) A (2) 청색 편이 **9** (1) × (2) ○ (3) ○
10 (1) × (2) × (3) ○ (4) ○ **11** ① **12** (1) 지구 (2) 액체 (3) 멀어진다

1 원시별은 중력 수축에 의해, 주계열성은 중심부에서 일어나는 수소 핵융합 반응에 의해 에너지가 생성된다.

2 수소 핵융합 반응은 수소 원자핵 4개가 융합하여 헬륨 원자핵 1개로 변화하는 핵융합 반응으로, p-p 반응과 CNO 순환 반응이 있다. p-p 반응은 중심부 온도가 약 1800만 K 이하인 질량이 작은 주계열성의 중심부에서 우세하게 일어나며, 수소 원자핵 6개가 여러 반응 단계를 거치는 동안 헬륨 원자핵 1개와 수소 원자핵 2개로 바뀌면서 에너지를 생성한다.

3 주계열성은 질량이 클수록 광도와 반지름이 크고, 표면 온도가 높으며, 수명이 짧다.

⑤ 질량이 태양 정도인 주계열성의 중심부에서는 p-p 반응이 우세하고, 태양 질량의 2배 이상인 주계열성의 중심부에서는 CNO 순환 반응이 우세하다.

4 안쪽으로는 별을 수축시키려는 중력이 작용하고, 내부에서 바깥쪽으로는 팽창하려는 기체 압력 차에 의한 힘이 작용한다.

5 (1) 적색 거성에서는 헬륨 핵융합 반응에 의해 탄소 핵이 생성되며, 질량이 매우 큰 별은 핵융합 반응이 지속적으로 일어나 마지막으로 철 핵이 생성된다.
(2) 태양 질량 정도의 별은 진화 과정에서 주계열성 → 적색 거성 → 행성상 성운을 거쳐 마지막으로 백색 왜성이 된다.

6 태양 질량 정도의 주계열성은 중심핵, 복사층, 대류층으로 이루어져 있다.

7 (1) 천체가 다른 천체를 가리는 것을 식 현상이라고 한다. 행성에 의한 식 현상에 의해 중심별의 밝기가 변하는 것을 관측하여 외계 행성을 탐사한다.
(2) 시선 방향에서 천체가 다가오거나 멀어지는 운동을 할 때의 속도를 시선 속도라고 하며, 이때 지구로 접근할 때에는 스펙트럼에서 청색 편이가 나타나고, 지구에서 멀어질 때에는 스펙트럼에서 적색 편이가 나타나므로, 이를 이용하여 외계 행성을 탐사한다.

8 A는 중심별, B는 행성이며, 중심별과 행성은 공통 질량 중심을 중심으로 공전한다. 이때 중심별이 지구로 접근할 때는 파장이 짧아지는 청색 편이가 나타난다.

9 (1) 행성의 공전 궤도면과 시선 방향이 수직이면 식 현상이 일어날 수 없다.
(2) 식 현상이 일어나는 동안 행성에 의해 중심별의 일부가 가려지므로 중심별의 밝기가 감소한다.
(3) 행성의 반지름이 클수록 중심별을 가리는 면적이 넓어지므로 밝기 변화를 통해 행성의 반지름을 비교할 수 있고, 식 현상이 일어나는 주기를 통해 행성의 공전 주기를 알 수 있다.

10 (1) 미세 중력 렌즈 효과에 의해 배경별의 밝기가 증가하며, 행성에 의해 추가로 밝기가 증가한다.
(2) 미세 중력 렌즈 효과는 주기적으로 나타나지 않는다.

11 ① 중심별의 수명이 길면 오랫동안 일정한 밝기로 에너지를 공급할 수 있어 생명 가능 지대에 오랫동안 머무를 수 있다.

① 중심별의 수명이 길다. (○)
② 공전 궤도가 긴 타원형이다. (×)
→ 공전 궤도가 긴 타원형이면 생명 가능 지대를 벗어날 수 있어 생명체가 탄생하여 진화하기 어렵다.
③ 고체 상태의 물이 존재한다. (×)
→ 생명체가 탄생하기 위해서는 액체 상태의 물이 존재해야 한다.
④ 자전 주기가 공전 주기와 같다. (×)
→ 자전 주기와 공전 주기가 같으면(동주기 자전) 행성 표면에 중심별의 에너지가 골고루 공급되지 않아 생명체가 탄생하여 진화하기 어렵다.
⑤ 매우 두꺼운 대기를 가지고 있다. (×)
→ 생명체가 존재하기 위해서는 적당한 두께의 대기를 가져야 한다.

12 (1) 태양계에서 생명 가능 지대에 속한 행성은 지구뿐이다.
(3) 중심별의 질량이 클수록 광도가 크기 때문에 중심별로부터 생명 가능 지대까지의 거리는 멀어진다.

4일 **내신 기출 베스트** 36~37쪽

• 4. 별의 에너지원과 외계 생명체 탐사

1 ① **2** ① **3** ㄱ, ㄷ **4** ④ **5** ㄱ **6** ㄱ, ㄴ **7** ㄱ
8 ②

1 ② 수소 원자핵 4개가 융합하여 헬륨 원자핵 1개를 생성하는 반응은 수소 핵융합 반응이다.
③ 수소 핵융합 반응에는 양성자·양성자 반응(p-p 반응)과 탄소·질소·산소 순환 반응(CNO 순환 반응)이 있다.
④, ⑤ 수소 원자핵 4개의 질량의 합은 헬륨 원자핵 1개의 질량보다 크다. 즉, 핵융합 반응 과정에서 질량 결손이 일어나며, 결손된 질량은 질량 에너지 등가 원리에 따라 에너지로 전환된다.

① 수소 핵융합 반응은 주계열성의 중심부에서 일어나는 핵융합 반응이다.

2 ① (가)는 중심에 대류가 일어나는 핵이 있고, 바깥쪽에 복사층이 존재하므로 질량이 태양 질량의 약 2배 이상인 주계열성의 내부 구조이다. (나)는 중심에 핵이 있고, 복사층과 대류층이 차례로 나타나므로 질량이 태양 질량의 약 2

배 이하인 주계열성의 내부 구조이다.

선택지 바로 보기

① 질량은 (가)가 (나)보다 크다. (○)

② 표면 온도는 (가)가 (나)보다 낮다. (×)

→ 주계열성은 질량이 클수록 표면 온도가 높다. 따라서 표면 온도는 (가)가 (나)보다 높다.

③ 태양은 (가)와 같은 내부 구조를 가진다. (×)

→ 태양은 중심핵 → 복사층 → 대류층의 내부 구조를 가지고 있다. 따라서 (나)와 같은 내부 구조를 가진다.

④ 별의 진화 속도는 (가)가 (나)보다 느리다. (×)

→ 진화 속도는 별의 질량이 클수록 빠르다. 따라서 (가)가 (나)보다 진화 속도가 빠르다.

⑤ CNO 순환 반응은 (가)보다 (나)에서 우세하다. (×)

→ CNO 순환 반응은 질량이 큰 별의 중심부에서 더 우세하게 일어나므로 (가)가 (나)보다 우세하다.

3 ㄱ. 규소 핵융합 반응은 질량이 태양보다 매우 큰 별의 내부에서만 일어날 수 있다.

ㄷ. 중심부로 갈수록 무거운 원자핵으로 이루어져 있으므로 핵융합 반응에 필요한 온도는 높아진다.

오답 풀이

ㄴ. 초신성 폭발을 한 후 중심부는 수축하여 중성자별이나 블랙홀이 된다.

4 ④ 거성 초기에는 중심부의 온도가 낮아 헬륨 핵융합 반응이 일어나지 않고, 수축하여 온도가 올라간다. 반면 바깥층은 수소 껍질에서 수소 핵융합 반응이 일어나 온도가 올라가고 팽창한다.

선택지 바로 보기

① A는 팽창한다. (×)

→ 중심부에서는 중력 수축이 일어난다.

② 별 전체의 지름이 감소한다. (×)

→ 수소 껍질에서 수소 핵융합 반응에 의해 온도가 올라가면서 바깥층이 팽창하므로 별 전체의 지름은 증가한다.

③ 주계열성일 때보다 밝기가 감소한다. (×)

→ 주계열성일 때보다 반지름이 증가하고 표면 온도가 감소하므로 밝기(광도)는 증가한다.

④ A의 온도는 주계열성일 때보다 증가한다. (○)

⑤ B는 기체 압력 차에 의한 힘보다 중력이 크다. (×)

→ 바깥층은 팽창하므로 기체 압력 차에 의한 힘이 중력보다 크다.

5 ㄱ. 행성의 지름이 클수록 중심별을 가리는 면적이 넓어지므로 중심별의 겉보기 밝기 변화(a)가 크게 나타난다.

오답 풀이

ㄴ. 행성이 중심별 앞에 놓일 때 별의 밝기가 감소한다.

ㄷ. 행성의 공전 궤도면이 시선 방향에 수직이면 식 현상이 일어나지 않는다.

6 ㄱ. A 시기에 행성은 지구로 접근하고 중심별은 지구에서 멀어지므로 적색 편이가 나타난다.

ㄴ. B 시기에는 행성에 의해 식 현상이 일어나므로 중심별의 밝기가 감소한다.

오답 풀이

ㄷ. C 시기에 행성은 지구에서 멀어지고 중심별은 지구로 접근한다.

7 ㄱ. 앞쪽 중심별의 미세 중력 렌즈 효과에 의한 배경별의 밝기 증가에 행성에 의한 미세 중력 렌즈 효과가 추가적으로 나타나므로 앞쪽의 중심별에는 행성이 존재한다.

오답 풀이

ㄴ. 미세 중력 렌즈 효과는 주기적으로 나타나는 현상이 아니다.

ㄷ. t_2를 중심으로 전체적인 밝기 증가는 앞쪽에 있는 중심별에 의한 중력 렌즈 효과이며, t_3 부근에 추가된 밝기 변화는 행성에 의한 중력 렌즈 효과이다.

자료 분석 ＋ 미세 중력 렌즈 효과

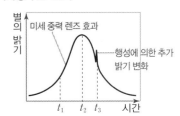

• 미세 중력 렌즈 효과: 지구와 별 사이에 다른 별이 있을 때, 상대적으로 지구에 가까이 있는 별의 중력에 의해 멀리 있는 배경별의 빛이 굴절되어 밝게 관측되는 현상이다.

• 가까이 있는 별에 행성이 존재하면 행성의 중력이 추가되어 일시적으로 배경별의 별빛이 좀 더 밝게 관측된다.

8 ② 태양계에서 생명 가능 지대에 속한 행성은 지구뿐이므로, 지구는 B에 해당한다.

선택지 바로 보기

① A에는 물이 고체로 존재한다. (×)

→ A는 생명 가능 지대보다 중심별에 가까우므로 물이 기체로 존재할 것이다.

② 중심별이 태양이라면 지구는 B에 해당한다. (○)

③ A~C 중 C의 복사 평형 온도가 가장 높다. (×)

→ 중심별에서 멀어질수록 행성에 도달하는 중심별의 복사 에너지양이 감소하므로 행성의 복사 평형 온도가 낮아진다. 따라서 별로부터의 거리가 가장 먼 C의 복사 평형 온도가 가장 낮다.

④ 중심별이 밝을수록 생명 가능 지대의 폭이 좁다. (×)

→ 중심별이 밝을수록, 즉 광도가 클수록 생명 가능 지대까지의 거리가 멀어지고 폭이 넓어진다.

⑤ 중심별의 밝기가 증가하면 A는 생명 가능 지대에 속할 수 있다. (×)
→ 중심별의 밝기가 증가하면, 즉 광도가 커지면 A는 생명 가능 지대에서 더 멀어진다.

5^일 기초 확인 문제

41쪽, 43쪽

• 5. 외부 은하와 우주 팽창

1 (1) ○ (2) ○ (3) × **2** (가) 타원 은하, (나) 불규칙 은하, (다) 막대 나선 은하 **3** (1) 세이퍼트은하 (2) 전파 은하 (3) 퀘이사 **4** 퀘이사 **5** (1) ○ (2) × (3) ○ **6** (1) 약 34000 km/s (2) 약 68 km/s/Mpc **7** ③ **8** (1) × (2) ○ (3) × (4) ○ **9** (1) 빅뱅(대폭발) (2) 급팽창 (3) 우주 배경 복사 **10** (1) ㄷ (2) ㄱ **11** (1) A (2) C (3) B **12** 평탄, 증가

1 (1) 타원 은하는 납작한 정도에 따라 E0~E7로 세분한다.
(2) 나선 은하는 은하 중심부인 팽대부와 은하 원반으로 이루어져 있으며, 나선팔이 팽대부를 휘감고 있다.
(3) 불규칙 은하는 모양이 일정하지 않고 규칙적인 구조가 없는 은하로, 성간 물질이 많고, 나이가 적은 파란색 별들로 이루어져 있다.

2 (가)는 타원 모양의 타원 은하이고, (나)는 일정한 모양이 없는 불규칙 은하이며, (다)는 은하 중심부를 가로지르는 막대 구조에서 나선팔이 뻗어 나와 휘감고 있는 막대 나선 은하이다.

3 특이 은하에는 세이퍼트은하, 전파 은하, 퀘이사 등이 있으며, 가시광선 영역에서 세이퍼트은하는 주로 나선 은하, 전파 은하는 주로 타원 은하의 형태로 관측된다.

4 적색 편이가 매우 크게 나타나는 것으로 보아 거리가 매우 먼 천체이므로 이 은하는 퀘이사이다.

5 (1) 멀리 있는 외부 은하일수록 더 빨리 멀어지므로 적색 편이가 더 크게 나타난다.
(2) 은하는 서로 멀어지고 있으므로 우주 팽창의 중심은 정할 수 없으며, 허블 법칙은 어느 은하를 기준으로 하더라도 성립한다.
(3) 우주가 일정하게 팽창을 한다고 가정하면 은하가 멀어지기 시작한 시간은 우주의 나이가 되므로, 우주의 나이는 허블 상수의 역수이다.

6 (1) 외부 은하의 거리와 후퇴 속도는 비례 관계이다. 거리가 0.5 Mpc인 은하의 후퇴 속도는 약 34 km/s이므로 거리가 500 Mpc인 은하의 후퇴 속도는 약 34000 km/s이다.
(2) 허블 상수는 그래프의 기울기에 해당하므로 약 68 km/s/Mpc이다.

7 빅뱅 우주론은 빅뱅 이후 물질이 새롭게 생성되지 않으므로 우주가 팽창함에 따라 밀도와 온도는 감소하고, 질량은 일정하게 유지된다. 정상 우주론은 우주가 탄생한 이후에도 우주가 팽창함에 따라 그 공간에 새로운 물질이 계속 생성되므로 밀도와 온도는 일정하게 유지되고, 질량은 증가한다.

8 (1) 우리 은하의 주변부 회전 속도가 예측했던 것보다 빠른 것은 은하 외곽에 눈에는 보이지 않는 상당량의 물질이 분포하기 때문이다. 이를 통해 암흑 물질의 존재를 확인할 수 있다.
(2), (4) 빅뱅 우주론의 증거에는 우주 배경 복사와 가벼운 원소의 비율(수소와 헬륨의 질량비)이 있다.
(3) Ia형 초신성의 관측 결과로부터 우주가 가속 팽창하고 있다는 것을 알아냈다.

10 (1) 암흑 물질의 존재는 우리 은하의 회전 곡선과 은하단 중력 렌즈 효과 등을 통해 확인되었다.
(2) Ia형 초신성 관측을 통해 우주의 가속 팽창이 밝혀졌다.

11 A는 암흑 에너지, B는 암흑 물질, C는 보통 물질이다.
(1) 우주의 가속 팽창을 일으키는 것은 척력으로 작용하는 암흑 에너지이다.
(2) 보통 물질은 행성, 별, 은하, 성간 물질 등과 같은 눈에 보이는 물질이다.
(3) 암흑 물질은 눈에 보이지 않아 중력적인 방법으로만 확인할 수 있는 물질이다.

12 현재 우주는 평탄하지만, 암흑 에너지가 차지하는 비율이 증가함에 따라 팽창 속도는 점점 빨라지고 있다.

5^일 내신 기출 베스트

44~45쪽

• 5. 외부 은하와 우주 팽창

1 ⑤ **2** ㄴ, ㄷ **3** ② **4** ② **5** ⑤ **6** ② **7** ㄱ **8** ㄱ, ㄷ

2학기 중간·기말

1 우리 은하는 중심부를 가로지르는 막대 구조를 가지고 있는 막대 나선 은하에 속한다. 나선 은하는 은하핵인 팽대부와 은하 원반, 나선팔로 이루어져 있다.

2 가시광선 영상에서는 타원 은하로 관측되고, 전파 영상에서는 중심핵과 중심핵 양쪽에 강력한 전파를 방출하는 로브가 관측되는 전파 은하이다. 중심핵과 로브는 제트로 이어져 있다.

3 ② 퀘이사는 매우 멀리 있어 후퇴 속도가 빠르다.

선택지 바로 보기

① 대부분 타원 은하의 형태를 하고 있다. (×)
→ 퀘이사는 매우 밝은 핵을 가지고 있는 은하이지만, 아주 멀리 있어 별처럼 보인다.
② 매우 먼 거리에서 빠른 속도로 후퇴한다. (○)
③ 스펙트럼은 별의 스펙트럼과 매우 유사하다. (×)
→ 별의 스펙트럼에는 흡수선이 많이 나타나지만, 퀘이사의 스펙트럼에는 강한 방출선이 나타난다.
④ 스펙트럼에서 적색 편이가 매우 작게 측정된다. (×)
→ 퀘이사의 스펙트럼에는 적색 편이가 매우 크게 나타난다.
⑤ 우리 은하 내에 존재하는 과거의 은하 흔적이다. (×)
→ 퀘이사는 우주 초기에 생성된 은하로 추정되며, 우리 은하에서 아주 멀리 떨어진 곳에 위치한 외부 은하이다.

4 ② 비교 스펙트럼의 방출선과 비교했을 때 B는 원래보다 파장이 길어졌다.

선택지 바로 보기

① A는 청색 편이가 나타난다. (×)
→ 비교 스펙트럼의 방출선과 비교했을 때 A는 원래보다 파장이 길어졌으므로 적색 편이가 나타난다.
② B는 원래보다 파장이 길어졌다. (○)
③ A는 B보다 후퇴 속도가 빠르다. (×)
→ 은하의 후퇴 속도는 적색 편이량$\left(=\dfrac{\text{파장 변화량}}{\text{원래 파장}}\right)$에 비례한다. 적색 편이량은 B가 A보다 크므로 후퇴 속도는 A가 B보다 느리다.
④ A는 B보다 우리 은하에서 더 멀리 있다. (×)
→ 은하의 후퇴 속도는 은하까지의 거리에 비례하므로 A는 B보다 우리 은하에 더 가깝다.
⑤ B에서 관측하면 A는 청색 편이가 나타난다. (×)
→ 우주는 팽창의 중심이 없으므로 어떤 은하에서 관측하더라도 서로 멀어진다. 따라서 B에서 관측하면 A는 적색 편이가 나타난다.

5 ⑤ 우주가 팽창하는 동안 우주의 온도가 낮아지면서 우주 배경 복사의 파장은 길어졌다.

선택지 바로 보기

① 적외선으로 관측된다. (×)
→ 우주 배경 복사는 약 7.3 cm 파장의 전파로 관측된다.
② 헬륨 원자핵이 형성될 때 방출된 빛이다. (×)
→ 원자가 형성될 때 방출된 빛이다.
③ 우주 배경 복사 생성 당시 온도는 약 2.7 K이었다. (×)
→ 우주 배경 복사가 생성될 당시의 온도는 약 3000 K이었으나 우주 팽창하면서 온도가 낮아져 현재는 약 2.7 K으로 관측된다.
④ 우주가 불투명해지면서 우주 배경 복사가 형성되었다. (×)
→ 빅뱅 3분 후 헬륨 원자핵이 형성될 때에는 우주가 불투명한 상태였으며, 약 38만 년이 지났을 때 원자가 만들어지면서 투명한 우주가 되었고, 이때 우주 배경 복사가 방출되었다.
⑤ 우주 배경 복사는 형성 당시보다 파장이 매우 길어졌다. (○)

6 ② A는 빅뱅 직후 매우 짧은 시간 동안 일어난 급팽창 시기이다.

선택지 바로 보기

① (가)는 빅뱅 우주론이다. (×)
→ (가)는 급팽창 이론(우주론), (나)는 빅뱅 우주론이다.
② A 시기에 급팽창이 일어났다. (○)
③ 우주 배경 복사는 (가) 우주론의 증거이다. (×)
→ 우주 배경 복사는 (나) 빅뱅 우주론의 증거이다.
④ (나) 우주론으로 우주의 편평성 문제를 설명할 수 있다. (×)
→ 빅뱅 우주론으로는 우주의 지평선 문제, 편평성 문제, 자기 홀극 문제를 해결하지 못하였다. 우주의 편평성 문제를 설명할 수 있는 우주론은 (가) 급팽창 우주론이다.
⑤ A 시기 이후에는 우주 전체가 정보를 교환할 수 있게 되었다. (×)
→ 급팽창 이전에는 우주 전체가 서로 정보를 교환할 수 있었지만, 급팽창 이후에는 불가능해졌다.

7 ㄱ. 현재 우주 팽창 속도는 증가하고 있으므로, 현재 우주는 가속 팽창을 하고 있다.

오답 풀이

ㄴ. A 시기는 우주 팽창 속도가 감소하고, B 시기는 우주 팽창 속도가 증가한다. 두 시기 모두 우주는 팽창을 하였으므로 A 시기에도 우주의 크기는 커졌다.
ㄷ. B 시기에는 가속 팽창을 하고 있으므로 암흑 물질보다 척력으로 작용하는 암흑 에너지의 영향이 더 크게 작용하고 있다.

자료 분석 ➕ 우주 팽창 속도

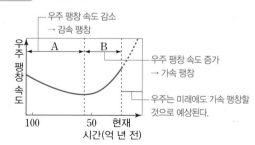

- A 시기: 감속 팽창, 암흑 물질 밀도＞암흑 에너지 밀도
- B 시기: 가속 팽창, 암흑 에너지 밀도＞암흑 물질 밀도

---

8 ㄱ. Ia형 초신성의 관측 결과는 가속 팽창하는 우주에 더 가깝다.

ㄷ. Ia형 초신성의 거리가 등속 팽창하는 우주의 경우보다 멀게 관측된 것은 초신성이 예상보다 어둡게 관측되었기 때문이다.

(오답 풀이)

ㄴ. 우주가 가속 팽창을 하려면 우주의 물질들의 인력을 합한 것보다 더 큰 힘이 척력으로 작용해야 하는데, 이 힘으로 작용하는 에너지를 암흑 에너지라고 정하였다. 암흑 물질의 존재는 우리 은하의 회전 속도 곡선과 은하단의 중력 렌즈 효과 등을 이용하여 설명할 수 있다.

6일 누구나 100점 테스트 1회 46~47쪽

• 범위 | IV-[1] 대기 대순환과 해양의 표층 순환 ~ V-[1] 별의 물리량

1 ④ **2** ③ **3** ⑤ **4** ② **5** ⑤ **6** ⑤ **7** ② **8** (가)-(다)-(나) **9** ④ **10** ①

1 ㄴ. A는 중위도 해역에서 서쪽에서 동쪽으로 흐르는 해류로, 편서풍에 의해 형성된다.

ㄷ. B는 저위도 해역에서 동쪽에서 서쪽으로 흐르는 해류로, 무역풍에 의해 형성된 북적도 해류이다. 따라서 무역풍이 강해지면 B는 강해진다.

(오답 풀이)

ㄱ. 난류는 저위도에서 고위도로 흐르는 따뜻한 해류이고, 한류는 고위도에서 저위도로 흐르는 차가운 해류이다. A와 B는 대기 대순환에 의한 바람에 의해 형성된 표층 해류이다.

(자료 분석 ➕) **표층 순환**

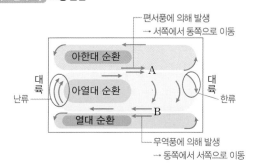

- 편서풍에 의해 발생
  → 서쪽에서 동쪽으로 이동
- 아한대 순환
- 대륙 / 난류
- 아열대 순환
- A
- 대륙 / 한류
- 열대 순환
- B
- 무역풍에 의해 발생
  → 동쪽에서 서쪽으로 이동

- 아열대 순환: 무역풍과 편서풍에 의해 형성된 해류로 이루어진 순환
  - 북태평양의 아열대 순환: 북적도 해류 → 쿠로시오 해류 → 북태평양 해류 → 캘리포니아 해류
  - 북대서양의 아열대 순환: 북적도 해류 → 멕시코 만류 → 북대서양 해류 → 카나리아 해류
- 아한대 순환: 편서풍과 극동풍에 의해 형성된 해류로 이루어진 순환
- 아열대 순환에서 대양의 동쪽에는 고위도에서 저위도로 한류가 흐르고, 대양의 서쪽에는 저위도에서 고위도로 난류가 흐른다.

---

2 ③ 동해에서는 북한 한류와 동한 난류가 만나 조경 수역을 형성한다.

(선택지 바로 보기)

① 쿠로시오 해류는 한류이다. (×)
→ 우리나라 주변 난류의 근원인 쿠로시오 해류는 저위도에서 고위도로 흐르는 난류이다.

② 북한 한류는 북쪽으로 흐른다. (×)
→ 북한 한류는 북쪽에서 남쪽으로 흐르는 한류이다.

③ 동해에서는 난류와 한류가 만난다. (○)

④ 쿠로시오 해류는 무역풍에 의해 형성된다.(×)
→ 쿠로시오 해류는 무역풍에 의해 형성된 북적도 해류가 서쪽으로 이동하다가 대륙에 부딪쳐 북쪽으로 이동하는 해류이다.

⑤ 우리나라 주변의 해류는 쿠로시오 해류로 합류된다. (×)
→ 우리나라 주변의 난류는 쿠로시오 해류에서 갈라져서 흘러 들어온 것이고, 한류는 연해주 한류의 지류가 흘러 들어온 것이다.

---

3 ⑤ 심층수는 밀도가 큰 해수가 가라앉아 형성되므로 심층수의 형성과 침강은 주로 수온이 낮은 고위도에서 일어난다.

(선택지 바로 보기)

① 표층 순환은 밀도 차에 의해 발생한다. (×)
→ 표층 순환은 주로 대기 대순환에 의한 바람에 의해 발생하며, 심층 순환은 수온과 염분 변화에 따른 밀도 차에 의해 발생한다.

② 표층수가 용승하면 심층수로 변화한다. (×)
→ 심층수가 용승하면 표층수로 변화한다.

③ 수온이 높을수록 심층 순환이 잘 일어난다. (×)
→ 심층 순환은 밀도가 큰 해수가 침강하여 형성되므로 수온이 낮을수록 잘 일어난다.

④ 심층 순환은 표층 순환보다 빠르게 일어난다. (×)
→ 심층 순환은 표층 순환보다 매우 느리게 일어나며, 전 지구를 순환하는 데 수백 년에서 약 1000년이 걸린다.

⑤ 심층수의 형성과 침강은 고위도에서 일어난다. (○)

---

4 ㄴ. 북반구에서는 해수가 바람 방향의 오른쪽 직각 방향으로 이동하므로 B에서 용승이 일어나기 위해서는 북풍 계열의 바람이 지속적으로 불어야 한다.

ㄱ. A는 적도 해역에서 북동 무역풍과 남동 무역풍에 의해 용승이 일어나는 적도 용승 해역이다.

ㄷ. 남반구에서는 해수가 바람 방향의 왼쪽 직각 방향으로 이동하므로 C에서 용승이 발생하기 위해서는 남풍 계열의 바람이 지속적으로 불어야 한다. 따라서 C의 용승은 편서풍에 의해 발생한 것이 아니다.

자료 분석 ➕ **용승 해역**

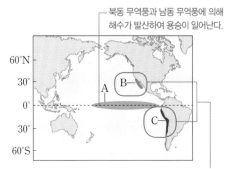

북동 무역풍과 남동 무역풍에 의해 해수가 발산하여 용승이 일어난다.

연안 용승이 일어나는 지역은 주로 대륙의 서쪽 연안에 발달한다.

5 ⑤ 라니냐는 열대 태평양의 동쪽 해역에서 표층 수온이 평년보다 낮은 상태로 지속되는 현상이므로, 열대 동태평양 해역의 표층 수온은 하강하고 열대 서태평양 해역의 표층 수온은 상승한다.

① 라니냐 시기에 열대 동태평양 해역은 표층 수온이 낮아지면서 기압이 높아지고, 열대 서태평양 해역에서는 기압이 낮아진다.

②, ④ 라니냐 시기에 열대 동태평양 해역은 기압이 높아져 하강 기류가 발달하므로 강수량이 감소하고, 열대 서태평양 해역은 기압이 낮아져 상승 기류가 발달하므로 강수량이 증가한다.

③ 라니냐 시기에는 무역풍이 강하므로 서쪽으로 이동하는 해수의 흐름이 강해져 열대 동태평양 해역은 해수면의 높이가 낮아지고, 열대 서태평양 해역은 해수면의 높이가 높아진다.

6 ⑤ 지구의 공전 궤도 이심률이 커지면 공전 궤도는 더 납작한 타원 궤도가 되면서 근일점은 더 가까워지고 원일점은 더 멀어지게 된다.

① 태양 활동이 활발하면 일사량이 ~~감소~~한다. (×)
→ 태양 활동이 활발하면 지구에 도달하는 태양 복사 에너지양이 증가하므로 일사량이 증가한다.

② 현재 지구는 근일점에서 ~~북반구~~가 여름철이다. (×)
→ 현재 지구는 근일점에서 북반구가 겨울철, 남반구가 여름철이다.

③ 세차 운동에 의해 지구와 태양 사이의 거리가 ~~변한다.~~ (×)
→ 세차 운동은 지구 자전축의 경사 방향이 약 26000년을 주기로 변하는 것으로, 지구와 태양 사이의 거리는 일정하게 유지되지만 근일점과 원일점에서의 계절이 변하게 된다.

④ 지구 자전축 경사각이 커지면 기온의 연교차가 ~~작아진다.~~ (×)
→ 지구 자전축 경사각이 커지면 여름철에는 태양의 남중 고도가 높아지고 겨울철에는 태양의 남중 고도가 낮아져서 기온의 연교차가 커진다.

⑤ 지구의 공전 궤도 이심률이 커지면 근일점 거리가 가까워진다.
(○)

7 ㄴ. 이산화 탄소는 대표적인 온실 기체이므로 태양 복사 에너지 중 적외선과 지구 복사 에너지를 흡수한다. 따라서 대기 중 이산화 탄소의 양이 증가하면 대기가 흡수하는 에너지양이 증가하고, 이에 따라 지표로 재방출하는 에너지의 양도 증가하므로 지표에서 방출하는 에너지 B도 증가할 것이다.

ㄱ. A는 태양 복사 에너지가 대기를 통과하여 지표에 흡수되는 에너지이므로 대부분 가시광선이다.

ㄷ. 대기는 태양 복사로부터 25단위, 지표로부터 '8(대류·전도)+21(숨은열)+C'단위를 흡수하고, 우주로 66단위, 지표로 88단위를 방출하므로 25+8+21+C=66+88이 성립한다. 따라서 C는 100이다.

자료 분석 ➕ **지구의 열수지**

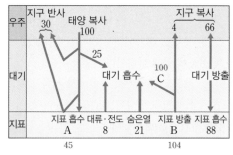

구분	흡수량	방출량
지구 전체	태양 복사(100)−지구 반사(30)	지표 방출(4)+대기 방출(66)
대기	태양 복사(25)+대류·전도(8)+숨은열(21)+지표 방출(C)	우주 공간(66)+지표(88)
지표	태양 복사(A)+대기 방출(88)	대류·전도(8)+숨은열(21)+지표 방출(B)

• 지구 전체 복사 평형: 100−30=4+66=70
• 대기의 복사 평형: 25+8+21+C=66+88=154 ➡ C=100
• 지표의 복사 평형: A+88=8+21+B ➡ B=C+4, B=104, A=45

8 별의 분광형은 표면 온도가 높은 것부터 차례대로 O-B-A-F-G-K-M형으로 분류하며, O형과 M형을 제외한 각 분광형은 각각 0에서 9까지 10단계로 세분한다. 따라서 표면 온도가 가장 높은 별은 분광형이 A2형인 (나)이고, 표면 온도가 가장 낮은 별은 분광형이 K0형인 (가)이다.

9 ㄴ. 별은 표면 온도가 낮을수록 색지수가 크고, 표면 온도가 높을수록 색지수가 작다.
ㄷ. 광도는 별이 단위 시간 동안 단위 면적에서 방출하는 에너지양에 별의 전체 표면적을 곱한 값이다. 따라서 별의 크기가 같다면 별의 표면 온도가 높을수록 광도가 크다.

오답 풀이
ㄱ. 태양은 표면 온도가 약 5800 K이며, 분광형은 G2형이다.

10 ① 별의 반지름을 R, 표면 온도를 T, 광도를 L이라고 할 때, $L=4\pi R^2 \cdot \sigma T^4$이므로, 광도는 반지름의 제곱에 비례하고 표면 온도의 네제곱에 비례한다. (가)는 (나)보다 표면 온도는 2배 높고, 반지름은 $\frac{1}{2}$배 작다. 따라서 광도는 (가)가 (나)보다 4배 크다.

선택지 바로 보기
① 광도는 (가)가 (나)보다 크다. (○)
② (가)는 (나)보다 더 붉게 보인다. (×)
→ 별은 표면 온도가 높을수록 파란색을 띠고, 표면 온도가 낮을수록 붉은색을 띤다. (가)는 (나)보다 표면 온도가 높으므로 (나)가 더 붉게 보인다.
③ (가)는 (나)보다 색지수가 더 크다. (×)
→ 표면 온도 낮을수록 색지수가 크다. 따라서 (가)보다 (나)의 색지수가 더 크다.
④ (나)는 (가)보다 표면적이 <u>16배</u> 크다. (×)
→ 구의 표면적은 $4\pi R^2$이므로, 표면적은 (나)가 (가)보다 4배 크다.
⑤ 별의 단위 면적에서 방출되는 에너지의 양은 (나)가 (가)보다 많다. (×)
→ 별의 단위 면적에서 방출되는 에너지의 양은 표면 온도의 4제곱에 비례한다. 따라서 표면 온도가 높은 (가)가 (나)보다 많다.

6일 **누구나 100점 테스트** 2회   48~49쪽

• 범위 | V-[2] H-R도와 별의 진화 ~ VI-[3] 암흑 물질과 암흑 에너지

1 ②	**2** ③	**3** ①	**4** ①	**5** ㉠ 접근, ㉡ 청색	**6** ③
7 ④	**8** ④	**9** ③	**10** ①		

1 ㄴ. 시리우스 A의 분광형은 A형이므로 분광형이 G형인 태양보다 표면 온도가 높다.

오답 풀이
ㄱ. 시리우스 A와 태양은 주계열성, 시리우스 B는 백색 왜성이다.
ㄷ. 시리우스 B의 광도는 0.01~0.0001 사이이므로 태양의 광도보다 작다.

자료 분석 ➕ H-R도와 별의 종류

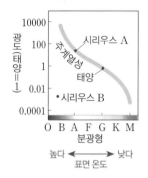

• 시리우스 A와 태양은 주계열성이며, 시리우스 A는 H-R도에서 태양보다 왼쪽 위에 위치하므로 질량, 반지름, 표면 온도, 광도가 더 크고, 색지수가 작으며, 진화 속도가 빠르고 수명이 짧다.
• 시리우스 B는 주계열성의 왼쪽 아래에 위치하므로 백색 왜성이다.

2 ㄱ. (가)는 행성상 성운으로, 질량이 태양 정도인 별이 진화하여 적색 거성 단계가 끝나고 맥동 변광성 단계를 거친 후 별의 바깥층이 우주 공간으로 방출되어 형성된 것이며, 중심부는 수축하여 백색 왜성이 된다.
ㄷ. (가)는 질량이 태양 정도인 별의 진화 마지막 단계에서, (나)는 질량이 태양보다 매우 큰 별의 진화 마지막 단계에서 나타나므로, 주계열성일 때의 질량은 (가)가 (나)보다 작다.

오답 풀이
ㄴ. (가)는 행성상 성운, (나)는 초신성 잔해이다.

3 ① 원시별은 중력 수축에 의해 발생한 에너지를 에너지원으로 하여 내부의 온도를 높이는 데 사용한다.

선택지 바로 보기
① 원시별 단계에서 에너지원은 중력 수축 에너지이다. (○)
② 주계열 단계에서 <u>헬륨 핵융합 반응</u>이 일어난다. (×)
→ 주계열 단계에서는 중심부에서 수소 핵융합 반응이 일어난다.
③ 주계열 단계에서 탄소·질소·산소 순환 반응이 양성자·양성자 반응보다 <u>우세하게 일어난다.</u> (×)
→ 양성자·양성자 반응은 중심부 온도가 약 1800만 K 이하일 때 우세하게 일어나고, 탄소·질소·산소 순환 반응은 중심부 온도가 약 1800만 K 이상일 때 우세하게 일어난다. 태양은 중심부 온도가 약 1500만 K이므로 양성자·양성자 반응이 탄소·질소·산소 순환 반응보다 우세하게 일어난다.

2학기 중간·기말

④ 적색 거성 단계에서 탄소, 네온, 규소 핵융합 반응이 차례로 진행된다. (×)
→ 태양은 적색 거성 단계에서 헬륨 핵융합 반응까지 일어난다.

⑤ 백색 왜성이 되었을 때 핵융합 반응이 가장 활발하게 일어난다. (×)
→ 백색 왜성에서는 핵융합 반응이 일어나지 않는다.

4 ① 주계열성은 기체 압력 차로 발생한 힘과 중력이 평형을 이루어 일정한 모양을 유지하고 있는 정역학 평형 상태이다.

선택지 바로 보기

① 주계열성은 정역학 평형을 이루고 있다. (○)
② 태양은 가장 바깥층에 복사층이 분포한다. (×)
→ 태양은 중심핵, 복사층, 대류층으로 이루어져 있으므로, 가장 바깥층에는 대류층이 분포한다.

③ 중심부에서 핵융합 반응이 종료되면 중심핵은 빠르게 팽창한다. (×)
→ 중심부에서 핵융합 반응이 종료되면 중심핵은 빠르게 수축한다.

④ 중력이 기체 압력 차에 의해 발생한 힘보다 우세할 때 팽창이 일어난다. (×)
→ 중력이 기체 압력 차에 의해 발생한 힘보다 우세하면 수축이 일어난다.

⑤ 질량이 태양 질량의 5배인 주계열성은 중심부가 복사층으로 이루어져 있다. (×)
→ 질량이 태양 질량의 5배인 주계열성은 중심부가 대류핵으로 이루어져 있다.

5 중심별과 외계 행성은 공통 질량 중심을 사이에 두고 서로 맞은편에서 같은 방향, 같은 주기로 공전한다. 따라서 중심별과 외계 행성이 그림과 같이 위치할 때 중심별은 지구로 접근하고 외계 행성은 지구로부터 후퇴하므로 중심별의 스펙트럼에서는 파장이 짧아지는 청색 편이가 나타난다.

자료 분석 ➕ 시선 속도 변화를 이용한 외계 행성 탐사 방법

• 중심별과 행성은 공통 질량 중심을 사이에 두고 마주보면서 서로 같은 주기, 같은 방향으로 공전한다.
• 현재 행성은 지구에서 멀어지고 있으며, 중심별은 지구로 접근하고 있다.
• 중심별이 지구로 접근할 때는 청색 편이가 일어나고, 지구에서 멀어질 때는 적색 편이가 일어난다.

6 A 주변에서 생명 가능 지대는 0.95~1.15 AU 사이에 분포하고, B 주변에서 생명 가능 지대는 0.11~0.16 AU 사이에 분포한다.

ㄱ. 생명 가능 지대는 중심별의 광도가 클수록 중심별에서 멀리 분포한다. 따라서 A는 B보다 광도가 크다.
ㄴ. 주계열성은 광도가 클수록 질량이 크다. 따라서 A는 B보다 질량이 크다.

오답 풀이

ㄷ. 생명 가능 지대의 폭은 중심별의 광도가 클수록 넓다. A 주변에서 생명 가능 지대의 폭은 0.2 AU, B 주변에서 생명 가능 지대의 폭은 0.05 AU이므로 생명 가능 지대의 폭은 광도가 큰 A가 B보다 넓다.

7 은하 원반은 팽대부에 비해 성간 물질이 많아 별의 생성이 활발하므로 젊고 푸른 별의 비율이 높다.

8 퀘이사는 마치 별처럼 보이지만 실제로는 중심부가 매우 밝은 은하로서, 우주 생성 초기에 형성된 은하로 추정되며, 매우 멀리 있어 큰 적색 편이가 나타나고, 스펙트럼에서 폭이 넓은 강한 방출선이 나타난다.

9 ㄱ. 후퇴 속도가 클수록 멀리 있는 은하이다. 따라서 우리 은하로부터의 거리는 후퇴 속도가 큰 E가 B보다 멀다.
ㄷ. A와 C의 후퇴 속도는 21000 km/s로 같으므로, 우리 은하에서 관측했을 때 A와 C의 적색 편이는 같다.

오답 풀이

ㄴ. 은하가 후퇴하는 것은 우주가 팽창하기 때문이다. 팽창하는 우주에는 중심이 따로 없으므로 어느 은하에서 관측하더라도 대부분의 은하에서는 적색 편이가 나타난다. 따라서 D에서 보면 A, B, C, E, 우리 은하 모두 후퇴한다.

10 ㄱ. 빅뱅 후 약 10^{-35}~10^{-32}초 사이인 A 시기에 우주는 빛보다 빠른 속도로 급격히 팽창하였다.

오답 풀이

ㄴ. a 시기에는 기울기가 점점 감소하므로 감속 팽창하고, b 시기에는 기울기가 점점 증가하므로 가속 팽창한다.
ㄷ. 암흑 물질은 중력으로 작용하여 우주의 팽창 속도를 감소시키는 역할을 한다. 따라서 암흑 물질의 밀도는 감속 팽창 시기인 a 시기가 가속 팽창 시기인 b 시기보다 컸다.

6일 **서술형·사고력 테스트** 50~51쪽

• 범위 | IV. 대기와 해양의 상호 작용 ~ VI. 외부 은하와 우주 팽창

1 (1) A: 극순환, B: 페렐 순환, C: 해들리 순환 (2) 해설 참조 **2** (1) 라니냐 시기 (2) 해설 참조 **3** (1) 해설 참조 (2) 해설 참조 (3) 해설 참조 **4** (1) 백색 왜성 (2) 해설 참조 **5** 해설 참조 **6** (1) (다), 막대 나선 은하 (2) 해설 참조 (3) 해설 참조

1 (2) ✎모범 답안 **적도 부근에서 가열된 공기는 상승하여 고위도로 이동하고, 극지방에서 냉각된 공기는 하강하여 저위도로 이동한다.**
(가)와 같이 자전하는 지구에서는 전향력에 의해 북반구와 남반구에 각각 3개의 순환 세포가 형성되고, (나)와 같이 자전하지 않는다고 가정하면 적도와 극 사이에 1개의 거대한 열대류만 존재할 것이다.

	채점 기준	배점(%)
(1)	A, B, C 순환 세포의 이름을 모두 옳게 쓴 경우	30
(2)	(나)의 대류 과정을 옳게 서술한 경우	70

2 (2) ✎모범 답안 **무역풍이 강하게 불어 동쪽에 고기압, 서쪽에 저기압이 발달한다.**
적도 부근 동태평양 해역의 표층 수온이 높아지는 시기는 엘니뇨 시기, 동태평양 해역의 표층 수온이 낮아지는 시기는 라니냐 시기이다. 그림에서 적도 부근 서태평양의 표층 수온이 높아지고 동태평양의 표층 수온이 낮아졌으므로 라니냐가 발생하였다. 표층 수온이 높아지면 상승 기류가 발달하여 저기압이 형성되고, 표층 수온이 낮아지면 하강 기류가 발달하여 고기압이 형성된다. 따라서 라니냐 시기에 표층 수온이 낮아지는 동태평양 해역에서는 고기압이 형성되고 서태평양 해역에서는 저기압이 형성된다.

	채점 기준	배점(%)
(1)	엘니뇨 또는 라니냐 발생 시기를 옳게 쓴 경우	50
(2)	기압 배치를 대기 대순환과 관련지어 옳게 서술한 경우	50

3 (1) ✎모범 답안 **태양과의 거리가 멀어지므로 현재보다 기온이 낮아진다.**
이심률이 작아지면 공전 궤도가 현재보다 원 궤도에 가까워지면서 근일점은 멀어지고 원일점은 가까워진다. 따라서 현재 북반구가 겨울철인 근일점은 멀어지므로 기온은 현재보다 낮아진다.

채점 기준	배점(%)
태양과의 거리 변화와 기온 변화를 옳게 서술한 경우	100
기온 변화만 서술한 경우	50

(2) ✎모범 답안 **여름철 태양의 남중 고도가 높아지므로 현재보다 기온이 높아진다.**
자전축 경사각이 커지면 북반구와 남반구 모두 겨울철 태양의 남중 고도는 낮아지고 여름철 태양의 남중 고도는 높아진다.

채점 기준	배점(%)
태양의 남중 고도 변화와 기온 변화를 옳게 서술한 경우	100
기온 변화만 서술한 경우	50

(3) ✎모범 답안 **북반구는 원일점 부근에서 겨울철이 되므로 태양과의 거리가 멀어져 현재보다 기온이 낮아진다.**
자전축 경사 방향이 반대가 되면 공전 궤도상의 위치에 따른 계절이 현재와 반대가 된다.

채점 기준	배점(%)
계절, 태양과의 거리, 기온 변화를 모두 옳게 서술한 경우	100
계절, 태양과의 거리, 기온 변화 중 한 가지를 서술하지 못한 경우	70
기온 변화만 서술한 경우	40

4 (2) ✎모범 답안 **별의 질량이 다르기 때문이다.**
태양과 비슷한 질량을 가진 별은 적색 거성을 지나 행성상 성운과 백색 왜성으로 진화하고, 태양보다 질량이 매우 큰 별은 초거성을 지나 초신성 폭발을 거쳐 중성자별이나 블랙홀로 진화한다.

	채점 기준	배점(%)
(1)	별의 종류를 옳게 쓴 경우	50
(2)	진화 경로가 다른 까닭을 질량 차이로 옳게 서술한 경우	50

5 ✎모범 답안 **생명 가능 지대가 시간이 지남에 따라 태양으로부터 점점 멀어지고 폭이 넓어지는 것으로 보아 태양의 광도는 증가하고 있다.**

채점 기준	배점(%)
생명 가능 지대의 거리 변화와 태양의 광도 변화를 옳게 서술한 경우	100
태양의 광도 변화만 서술한 경우	50

6 (1) (가)는 정상 나선 은하, (나)는 타원 은하, (다)는 막대 나선 은하이다. 우리 은하는 막대 나선 은하에 속한다.
(2) ✎모범 답안 **(나)에 분포하는 별보다 나이가 적은 파란색 별들로 이루어져 있다.**
(가)는 정상 나선 은하로, 은하 원반에는 주로 파란색의 젊은 별들이 분포하고, 팽대부인 은하 중심부에는 주로 붉은색의 늙은 별들이 분포한다. (나)는 타원 은하로, 성간 물질이 적고 주로 붉은색의 늙은 별들이 분포한다.

채점 기준	배점(%)
별의 나이, 색깔을 비교하여 옳게 서술한 경우	100
별의 나이와 색깔 중 한 가지만 비교하여 설명한 경우	50

(3) ✏️**모범 답안** 별은 성간 물질에서 만들어지므로, 성간 물질이 많은 은하 원반에는 나이가 적은 파란색 별이 많이 분포한다.

은하 원반에는 성간 물질이 많으며, 별은 성간 물질에서 탄생한다.

채점 기준	배점(%)
별이 성간 물질에서 생성된다는 것과 은하 원반에 성간 물질이 많다는 내용을 포함하여 옳게 서술한 경우	100
은하 원반에 성간 물질이 많다는 내용만 서술한 경우	60

6일 창의·융합·코딩 테스트   52~53쪽

• **범위** | IV. 대기와 해양의 상호 작용 ~ VI. 외부 은하와 우주 팽창

1 (1) 북태평양 해류 (2) 해설 참조   **2** (1) 해설 참조 (2) 해설 참조
3 ④   **4** ①   **5** (나)—(가)—(라)—(다)   **6** (1) 적색 편이 (2) 해설 참조

1 (2) ✏️**모범 답안** 북태평양에서 아열대 순환이 커다란 환류를 이루기 때문에 쓰레기가 흩어지지 않고 모이게 되며, 유속이 느려지는 곳에 쓰레기섬이 형성된다.

북태평양 아열대 순환은 북적도 해류 → 쿠로시오 해류 → 북태평양 해류 → 캘리포니아 해류로 이루어져 시계 방향으로 순환한다.

	채점 기준	배점(%)
(1)	해류의 이름을 옳게 쓴 경우	50
(2)	북태평양 아열대 순환을 포함하여 옳게 서술한 경우	50

2 (1) ✏️**모범 답안** 해수면은 높아지고 염분은 낮아진다.

채점 기준	배점(%)
해수면 높이 변화와 염분 변화를 모두 옳게 서술한 경우	100
해수면 높이 변화와 염분 변화 중 한 가지만 옳게 서술한 경우	60

(2) ✏️**모범 답안** 염분이 낮아지면서 해수의 밀도가 작아져서 침강이 잘 일어나지 않아 심층 순환은 약화될 것이다.

해수의 밀도는 수온이 낮을수록, 염분이 높을수록 크며, 밀도가 큰 해수일수록 침강이 잘 일어난다. 따라서 해수의 밀도가 작아지면 침강이 잘 일어나지 않아 심층 순환은 약화된다.

채점 기준	배점(%)
염분과 밀도 변화, 침강의 약화와 심층 순환의 약화를 모두 옳게 서술한 경우	100
밀도 변화와 심층 순환의 변화만 서술한 경우	50

3 영희: 지구 온난화로 인해 우리나라는 여름이 길어지고 겨울이 짧아진다.
철수: 지구 온난화가 일어나면 해충과 질병이 많아지고 농업, 어업, 산업 등에도 영향을 미친다.

오답 풀이
순주: 지구 온난화가 일어나면 수온이 높아지므로 한류성 어종의 어획량은 감소하고 난류성 어종의 어획량이 증가할 것이다.

4 중심별에 의해 미세 중력 렌즈 효과가 크게 나타나고, 행성에 의해서 추가적인 미세 중력 렌즈 효과가 나타난다. 이때 반지름이 작은 행성, 중심별, 반지름이 큰 행성 순서대로 미세 중력 렌즈 효과가 나타난다. 따라서 ①과 같은 밝기 변화를 관측할 수 있을 것이다.

5 허블 법칙으로 우주가 팽창한다는 사실이 알려지고 빅뱅 우주론이 제안되었다. Ia형 초신성 관측으로 가속 팽창을 확인하였으며, 그 후 암흑 물질과 암흑 에너지를 포함하는 표준 우주 모형이 제안되었다.

6 (1) 뒤에 이어지는 '후퇴 속도가 매우 크다'는 말로 미루어 보아 적색 편이임을 알 수 있다.

(2) ✏️**모범 답안** 중심에 질량이 매우 큰 블랙홀이 있기 때문인 것으로 추정한다.

퀘이사를 비롯하여 전파 은하와 세이퍼트은하는 공통적으로 중심부에서 막대한 양의 에너지가 방출되는데 이것은 거대한 질량의 블랙홀에 의한 활동으로 추정된다.

	채점 기준	배점(%)
(1)	㉠에 들어갈 말을 옳게 쓴 경우	50
(2)	㉡의 답을 옳게 서술한 경우	50

7일 학교시험 기본 테스트 1회   54~57쪽

• **범위** | IV. 대기와 해양의 상호 작용 ~ IV. 외부 은하와 우주 팽창

1 ②   **2** ③   **3** ③   **4** ②   **5** ④   **6** ③   **7** ②   **8** ③
9 ③   **10** ②   **11** ④   **12** ①   **13** ④   **14** 해설 참조
15 식 현상   **16** ②   **17** ②   **18** ①   **19** ②   **20** (다)—(가)—(나)

1 A는 극순환, B는 페렐 순환, C는 해들리 순환이다.
ㄷ. 적도와 60° 지역에는 상승 기류에 의해 저압대가 형성된다.

2 A는 고위도에서 저위도로 흐르는 한류인 캘리포니아 해류이고, B는 저위도에서 고위도로 흐르는 난류인 멕시코 만류이다.

ㄱ, ㄴ. 난류인 B는 한류인 A에 비해 수온과 염분이 높다.

3 ①, ④ 엘니뇨는 열대 동태평양 해역의 표층 수온 상승이 수개월 이상 지속되는 현상으로, 무역풍이 약한 시기에 나타난다.

② 엘니뇨 발생 시 무역풍이 약해지므로 열대 동태평양 해역의 용승은 약해진다.

⑤ 열대 태평양 지역의 동서 방향의 거대한 대기 순환을 워커 순환이라고 한다. 평상시에는 서쪽에 저기압, 동쪽에 고기압이 형성되지만, 엘니뇨가 발생하면 열대 동태평양의 표층 수온이 상승하므로 상승 기류가 나타나는 곳이 동쪽으로 이동하여 동쪽에 저기압, 서쪽에 고기압이 형성된다. 따라서 평상시보다 워커 순환의 저기압 중심 위치는 동쪽으로 이동한다.

4 ㄷ. D는 수온이 낮고 밀도가 가장 큰 수괴로, 남극 저층수에 해당한다.

자료 분석 + 대서양 수괴의 수온과 염분

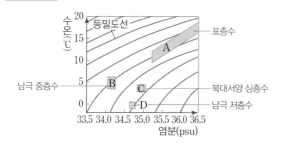

- 수온 염분도에서 오른쪽 아래로 갈수록 밀도는 증가한다.
- 수온: A > B > C > D
- 염분: A > C > D > B
- 밀도: D > C > B > A

5 ㄴ. 북반구는 (가) 시기에는 근일점에서 겨울철, (나) 시기에는 원일점에서 겨울철이다. 따라서 겨울철 평균 기온은 태양과의 거리가 가까운 (가) 시기가 (나) 시기보다 높다.

ㄷ. (나) 시기에 근일점에서 북반구 자전축이 태양 쪽을 향해 기울어져 있으므로 북반구는 여름철이다.

6 ㄱ. 이 기간 동안 이산화 탄소의 농도가 점차 증가하고 있으므로 지구는 전체적으로 온난화가 진행되고 있음을 알 수 있다.

ㄴ. 겨울철에는 광합성이 적고 화석 연료 사용이 증가하여 이산화 탄소 농도가 높아지므로, 계절에 따라 이산화 탄소 농도가 변화한다.

7 ㄷ. A는 B보다 표면 온도가 낮으므로 최대 에너지를 방출하는 파장이 길다.

8 ③ 별빛이 별의 대기층을 통과하면서 여러 가지 원소들에 의해 스펙트럼에서는 흡수선이 많이 나타난다.

선택지 바로 보기

① 흑체에서는 방출 스펙트럼이 나타난다. (×)
→ 흑체에서는 연속 스펙트럼이 나타난다.

② 밝은 선이 나타나는 것은 연속 스펙트럼이다. (×)
→ 밝은 선이 나타나는 것은 방출 스펙트럼이다.

③ 별의 스펙트럼에서는 흡수선이 많이 나타난다. (○)

④ 저온의 기체에서는 방출 스펙트럼이 나타난다. (×)
→ 저온의 기체에서는 흡수 스펙트럼이 나타난다.

⑤ 고온 저밀도의 기체에서 흡수 스펙트럼이 나타난다. (×)
→ 고온 저밀도의 기체에서는 방출하는 빛이 밝은 선으로 관측되는 방출 스펙트럼이 나타난다.

9 ③ H-R도에서 가로축 오른쪽으로 갈수록 표면 온도가 낮아지므로 색지수는 증가한다.

선택지 바로 보기

① 세로축에서 위쪽으로 갈수록 광도가 감소한다. (×)
→ 증가한다.

② 세로축에서 위쪽으로 갈수록 절대 등급이 증가한다. (×)
→ 감소한다.

③ 가로축에서 오른쪽으로 갈수록 색지수가 증가한다. (○)

④ 가로축에서 오른쪽으로 갈수록 표면 온도가 증가한다. (×)
→ 감소한다.

⑤ 주계열성에서 오른쪽 아래로 갈수록 질량이 증가한다. (×)
→ 감소한다.

10 (가)는 원시별, (나)는 주계열성, (다)는 적색 거성, (라)는 백색 왜성이다.

② (나)는 주계열성으로, 별은 일생에서 주계열 단계에 가장 오래 머무른다.

선택지 바로 보기

① (가)는 중력 수축으로 인해 밀도가 감소한다. (×)
→ (가)는 원시별로, 중력 수축에 의해 온도와 밀도가 증가한다.

② (나)는 가장 오랜 시간을 보내는 시기이다. (○)

③ (다)는 (나)보다 표면 온도가 높다. (×)
→ 주계열성에서 적색 거성으로 진화하는 동안 별의 겉 부분이 팽창하면서 반지름은 커지고 표면 온도는 낮아진다. 따라서 (다)는 (나)보다 표면 온도가 낮다.

④ (라)는 헬륨 핵융합 반응을 하는 시기이다. (×)
→ (라)는 백색 왜성으로, 태양 질량 정도인 별이 핵융합 반응을 멈추고 수축하여 형성된 천체이다. 따라서 핵융합 반응이 일어나지 않는다.

⑤ (다)에서 (라)로 진화하는 동안 초신성 폭발을 한다. (×)
→ 적색 거성에서 백색 왜성으로 진화하는 동안 별의 겉 부분은 방출되어 행성상 성운이 되고, 중심부는 수축하여 백색 왜성이 된다. 초신성 폭발은 질량이 태양보다 훨씬 큰 별의 진화 마지막 단계에서 일어난다.

11 ④ 주계열성에서 거성으로 진화할 때 별의 중심부 바깥층(수소 껍질)에서 일어나는 수소 핵융합 반응에 의해 생성된 에너지에 의해 별의 바깥층이 팽창하면서 반지름과 광도가 증가한다.

선택지 바로 보기

① 주계열성은 시간이 지날수록 헬륨 비율이 감소한다. (×)
→ 주계열성에서는 수소 핵융합 반응에 의해 헬륨 원자핵이 생성되므로 헬륨의 비율은 계속 증가한다.

② 거성 단계에서는 수소 핵융합 반응이 일어나지 않는다. (×)
→ 거성 단계에서는 수소 껍질에서 수소 핵융합 반응이 일어난다.

③ 주계열성에서 거성으로 진화하는 동안 별이 역학적으로 매우 안정해진다. (×)

→ 주계열성에서 거성으로 진화하는 동안 중심부에서는 수축이 일어나고, 바깥층에서는 팽창이 일어나므로 정역학 평형 상태를 이루고 있지 않다. 역학적으로 가장 안정한 단계는 주계열성이다.

④ 주계열성에서 거성으로 진화할 때 별 외곽부가 팽창하면서 광도가 증가한다. (○)

⑤ 주계열성에서 거성으로 진화할 때 중심부가 수축하였다가 별 전체가 폭발한다. (×)
→ 주계열성에서 거성으로 진화할 때 중심부는 수축하여 온도가 올라가지만 폭발할 정도로 상승하지는 않는다.

12 ① 질량이 큰 주계열성일수록 내부 온도가 높아서 p-p 반응보다 CNO 순환 반응이 더 우세하다.

선택지 바로 보기

① (가)는 CNO 순환 반응이 우세하게 일어난다. (○)

② (가)는 최종 단계에서 백색 왜성으로 진화한다. (×)
→ (가)는 질량이 매우 큰 주계열성이므로 최종 단계에서 중성자별이나 블랙홀이 된다.

③ (나)는 헬륨 핵융합 반응을 통해 에너지를 생성한다. (×)
→ (나)는 주계열성이므로 수소 핵융합 반응을 통해 에너지를 생성한다.

④ (다)는 (나)보다 표면 온도가 높고 반지름이 크다. (×)
→ (다)는 (나)보다 표면 온도가 낮고 반지름이 작다.

⑤ (가)~(다) 중 진화 속도는 (다)가 가장 빠르다. (×)
→ 주계열성은 질량이 큰 별일수록 진화 속도가 빠르므로 (가)~(다) 중 (가)의 진화 속도가 가장 빠르다.

자료 분석 ➕ 주계열성의 특징

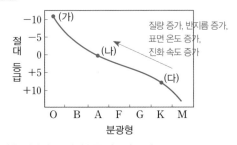

• 주계열성은 질량이 큰 별일수록 광도가 크다.
• 주계열성은 질량이 큰 별일수록 반지름이 크다.
• 주계열성은 질량이 큰 별일수록 표면 온도가 높다.
• 질량이 큰 주계열성일수록 중심부의 온도가 높아 수소 핵융합 반응이 빠르게 일어나므로 수명이 짧다. 즉, 진화 속도가 빠르다.
• 질량, 반지름, 표면 온도, 진화 속도는 모두 (가)>(나)>(다)이다.

13 태양은 주계열 단계에서 수소 핵융합 반응을 통해 헬륨 원자핵을 생성하고, 거성 단계에서 수소 핵융합 반응을 통해 헬륨 원자핵을, 헬륨 핵융합 반응을 통해 탄소 원자핵을 생성한다.

14 ✏️ **모범 답안** 별의 중심부에서는 중력이 기체 압력 차에 의해 발생한 힘보다 크고, 별의 바깥층에서는 중력이 기체 압력 차에 의해 발생한 힘보다 작다.

거성으로 진화하는 단계에서 별의 중심부는 수축하고 바깥층은 팽창한다.

채점 기준	배점(%)
중심부와 바깥층에서의 힘의 평형 관계를 모두 옳게 서술한 경우	100
중심부와 바깥층에서의 힘의 평형 관계 중 한 가지만 서술한 경우	50

15 행성이 중심별을 가릴 때 밝기가 감소하는 현상, 즉 식 현상을 이용한 탐사 방법이다.

16 ㄷ. 허블은 외부 은하를 가시광선으로 관측하여 형태에 따라 타원 은하, 나선 은하, 불규칙 은하로 분류하였다.

오답 풀이
ㄱ. 우리 은하는 막대 나선 은하에 속한다.
ㄴ. 은하는 다른 형태로 진화하지 않는다.

17 전파 은하는 핵, 로브, 제트로 이루어져 있고, 세이퍼트은하는 일반 은하보다 유난히 밝은 핵과 스펙트럼에서 넓은 방출선이 나타나는 것이 특징이다.

18 ㄱ. 세 은하 모두 적색 편이가 나타났으므로 세 은하는 모두 우리 은하로부터 멀어지고 있다.

오답 풀이
ㄴ. 적색 편이량이 클수록 후퇴 속도가 빠른 것이므로 후퇴 속도가 가장 느린 은하는 A이고, 가장 빠른 은하는 B이다.
ㄷ. 지구에서 은하까지의 거리는 후퇴 속도에 비례하므로 가장 멀리 있는 은하는 후퇴 속도가 가장 빠른 B이다.

19 ㄷ. 우주 배경 복사는 원자가 형성되면서 우주의 온도가 약 3000 K일 때 방출된 빛이 퍼진 것으로, 현재는 전파로 관측된다.

오답 풀이
ㄱ. 우주 배경 복사는 빅뱅 우주론의 증거이다.
ㄴ. 우주 배경 복사는 약 2.7 K의 흑체 복사 곡선과 거의 일치한다. 따라서 현재 우주의 온도는 약 2.7 K이다.

20 (가)는 빅뱅 핵합성, (나)는 우주 배경 복사 방출, (다)는 급팽창에 대한 설명이다. 빅뱅 이후 (다) → (가) → (나) 순으로 일어났다.

• **범위** | IV. 대기와 해양의 상호 작용 ~ IV. 외부 은하와 우주 팽창

1 ③   **2** ③   **3** ③   **4** ①   **5** ①   **6** ⑤   **7** ③   **8** 4배   **9** ⑤   **10** ④   **11** ②   **12** ⑤   **13** 해설 참조   **14** ④   **15** ①   **16** ③   **17** ④   **18** 타원 은하   **19** ①   **20** ③

1 A와 B는 아열대 표층 순환을 이루는 해류로, A는 북동 무역풍에 의해 발생한 북적도 해류이고, B는 편서풍에 의해 발생한 북태평양 해류이다.

자료 분석 ➕ **북태평양의 표층 순환**

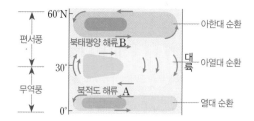

• 열대 순환: 적도 반류와 북적도 해류로 이루어진 순환이다.
• 아열대 순환: 무역풍과 편서풍에 의해 형성된 해류로 이루어진 순환으로, 북반구에서는 시계 방향으로 나타난다.
• 아한대 순환: 편서풍과 극동풍에 의해 형성된 해류로 이루어진 순환으로, 북반구에서만 나타난다.

2 A는 쿠로시오 해류, B는 동한 난류, C는 북한 한류이다.
ㄱ. A와 B는 난류이므로 주변으로 열에너지를 공급한다.
ㄷ. 용존 산소량은 난류보다 한류에서 많으므로 C에서 가장 많다.

오답 풀이
ㄴ. 우리나라 동해에서는 북한 한류와 동한 난류가 만나는 곳에 조경 수역이 형성된다. 겨울에는 북한 한류의 세력이 강하고, 여름에는 동한 난류의 세력이 강하므로 조경 수역의 위치는 겨울에 남하하고 여름에 북상한다.

3 ㄱ. 심층 해류는 표층 해류에 비해 유속이 매우 느리다.
ㄴ. 심층 해류는 수온과 염분 변화에 의한 밀도 차이로 발생하며, 밀도가 큰 해수가 침강하여 형성된다.

오답 풀이
ㄷ. 심층 해류는 바람의 영향을 받지 않는다. 일정한 방향의 바람이 지속적으로 부는 지역에서는 표층 해류가 형성된다.

4 울산 근해의 표층 수온이 주변보다 낮은 것으로 보아 용승이 일어났다. 북반구에서는 바람의 오른쪽 직각 방향으로

표층 해수가 이동하므로 대륙 동쪽 연안에서 용승이 일어나려면 해안선과 나란하게 남풍이 지속적으로 불어야 한다. 따라서 이 지역에서는 남풍 계열의 바람이 불었음을 알 수 있다.

선택지 바로 보기

① 남풍 계열의 바람이 불었다. (○)

② 표층 해수는 서쪽으로 이동하고 있다. (×)

→ 해수는 먼 바다 쪽, 즉 동쪽으로 이동하고 있다.

③ 울산 앞바다에서 침강이 일어나고 있다. (×)

→ 울산 앞바다에서는 용승이 일어나고 있다.

④ 영양 염류와 용존 산소량은 감소하였다. (×)

→ 용승이 일어났으므로 영양 염류와 용존 산소량은 증가하였다.

⑤ 따뜻한 해류의 영향으로 인해 표층 수온이 상승하였다. (×)

→ 심층에서 찬 해수가 올라와 표층 수온이 낮아졌다.

5 ㄱ. 평상시에는 타히티의 해면 기압이 높고 무역풍이 강하므로 남방 진동 지수는 양(+)의 값을 갖는다.

오답 풀이

ㄴ. 엘니뇨 시기에는 따뜻한 해수가 동쪽으로 이동하므로 타히티의 해면 기압은 낮아지고 다윈의 해면 기압은 높아진다.

ㄷ. 남방 진동 지수가 큰 시기는 라니냐 시기로, 적도 부근 동태평양 연안에서는 용승이 활발하다.

6 지구 자전축 경사 방향이 약 26000년을 주기로 회전하는 현상을 세차 운동이라고 하며, 세차 운동에 의해 약 13000년 후 근일점과 원일점에서의 계절은 현재와 반대가 된다.

7 ① 태양 복사(100)=지구 복사(A)+지구 반사(30)이므로 A=70이다.

② A=B+4이므로 B=66이다.

④ D=100-30-25=45이다.

⑤ E=C+4=129+4=133이다.

오답 풀이

③ B+88=C+25이므로 C=129이다.

8 광도(L)는 $L=4\pi R^2 \cdot \sigma T^4$이므로, 표면 온도($T$)의 네제곱에 비례하고 반지름($R$)의 제곱에 비례한다. 이 별은 표면 온도가 태양의 2배이고, 반지름이 $\frac{1}{2}$배이므로 광도는 $2^4 \cdot \left(\frac{1}{2}\right)^2 = 4$, 즉 태양의 4배이다.

9 ㄱ. K형 별은 표면 온도가 약 3900~5000 K이고, B형 별은 표면 온도가 약 9400~30000 K이므로 K형 별은 B형 별보다 표면 온도가 낮다.

ㄴ. 태양의 분광형은 G2형으로 Ca II(이온화된 칼슘) 흡수선이 가장 강하게 나타난다.

ㄷ. A0형 별에서는 H I(중성 수소) 흡수선이 가장 강하게 나타나고, K0형 별에서는 Ca II(이온화된 칼슘) 흡수선이 강하게 나타난다. 이처럼 별의 표면 온도에 따라 강한 흡수선을 나타내는 원소가 달라진다.

10 A와 C는 주계열성이고, B는 적색 거성이다.

ㄴ. 주계열성에서 왼쪽 위로 갈수록 질량과 반지름이 크고 표면 온도가 높으므로, 반지름은 A가 C보다 크다.

ㄷ. H-R도에서 왼쪽으로 갈수록 표면 온도가 높으므로, 표면 온도는 A가 B보다 높다.

오답 풀이

ㄱ. 밀도는 적색 거성인 B가 주계열성인 C보다 작다.

11 A는 질량이 태양 정도인 별의 진화 과정이고, B는 질량이 매우 큰 별의 진화 과정이다.

ㄴ. 주계열성의 질량이 클수록 수명이 짧고 진화 속도가 빠르므로, 주계열 단계에 머무는 기간은 A가 B보다 길다.

오답 풀이

ㄱ. 주계열성은 질량이 클수록 광도가 크므로 주계열성의 밝기는 B가 A보다 밝다.

ㄷ. 최종 단계에서 A는 백색 왜성, B는 중성자별 또는 블랙홀이 되므로, 최종 단계에서 중심부에 남는 천체의 밀도는 B가 A보다 크다.

12 ① 주계열성은 질량이 클수록 중심부 온도가 높아 수소 핵융합 반응이 빠르게 일어나므로 수명이 짧다.

② 질량이 태양 질량의 2배 이하인 주계열성은 핵, 복사층, 대류층의 내부 구조를 가지고, 질량이 태양 질량의 2배 이상인 주계열성은 대류핵, 복사층의 내부 구조를 가진다.

③ 주계열성은 중심부에서 일어나는 수소 핵융합 반응에 의해 에너지를 생성하는 별이다.

④ 별은 일생 중 약 90 % 이상을 주계열 단계에 머무른다.

오답 풀이

⑤ 주계열성은 질량이 클수록 광도가 크고(절대 등급이 작고), 표면 온도가 높으며, 수명이 짧다.

13 ✏ **모범 답안** 반지름은 작아지고, 중심부 온도는 높아지며, 색지수는 작아진다.

원시별 A가 주계열성이 되는 과정에서 중력 수축이 일어나 반지름은 작아지고, 중력 수축 에너지에 의해 중심부 온도가 상승한다. 또한 H-R도에서는 대체로 왼쪽으로 이동하므로 표면 온도는 상승하며, 색지수는 작아진다.

채점 기준	배점(%)
반지름, 중심부 온도, 색지수 변화를 모두 옳게 서술한 경우	100
반지름, 중심부 온도, 색지수 변화 중 두 가지만 서술한 경우	60
반지름, 중심부 온도, 색지수 변화 중 한 가지만 서술한 경우	30

14 ④ 태양의 내부 구조는 (가)와 같이 중심핵, 복사층, 대류층으로 이루어져 있다.

선택지 바로 보기

① (가)는 (나)보다 질량이 크다. (×)
→ (가)는 태양 질량의 약 2배 이하인 주계열성의 내부 구조이고, (나)는 태양 질량의 약 2배 이상인 주계열성의 내부 구조이다.

② (가)는 (나)보다 표면 온도가 높다. (×)
→ 주계열성은 질량이 작을수록 표면 온도가 낮으므로, (가)는 (나)보다 표면 온도가 낮다.

③ (가)는 (나)보다 중심핵에서 에너지 생성이 더 활발하다. (×)
→ 주계열성의 질량이 클수록 중심부 온도가 더 높다. 중심부 온도가 높을수록 에너지 생성이 더 활발하므로 (나)가 (가)보다 중심핵에서 에너지 생성이 더 활발하다.

④ 태양은 (가)와 같은 내부 구조를 가진다. (○)

⑤ (나)의 표면에서 쌀알 무늬와 같은 구조가 나타난다. (×)
→ 쌀알 무늬는 대류에 의해 뜨거운 물질이 상승하는 곳은 밝게, 식은 물질이 하강하는 곳은 어둡게 나타나는 것이므로 표면 아래에 대류층이 있는 (가)에서 나타난다.

15 ㄱ. A는 B보다 중심핵의 온도가 낮은 곳에서 수소 핵융합 반응이 일어나므로 양성자·양성자 반응(p-p 반응)이다.

오답 풀이

ㄴ. B는 A보다 중심핵의 온도가 높은 곳에서 수소 핵융합 반응이 일어나므로 탄소·질소·산소 순환 반응(CNO 순환 반응)이다. 이 반응에서 탄소, 질소, 산소는 촉매로 이용될 뿐 생성되지 않는다.

ㄷ. 태양은 중심부 온도가 약 1500만 K이므로 양성자·양성자 반응(p-p 반응)이 우세하게 일어난다.

16 ① 액체 상태의 물은 열용량이 커서 온도를 일정하게 유지하는 능력이 뛰어나며, 다양한 종류의 화학 물질을 녹일 수 있어 복잡한 유기물 분자가 탄생할 수 있는 최적의 장소이다. 따라서 액체 상태의 물은 생명체 존재 조건의 필수 요소이다.

② 생명체가 출현하여 진화할 수 있는 시간이 필요하므로 중심별의 수명이 충분히 길어야 한다.

④ 적당한 두께의 대기가 존재해야 우주로부터 오는 자외선이나 고에너지 입자를 차단하여 생명체를 보호할 수 있다.

⑤ 공전 궤도 이심률이 크면 근일점과 원일점에서 행성의 복사 평형 온도 차이가 커지므로 생명체가 살기 어렵다.

오답 풀이

③ 자전 주기와 공전 주기가 같은 동주기 자전을 하면 행성에 중심

별의 에너지가 골고루 공급되지 않아 중심별로부터 빛을 받지 못하는 쪽에서는 생명체가 살기 어렵다.

17 ㄴ. 직접 촬영하여 발견한 외계 행성은 대부분 목성 질량보다 10배 가까이 큰 것이 많고, 공전 궤도 반지름도 10 AU 이상인 것이 많다.

ㄷ. 식 현상을 이용하여 발견한 외계 행성은 대부분 질량이 목성 질량보다 작은 것이 많고, 공전 궤도 반지름은 1 AU 보다 작은 것이 대부분이다.

오답 풀이

ㄱ. 식 현상을 이용하여 발견한 외계 행성의 수가 가장 많다.

18 타원 은하에는 성간 물질이 적으며, 표면 온도가 낮은 붉은 색의 나이가 많은 별의 구성 비율이 높다.

19 ① 빅뱅 우주론의 증거는 우주 배경 복사와 수소와 헬륨의 질량비이다.

선택지 바로 보기

① 우주 배경 복사가 관측된다. (○)

② 현재 관측 가능한 우주는 편평하다. (×)
→ 현재 관측 가능한 우주가 편평한 것은 빅뱅 우주론으로는 설명하지 못하였다. 이것을 우주의 편평성(평탄성) 문제라고 하며 빅뱅 우주론의 한계점 중 하나이다.

③ 외부 은하에서 적색 편이가 나타난다. (×)
→ 외부 은하에서 적색 편이가 나타나는 것은 우주가 팽창하고 있다는 것을 설명하지만 빅뱅 우주론의 증거는 아니다.

④ 우주에서 자기 홀극이 많이 발견된다. (×)
→ 빅뱅 우주론에 따르면 우주에서 자기 홀극이 많이 발견되어야 하지만, 현재 우주에서는 자기 홀극이 발견되지 않는다. 이것을 우주의 자기 홀극 문제라고 하며 빅뱅 우주론의 한계점 중 하나이다.

⑤ 우주 지평선의 정반대 방향에서 오는 우주 배경 복사가 균일하다. (×)
→ 우주 지평선의 정반대 방향에서 오는 우주 배경 복사가 균일한 것은 멀리 떨어진 두 지역이 과거에는 서로 정보 교환이 있었다는 것을 의미하는데, 빅뱅 우주론에서는 빛이 이동할 수 있는 시간보다 우주의 나이가 더 적기 때문에 이를 설명하지 못한다. 이것을 우주의 지평선 문제라고 하며 빅뱅 우주론의 한계점 중 하나이다.

20 ㄱ. A는 우주의 팽창에 따라 밀도가 점차 감소하는 암흑 물질이고, B는 공간의 크기와 관계없이 밀도가 일정한 암흑 에너지이다.

ㄷ. 암흑 에너지는 척력으로 작용하여 우주 팽창을 가속화시키는 역할을 한다. 현재 우주는 암흑 에너지(B)의 영향으로 가속 팽창하고 있다.

오답 풀이

ㄴ. 암흑 에너지는 우주 팽창과 상관없이 밀도가 일정하다.

01 해류 | 바다 海, 흐를 流

일정한 방향으로 지속적으로 움직이는 **❶** [ ]의 흐름

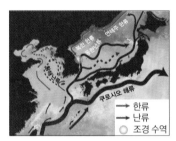

우리나라 주변의 해류

답 **❶** 해수

예1 표층 해류는 주로 지속적으로 부는 바람에 의해 발생한다.
예2 우리나라 주변에는 쿠로시오 해류, 황해 난류, 동한 난류, 북한 한류 등의 해류가 흐른다.

02 표층 순환 | 겉 表, 층 層, 좇을 循, 고리 環

❶ [ ]가 서로 연결되어 흐르는 커다란 순환

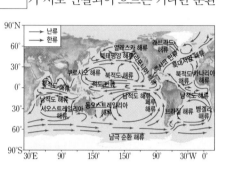

답 **❶** 표층 해류

예1 적도를 경계로 표층 순환은 북반구와 남반구가 대체로 대칭을 이룬다.
예2 표층 순환은 심층 순환과 연결되어 전 지구를 순환한다.

03 태양 활동 | 클 太, 볕 陽, 살 活, 움직일 動

태양 활동이 활발해지면 **❶** [ ]가 늘어나고, 태양풍이 강해지며, **❷** [ ]의 크기가 커지고, 홍염과 플레어가 자주 발생한다.

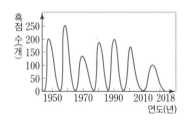

답 **❶** 흑점수 **❷** 코로나

예1 태양 활동은 지구 기후 변화의 천문학적인 요인이다.
예2 태양 활동이 활발해지면 오로라가 보다 넓은 지역에서 발생한다.

04 온실 효과 | 따뜻할 溫, 집 室, 본받을 效, 실과 果

대기가 지표에서 방출되는 **❶** [ ]의 일부를 흡수하였다가 지표로 재방출하여 지구의 평균 기온이 **❷** [ ]가 없을 때보다 높게 유지되는 현상

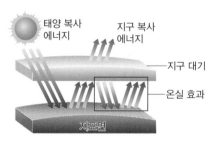

답 **❶** 지구 복사 에너지 **❷** 대기

예1 온실 효과를 일으키는 기체를 온실 기체라고 하며, 수증기, 이산화 탄소, 메테인 등이 있다.
예2 대기 중에 온실 기체의 양이 많아져 온실 효과가 증가하면 지구 온난화가 일어난다.

05 태양 | 클 太, 볕 陽

태양계에서 스스로 [**❶**]을 내는 유일한 천체로, 태양의 표면 온도는 약 5800 K(약 6000 ℃)이다.

답 ❶ 빛

예1 태양은 지구에서 가장 가까운 별이다.
예2 태양은 주계열성이다.

06 성간 물질 | 별 星, 틈 間, 만물 物, 바탕 質

별과 별 사이의 공간에 분포하는 수소나 헬륨 등의 기체와 [**❶**]

답 ❶ 먼지

예1 성간 물질이 밀집되어 구름처럼 보이는 것을 성운이라고 한다.
예2 은하수의 가운데 부분이 검게 보이는 것은 성간 물질이 뒤쪽에서 오는 별빛을 가리기 때문이다.

07 대류 | 대답할 對, 흐를 流

열의 전달 과정 중 하나로, 뜨거운 부분은 [**❶**]하고, 차가운 부분은 [**❷**]하는 현상

열을 받아 뜨거워진 물은 위로 이동

열을 잃어 식은 물은 아래로 이동

답 ❶ 상승 ❷ 하강

예1 주전자 아래쪽을 가열하여 물을 끓이면 물이 대류하면서 전체적으로 따뜻해진다.
예2 질량이 태양 질량의 약 2배 이상인 주계열성은 중심핵에서 대류가 일어난다.

08 나선 은하 | 소라 螺, 돌 旋, 은 銀, 강 이름 河

은하 중심부에서 [**❶**]이 휘어져 나간 은하로, 중심부를 가로지르는 [**❷**] 구조의 유무로 정상 나선 은하와 막대 나선 은하로 분류한다.

정상 나선 은하   막대 나선 은하

답 ❶ 나선팔 ❷ 막대

예1 우리 은하는 막대 나선 은하에 속한다.
예2 은하는 모양에 따라 나선 은하, 타원 은하, 불규칙 은하로 분류한다.

09 빅뱅 우주론 | bigbang, 집 宇, 집 宙, 말할 論

먼 과거에 하나의 작은 점이 ❶ [   ]하면서 시작된 우주가 점점 ❷ [   ]하여 현재의 우주가 되었다는 이론

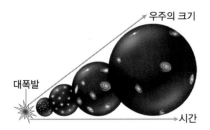

답 ❶ 폭발 ❷ 팽창

예1 빅뱅(대폭발) 이후 우주는 계속 팽창하고 있다.
예2 빅뱅 우주론에서 우주가 팽창함에 따라 우주의 온도는 낮아지고 있다.

10 스펙트럼 | spectrum

❶ [   ]을 분광기에 통과시켰을 때 나타나는 여러 가지 색의 띠

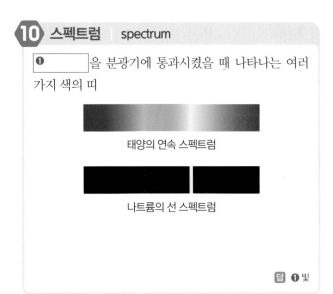

태양의 연속 스펙트럼

나트륨의 선 스펙트럼

답 ❶ 빛

예1 햇빛을 분광기로 관측하면 연속적인 색의 띠인 연속 스펙트럼이 나타난다.
예2 금속 원소의 종류에 따라 스펙트럼의 선 색깔, 위치, 굵기, 개수 등이 다르게 나타난다.

11 중력 | 가운데 中, 힘 力

지구가 물체를 ❶ [   ] 힘으로, 중력의 방향은 지구 중심 방향이다.

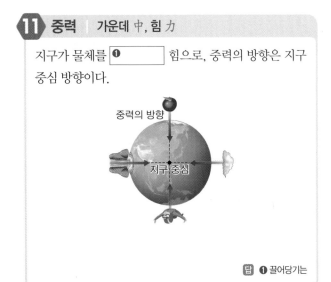

중력의 방향

지구 중심

답 ❶ 끌어당기는

예1 중력은 무거운 물체일수록 커진다.
예2 중력은 질량이 있는 서로 다른 물체 사이에서 항상 작용한다.

12 원자 | 근원 原, 아들 子

물질을 구성하는 기본 입자로, (＋)전하를 띠는 ❶ [   ]과 (－)전하를 띠는 ❷ [   ]로 이루어져 있다.

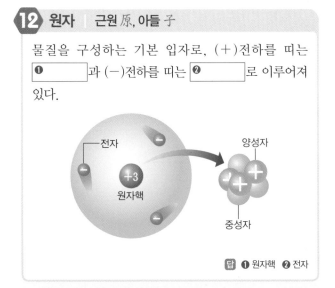

전자

양성자

+3
원자핵

중성자

답 ❶ 원자핵 ❷ 전자

예1 원자 중 가장 작은 것은 수소 원자이다.
예2 원자핵은 (＋)전하를 띠는 양성자와 전하를 띠지 않는 중성자가 결합해 있다.

핵심정리 01 대기 대순환

◎ 대기 대순환

- **역할**: 저위도의 남는 열에너지를 고위도로 수송한다.

- **대기 대순환 모형**

구분	순환 세포	지상 바람
저위도	해들리 순환(직접 순환)	무역풍
중위도	페렐 순환(간접 순환)	❶
고위도	극순환(직접 순환)	극동풍

- **기압대 분포**: 위도 0°와 60° 부근에는 저압대가, 30°와 90° 부근에는 ❷ 가 형성된다.

극 고압대 / 극동풍 / 극순환 / 한대 전선대 / 60°N / 아열대 고압대 / 페렐 순환 / 편서풍 / 30° / 무역풍 / 해들리 순환 / 적도 저압대 / 0° / 30°S

핵심정리 02 표층 순환

◎ 해양의 표층 순환

- **발생 원인**: 대기 대순환에 의한 바람, 수륙 분포

- 남적도 해류와 북적도 해류는 무역풍에 의해, 북태평양 해류와 남극 순환 해류는 ❶ 에 의해 발생한다.

- **난류**: 저위도 → 고위도, 수온과 표층 염분이 높다.

- **한류**: 고위도 → 저위도, 용존 산소와 영양 염류가 많다.

- **북태평양 아열대 순환(시계 방향)**: 북적도 해류 → ❷ 해류 → 북태평양 해류 → 캘리포니아 해류

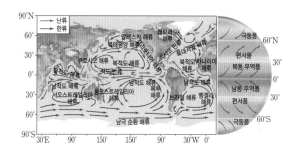

핵심정리 03 심층 순환

◎ 심층 순환의 발생

- 수온이 낮아지거나 염분이 ❶ 지면 밀도가 커져 해수가 침강한다.

- 고위도에서 냉각된 해수는 침강하여 심층 순환을 이루고, 표층 순환과 연결되어 전 세계 해양을 순환한다.

◎ 대서양 심층 순환

- **남극 ❷ **: 남극 대륙 주변에서 침강하며, 밀도가 가장 크다.

- **북대서양 심층수**: 북반구 그린란드 부근에서 침강한다.

- **남극 중층수**: 남극 대륙 주변에서 침강하여 북대서양 심층수 위로 이동한다.

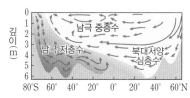

핵심정리 04 엘니뇨 남방 진동

◎ 엘니뇨와 라니냐(적도 부근 동태평양 기준)

구분	엘니뇨	라니냐
무역풍	약화	❶
표층 수온	❷	하강
용승	약화	강화
기압 배치	동쪽에 저기압, 서쪽에 고기압	동쪽에 고기압, 서쪽에 저기압
강수량	증가	감소

◎ 엘니뇨 남방 진동

- **남방 진동**: 열대 태평양의 동서 기압 분포의 변화가 반대로 나타나는 현상

- **엔소(ENSO, 엘니뇨 남방 진동)**: 엘니뇨, 라니냐 시기의 기압 분포와 표층 수온 변화는 밀접한 관련이 있다.

02 이것만은 꼭! 표층 순환

[예제] 그림은 남태평양의 표층 순환을 나타낸 것이다.

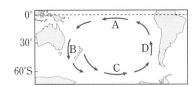

이에 대한 설명으로 옳지 않은 것은?

① A는 무역풍에 의해 형성된다.

✓② B는 고위도의 열을 저위도로 수송한다.

③ C는 남극 대륙 주변을 서에서 동으로 순환한다.

④ D는 B보다 수온이 낮고 용존 산소량이 많다.

⑤ A~D는 아열대 순환을 이룬다.

★기억해요!

무역풍에 의해 형성된 해류는 적도 주변에서 [   ]쪽으로 흐르며, 편서풍에 의해 형성된 해류는 중위도에서 [   ]쪽으로 흐른다.

답 서, 동

---

01 이것만은 꼭! 대기 대순환

[예제] 그림은 북반구에서 형성되는 대기 대순환을 모식적으로 나타낸 것이다.

이에 대한 설명으로 옳은 것은?

① A는 간접 순환이다.

② B에 의해 지상에서는 극동풍이 분다.

③ (가), (다) 지역은 저압대가 형성된다.

✓④ (나), (라) 지역은 상승 기류가 우세하다.

⑤ 연 강수량은 (다) 지역이 (라) 지역보다 많다.

★기억해요!

대기 대순환에 의해 형성되는 순환 세포는 [   ] 순환, 페렐 순환, 극순환이며, 이로 인해 지상에서는 [   ], 편서풍, 극동풍이 분다.

답 해들리, 무역풍

---

04 이것만은 꼭! 엘니뇨 남방 진동

[예제] 엘니뇨와 라니냐 시기의 환경을 비교한 것으로 옳지 않은 것은?

✓① 무역풍은 라니냐 시기에 더 약하다.

② 페루 연안에서 용승은 라니냐 시기에 더 강하다.

③ 열대 동태평양 해역의 강수량은 엘니뇨 시기에 더 많다.

④ 열대 동태평양 해역의 표층 수온은 엘니뇨 시기에 더 높다.

⑤ 열대 동태평양 해역의 해수면 높이는 엘니뇨 시기에 더 높다.

★기억해요!

엘니뇨는 [   ]이 약화되어 적도 해류의 흐름이 약해지고, 동태평양의 용승이 약화되어 표층 수온이 상승하는 현상이다.

답 무역풍

---

03 이것만은 꼭! 심층 순환

[예제] 그림은 대서양의 심층 순환을 나타낸 것이다.

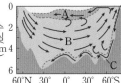

이에 대한 설명으로 옳은 것은?

① A는 남쪽으로 흐르는 심층 해류이다.

② B는 남극 대륙 주변에서 냉각되어 침강한 해수이다.

✓③ B의 일부는 남극 대륙 주변에서 냉각되어 C가 된다.

④ C는 남극 중층수로 밀도가 가장 작다.

⑤ 해수의 밀도를 비교하면 A>B>C이다.

★기억해요!

그린란드 해역에서 냉각된 표층 해수는 침강하여 북대서양 [   ]를 형성하고, 남극 대륙 주변에서 냉각된 해수는 침강하여 남극 중층수와 남극 저층수를 형성한다.

답 심층수

◎ 기후 변화의 원인

• 지구 외적인 요인(천문학적 요인): ❶ [   ] 운동, 지구 자전축 경사각의 변화, 지구 공전 궤도 이심률의 변화, 태양 활동 변화 등

• 지구 내적인 요인: 수륙 분포 변화, 화산 분출, 지표면 상태 변화 등

• 인위적인 요인: 온실 기체 배출, 삼림 훼손 등

◎ 지구 온난화

• 정의: 지구의 평균 기온이 상승하는 현상

• 원인: ❷ [   ] 연료 사용, 삼림 벌채 등 인간의 활동

• 영향: 해수면 상승, 기후 변화, 강수량 분포 변화, 심층 순환 약화 등

답 ❶ 세차 ❷ 화석

◎ 별의 표면 온도와 색지수

• 최대 복사 에너지를 방출하는 파장(λ_{max})은 표면 온도(T)에 반비례한다.

• 별의 색과 표면 온도: 표면 온도가 높을수록 ❶ [   ] 색을 띤다.

• 색지수($B - V$)와 표면 온도: 색지수가 클수록 표면 온도가 낮다.

◎ 별의 분광형

• 분광형: 흡수선의 종류와 세기로 분류하며 온도가 높은 것부터 O, B, A, F, ❷ [   ], K, M형으로 구분한다.

• O형, B형 별에서는 이온화된 헬륨, 중성 헬륨 흡수선이, A형 별에서는 중성 수소 흡수선이, K형, M형 별에서는 금속 원자와 분자 흡수선이 강하게 나타난다.

답 ❶ 파란 ❷ G

◎ H-R도와 별의 종류

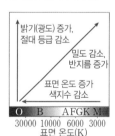
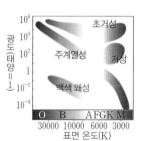

• 주계열성: 왼쪽 위에서 오른쪽 아래로 대각선으로 분포하며, 대부분의 별이 여기에 속한다.

• 적색 거성: 주계열성 오른쪽 위에 분포하고, 반지름이 크고 붉은색을 띤다.

• 초거성: 적색 거성 위쪽에 분포하고, 반지름과 광도가 매우 크다.

• 백색 왜성: 왼쪽 아래에 분포하고, 표면 온도가 매우 높으며, 반지름이 작고 밀도가 ❶ [   ]다.

답 ❶ 크

◎ 별의 진화

• 원시별: 성운이 중력 수축하여 밀도, 온도, 밝기가 증가하면서 원시별이 된다.

• 주계열 단계: 중심부에서 ❶ [   ] 핵융합 반응이 일어나는 단계로, 별의 일생에서 대부분을 차지한다.

• 주계열 → 거성으로 진화 단계: 중심부는 수축하고, 수소 껍질에서 수소 핵융합 반응이 일어나 겉 부분이 팽창한다.

• 거성 단계: 수소 껍질에서 수소 핵융합 반응, 중심부에서 헬륨 핵융합 반응이 일어나며, 반지름과 광도가 크게 증가한다.

◎ 별의 최종 단계

• 질량이 태양 정도인 별: 행성상 성운 방출 → 백색 왜성

• 질량이 매우 큰 별: ❷ [   ] 폭발 → 중성자별 또는 블랙홀

답 ❶ 수소 ❷ 초신성

06 이것만은 꼭! 별의 특성

[예제] 그림은 별 (가)와 (나)의 파장에 따른 에너지 세기를 나타낸 것이고, U, B, V는 파장별 필터이다. 이에 대한 설명으로 옳은 것은?

① (가)는 (나)보다 색지수가 크다.

② (가)는 (나)보다 V등급이 작다.

③ (가)는 (나)보다 더 붉게 보인다.

✓④ (가)는 (나)보다 표면 온도가 높다.

⑤ (가)는 (나)보다 최대 복사 에너지를 방출하는 파장이 길다.

★기억해요! ----------------

별은 표면 온도가 [   ]을수록 최대 복사 에너지를 방출하는 파장이 짧아 파란색을 띠며, 색지수(B − V)가 [   ]다.

답 높, 작

---

05 이것만은 꼭! 기후 변화

[예제] 기후 변화와 지구 온난화에 대한 설명으로 옳지 <u>않은</u> 것은?

① 빙하 면적의 감소는 해수면을 상승시키는 요인이다.

② 지구 자전축 경사각의 변화는 기후 변화의 지구 외적인 요인이다.

③ 대기 중 이산화 탄소 농도가 높았던 시기에 지구의 평균 기온도 높았다.

✓④ 화산 활동에 의해 화산재가 대기 중에 퍼지면 지구의 기온이 상승한다.

⑤ 지구 공전 궤도의 이심률이 작아지면 근일점과 원일점에서 태양과 지구 사이의 거리 차이가 감소한다.

★기억해요! ----------------

기후 변화의 요인으로는 지구 외적인 요인, 지구 내적인 요인, [   ]인 요인이 있으며, 지구 온난화의 주된 원인은 [   ] 연료의 사용량 증가로 인한 온실 기체 배출이다.

답 인위적, 화석

---

08 이것만은 꼭! 별의 탄생과 진화

[예제] 그림은 태양과 비슷한 질량을 가진 별의 진화 경로를 H-R도에 A~E로 순서대로 나타낸 것이다. 이에 대한 설명으로 옳은 것은?

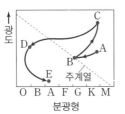

✓① A에서 B로 진화하는 동안 표면 온도가 상승한다.

② B에서 헬륨 핵융합 반응에 의해 탄소가 생성된다.

③ C는 파란색을 띠는 초거성이다.

④ D에서 초신성 폭발이 일어난다.

⑤ E는 중성자별이다.

★기억해요! ----------------

태양 정도의 질량을 가지는 별은 원시별 → [   ] → 적색 거성으로 진화한 후 중심부는 수축하여 [   ]이 되고, 겉부분은 우주 공간으로 방출되어 행성상 성운이 된다.

답 주계열성, 백색 왜성

---

07 이것만은 꼭! H-R도와 별의 종류

[예제] 그림은 H-R도에 별의 종류와 몇 개의 별을 표시한 것이다. 이에 대한 설명으로 옳은 것은?

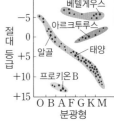

① 태양은 적색 거성이다.

✓② 알골은 태양보다 표면 온도가 높다.

③ 알골은 아르크투루스보다 붉게 보인다.

④ 프로키온 B는 태양보다 반지름이 크다.

⑤ 베텔게우스는 아르크투루스보다 평균 밀도가 크다.

★기억해요! ----------------

주계열성은 H-R도에서 [   ] 방향으로 분포하며, 주계열성의 왼쪽 아래에는 백색 왜성이, 오른쪽 위에는 적색 거성이, 가장 위쪽에는 초거성이 분포한다.

답 대각선

핵심정리 09 별의 에너지원

○ **별의 에너지원**

- **원시별의 에너지원:** 중력 수축 에너지

- **주계열성의 에너지원:** 수소 원자핵 4개가 핵융합하여 헬륨 원자핵 1개가 생성되는 ❶ [   ] 핵융합 반응(p-p 반응, CNO 순환 반응)

- **적색 거성의 에너지원:** 헬륨 핵융합 반응

- **초거성의 에너지원:** 헬륨, 탄소, 네온, 산소, 규소가 차례로 핵융합 반응하여 최종적으로 철 핵 생성

○ **주계열성의 질량에 따른 내부 구조**

- **질량이 태양의 약 2배 이하인 별:** 중심핵(❷ [   ] 반응 우세), 복사층, 대류층

- **질량이 태양의 약 2배 이상인 별:** 대류핵(CNO 순환 반응 우세), 복사층

답 ❶ 수소 ❷ p-p

핵심정리 10 외계 행성 탐사

○ **외계 행성 탐사 방법**

- **식 현상 이용:** 행성이 중심별 앞을 지날 때 일어나는 식 현상에 의한 ❶ [   ] 변화를 이용한다.

- **시선 속도 변화 이용:** 행성과 중심별이 공통 질량 중심에 대해 공전할 때 나타나는 별빛 스펙트럼의 ❷ [   ] 변화를 이용한다.

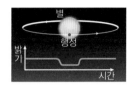
▲ 식 현상

▲ 시선 속도 변화

- **미세 중력 렌즈 효과 이용:** 중심별과 행성의 중력에 의해 멀리 있는 배경별의 별빛이 굴절되어 밝기가 변화하는 현상을 이용한다.

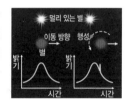
▲ 미세 중력 렌즈 효과

답 ❶ 밝기 ❷ 파장

핵심정리 11 생명 가능 지대

○ **생명체가 존재하기 위한 행성의 조건**

- 행성에 액체 상태의 물이 오랫동안 존재해야 한다.

- 행성에 적절한 두께의 ❶ [   ]가 존재해야 한다.

- 별의 수명이 충분히 길어야 한다.

○ **생명 가능 지대**

- 물이 ❷ [   ] 상태로 존재할 수 있는 영역

- 별의 질량(또는 광도)이 클수록 생명 가능 지대의 거리가 멀고 폭이 넓다.

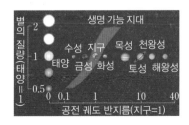

답 ❶ 대기 ❷ 액체

핵심정리 12 외부 은하

○ **허블의 은하 분류**

- **분류 기준:** 가시광선에서 관측되는 은하의 ❶ [   ]

- **은하의 분류:** 타원 은하, ❷ [   ] 나선 은하, 막대 나선 은하, 불규칙 은하

○ **은하의 특징**

구분	나선 은하		타원 은하
	팽대부	은하 원반	
별의 색	붉은색	파란색	붉은색
별의 나이	많다	적다	많다
성간 물질	적다	많다	적다

답 ❶ 형태(모양) ❷ 정상

예제 외계 행성의 탐사 방법에 대한 설명으로 옳은 것은?

✓① 식 현상과 시선 속도 변화는 주기적으로 나타난다.

② 직접 관측을 통해 가장 많은 외계 행성을 발견하였다.

③ 식 현상을 이용할 때는 별의 밝기가 증가하는 현상을 관측한다.

④ 미세 중력 렌즈 효과에서는 밝기가 감소하는 현상을 관측한다.

⑤ 미세 중력 렌즈 효과는 행성의 공전 궤도면이 시선 방향과 나란한 경우에만 이용할 수 있다.

★기억해요!

식 현상을 이용할 때는 중심별의 [   ] 변화를 관측하고, 시선 속도를 이용할 때는 중심별의 스펙트럼에서 나타나는 [   ] 변화를 관측한다.

답 밝기, 파장

예제 그림은 질량이 서로 다른 주계열성의 내부 구조를 나타낸 것이다. 이에 대한 설명으로 옳지 <u>않은</u> 것은?

(가)   (나)

① (가)는 (나)보다 질량이 작다.

② 쌀알 무늬는 (가)에서 관측된다.

③ (가)는 (나)보다 중심부의 온도가 낮다.

④ (가)는 (나)보다 어둡고 표면 온도가 낮다.

✓⑤ (나)는 헬륨 핵융합 반응을 통해 에너지를 생성한다.

★기억해요!

질량이 태양 질량보다 약 2배 이상 큰 주계열성에서는 [   ] 순환 반응이 우세하며, 중심핵에서 [   ]에 의해 에너지가 전달된다.

답 CNO(탄소·질소·산소), 대류

예제 은하의 형태와 특징에 대한 설명으로 옳은 것은?

✓① 우리 은하는 막대 나선 은하에 속한다.

② 타원 은하는 팽대부 크기에 따라 세분한다.

③ 타원 은하는 진화하여 나선 은하로 변한다.

④ 나선 은하는 나선팔의 길이에 따라 세분한다.

⑤ 나선 은하의 원반에는 나이가 많은 붉은색 별이 주로 분포한다.

★기억해요!

은하는 형태에 따라 [   ] 은하, 정상 나선 은하, 막대 나선 은하, [   ] 은하로 분류한다.

답 타원, 불규칙

예제 생명 가능 지대에 대한 설명으로 옳은 것은?

① 금성은 생명 가능 지대에 포함되어 있다.

✓② 중심별의 질량이 클수록 생명 가능 지대의 폭이 넓다.

③ 물이 액체나 고체 상태로 존재할 수 있는 거리 범위이다.

④ 중심별의 광도가 작을수록 생명 가능 지대가 멀리 분포한다.

⑤ 생명 가능 지대보다 안쪽에 위치한 행성에는 물이 고체 상태로 존재할 수 있다.

★기억해요!

생명 가능 지대는 물이 액체 상태로 존재할 수 있는 영역으로, 생명 가능 지대보다 가까우면 물이 [   ] 상태, 멀면 [   ] 상태로 존재할 수 있다.

답 기체, 고체

핵심정리 13 특이 은하

○ 세이퍼트은하
- 스펙트럼에 넓은 ❶ [   ]이 나타난다.
- 주로 나선 은하로 관측되며, 핵이 유난히 밝다.

○ 전파 은하
- 강한 전파를 방출하는 은하로, 핵, 제트, 로브로 이루어져 있다.
- 가시광선 영역에서 주로 타원 은하로 관측된다.

○ 퀘이사
- 은하이지만 매우 멀리 있어 별처럼 보인다.
- 스펙트럼에 넓은 방출선이 나타나고, ❷ [   ] 편이가 매우 크다.
- 특이 은하의 공통점: 중심부에 블랙홀이 있을 것으로 추정된다.

답 ❶ 방출선 ❷ 적색

핵심정리 14 허블 법칙과 우주의 팽창

○ 허블 법칙
- 은하의 스펙트럼 관측과 후퇴 속도(v): 은하의 파장 변화량($\Delta\lambda$)을 측정하여 구할 수 있다.

$$v = c \times \frac{\Delta\lambda}{\lambda} (c: 빛의 속도, \lambda: 원래의 파장)$$

- 허블 법칙: 거리가 먼 은하일수록 ❶ [   ]가 빠르다.

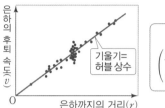

기울기=허블 상수

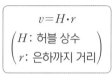

$$v = H \cdot r$$
$$\begin{pmatrix} H: 허블 \ 상수 \\ r: 은하까지 \ 거리 \end{pmatrix}$$

○ 우주의 나이와 크기
- 우주의 나이(t): $t = \frac{1}{H} ≒ 138억 \ 년$ (H: 허블 상수)
- 관측 가능한 우주의 크기(r): $r = \frac{c}{H}$ (c: 빛의 속도)

답 ❶ 후퇴 속도

핵심정리 15 빅뱅 우주론

○ 빅뱅 우주론
- 우주는 고온·고밀도의 한 점에서 시작되었다.
- 우주가 팽창함에 따라 밀도와 온도는 감소한다.

○ 빅뱅 우주론의 증거
- **가벼운 원소의 비율**: 빅뱅 후 1분~3분 사이에 우주 전체에서 헬륨핵 합성이 일어나 우주 전체에 수소와 ❶ [   ]의 질량 비율이 약 3 : 1이 되었다.
- **우주 배경 복사**: 빅뱅 후 약 38만 년이 지났을 때, 원자핵이 전자와 결합하여 원자를 형성하였다(투명한 우주) → 온도가 약 3000 K일 때 방출된 복사가 우주에 퍼져나갔다(❷ [   ]). → 우주가 팽창하면서 우주의 온도가 낮아져서 현재 약 2.7 K 복사로 관측된다.

답 ❶ 헬륨 ❷ 우주 배경 복사

핵심정리 16 표준 우주 모형

○ 급팽창 이론과 가속 팽창 우주
- **급팽창 이론**: 빅뱅 직후 매우 짧은 시간 동안 우주가 빛보다 빠른 속도로 급격한 팽창을 하였다는 이론
- 급팽창 이론으로 빅뱅 우주론의 문제점(우주의 지평선 문제, 편평성 문제, 자기 홀극 문제)을 설명할 수 있다.
- **가속 팽창 우주**: Ia형 ❶ [   ] 관측 결과, 현재 우주는 팽창 속도가 점점 빨라지고 있다.

○ 암흑 물질과 암흑 에너지
- **암흑 물질**: 빛을 내지 않아 중력적인 방법으로만 존재를 추정할 수 있는 물질
- **암흑 에너지**: 우주 팽창을 가속시키는 역할을 하는 에너지
- **우주의 구성**: 암흑 ❷ [   ](약 70 %) > 암흑 물질(약 25 %) > 보통 물질(약 5 %)

답 ❶ 초신성 ❷ 에너지

14 이것만은 꼭! 허블 법칙과 우주의 팽창

[예제] 그림은 은하의 거리와 후퇴 속도의 관계를 나타낸 것이다. 이에 대한 설명으로 옳지 <u>않은</u> 것은?

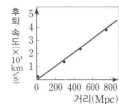

① 기울기는 허블 상수이다.

② 우주가 팽창한다는 증거이다.

③ 은하의 거리와 후퇴 속도는 비례 관계이다.

④ 후퇴 속도는 적색 편이를 관측하여 알아낸다.

✓⑤ 초신성 관측을 통해 밝혀낸 가속 팽창의 증거이다.

★기억해요!

은하의 후퇴 속도와 은하의 거리가 [   ]한다는 법칙을 [   ] 법칙이라고 한다.

답 비례, 허블

---

13 이것만은 꼭! 특이 은하

[예제] 특이 은하에 대한 설명으로 옳은 것은?

① 전파 은하는 주로 나선 은하의 형태를 가진다.

② 퀘이사는 전파가 방출되는 로브, 제트를 가진다.

✓③ 퀘이사는 스펙트럼에서 매우 큰 적색 편이가 나타난다.

④ 세이퍼트은하는 보통의 나선 은하에 비해 핵이 작고 어둡다.

⑤ 특이 은하는 공통적으로 중심부에 거대한 백색 왜성이 존재한다.

★기억해요!

특이 은하에는 [   ] 은하, [   ], 세이퍼트은하 등이 있다.

답 전파, 퀘이사

---

16 이것만은 꼭! 표준 우주 모형

[예제] 표준 우주 모형에서 받아들여지고 있는 개념과 그에 대한 관측적 증거를 연결한 것으로 옳지 <u>않은</u> 것은?

✓① 가속 팽창 − 은하 회전 곡선

② 우주 팽창 − 은하의 적색 편이

③ 빅뱅 우주론 − 우주 배경 복사

④ 암흑 에너지 − Ia형 초신성 관측

⑤ 암흑 물질 − 은하단에 의한 중력 렌즈 현상

★기억해요!

Ia형 초신성 연구 결과 우주는 가속 팽창을 하고 있으며, 그 역할을 하는 것은 암흑 [   ]이다.

답 에너지

---

15 이것만은 꼭! 빅뱅 우주론

[예제] 빅뱅 우주론에 대한 설명으로 옳은 것은?

① 빅뱅 순간 우주 배경 복사가 우주에 퍼져나갔다.

② 빅뱅 이후 우주의 온도는 계속 낮아져 현재는 약 3000 K이다.

③ 우주가 팽창하면서 새로운 물질이 생겨나 밀도가 일정하게 유지된다.

✓④ 빅뱅 우주론의 증거인 우주 배경 복사는 현재 우주에서 전파로 관측된다.

⑤ 우주의 지평선 문제, 평탄성 문제 등을 해결하지 못해 널리 인정받지 못하였다.

★기억해요!

빅뱅 우주론은 우주가 고온·고밀도의 한 점에서 팽창하였다는 이론으로, 그 증거에는 [   ]와 헬륨의 질량비가 약 3:1이라는 것과 [   ]가 있다.

답 수소, 우주 배경 복사